Im Paris der Gegenwart begegnet David Talbot, der Chronist der Vampire, der schönen Pandora und bittet sie, die Geschichte ihrer Jugend und ihrer Initiation in die Welt der Vampire niederzuschreiben. Und Pandora, die zweitausend Jahre alte Vampirin, kehrt in der Erinnerung zurück nach Rom zur Zeit ihrer Kindheit.

Kaiser Augustus ist Herrscher über das blühende Weltreich, auf dem Gipfel seiner Macht. Pandora, Tochter einer kultivierten Patrizierfamilie, genießt für ein Mädchen eine ungewöhnlich sorgfältige Erziehung und nimmt früh am gesellschaftlichen und intellektuellen Leben teil. Mit der Inthronisation von Kaiser Tiberius beginnt jedoch eine furchtbare Schreckensherrschaft. Pandoras Familie wird ausgelöscht, ihr aber gelingt die Flucht nach Antiochia. Dort taucht sie in einen anderen, geheimen Kosmos ein: in das Schattenreich der Untoten. Für Pandora beginnt eine Reise durch Zeit und Welt auf der Suche nach dem verloren geglaubten Liebhaber, dem Vampir Marius, den sie als junge Frau kennen und lieben gelernt hatte …

Anne Rice erzählt suggestiv und farbig – aus der Historie des alten Rom, von der bizarren Geisterwelt der Vampire, der Flüchtigkeit der Zeit und unvergänglichen erotischen Momenten.

»Modern und entsprechend konfliktbeladen, werden Vampire von der dichtenden Kollegin des Doktor Freud auf die Couch gelegt, wo sie ihr Außenseitertum in exotischer Kulisse, angereichert mit Visionen aus Sex und Angst, noch einmal lustvoll aufarbeiten.«
Jordan Mejias, Frankfurter Allgemeine Zeitung

Anne Rice ist mit ihren modernen Vampirromanen eine der erfolgreichsten Autorinnen der Welt. Sie hat bisher mehr als zwanzig Romane geschrieben und ist auch Kinogängern durch ihre Romanvorlage zu dem Film ›Interview mit einem Vampir‹ von Neil Jordan (mit Brad Pitt, 1994) ein Begriff. Anne Rice lebt in New Orleans.

Unsere Adresse im Internet: www.fischer-tb.de

Anne Rice

Pandora

Roman

Aus dem Amerikanischen
von Barbara Kesper

Fischer Taschenbuch Verlag

Veröffentlicht im Fischer Taschenbuch Verlag,
ein Unternehmen der S. Fischer Verlag GmbH,
Frankfurt am Main, September 2002

Lizenzausgabe mit freundlicher Genehmigung des Verlags
Hoffmann und Campe, Hamburg
Die amerikanische Originalausgabe erschien 1998
unter dem Titel ›Pandora‹
im Verlag Alfred A. Knopf, New York
© Anne O'Brien Rice 1998
Deutschsprachige Ausgabe:
© Hoffmann und Campe, Hamburg 2001
Druck und Bindung: Clausen & Bosse, Leck
Printed in Germany
ISBN 3-596-15338-7

Dieses Buch ist gewidmet
Stan, Christopher und Michele Rice
Susanne Scott Quiroz und Victoria Wilson.
Der Erinnerung an John Preston.
Der irischen Bevölkerung New Orleans',
die in der Mitte des 19. Jhds. in der
Constance Street das herrliche Gotteshaus
St. Alphonsus erbaute, sie hinterließ uns damit
durch Glaube, Architektur und Kunst
ein großartiges Denkmal für
»den unvergänglichen Glanz des Hellenismus
und die unvergessene Größe Roms«.

Mrs Moore und das Echo in den Marabar-Grotten:

… Aber das Echo begann auf unbeschreibliche Weise den Boden unter ihr auszuhöhlen. Da es sich ausgerechnet in einem Augenblick vernehmlich machte, in dem sie sich abgekämpft fühlte, hatte es deutlich zu flüstern vermocht: Hochherzigkeit, Frömmigkeit, Mut – das alles gibt es wohl, aber es ist im Grunde das Gleiche, wie es auch eins mit dem Schmutz ist. Alles besteht, aber nichts ist von Wert.

E. M. FORSTER
Auf der Suche nach Indien

Du glaubst, dass ein einiger Gott ist:
Du tust wohl daran.
Die Teufel glauben's auch und zittern.

Der Brief des Jakobus, 2;19

Wie lächerlich und wie weltfremd ist doch,
wer angesichts der wechselhaften Ereignisse
des Lebens Verwunderung zeigt.

MARCUS AURELIUS
Meditationes

Dieser unser gemeinsamer Glaube sagt auch, dass viele Geschöpfe der Verdammnis anheim fallen; als da sind jene Engel, die wegen ihrer Selbstüberhebung aus dem Himmelreich verstoßen wurden und nun dem Teufel angehören; und jene Menschenwesen, die nicht im Glauben unserer Heiligen Kirche sterben, besonders aber die Heiden; und auch jene, die getauft sind, aber ein unchristliches Leben führen und nicht in der Liebe des Herrn sterben – all diese sollen zur ewigen Hölle verdammt sein, wie die Heilige Kirche es uns zu glauben lehrt. Da das so ist, hielt ich es nicht für möglich, dass sich alles, wie unser HERR es mir nun anzeigte, zum Guten wenden könne. Das mir Offenbarte ließ jedoch nur eine Antwort zu: »Was dir unmöglich erscheint, ist nicht unmöglich für Mich. Ich will fest zu Meinem Wort stehen, und Ich werde alles zum Besten richten.« Dieses also lehrte mich GOTTES Gnade …

JULIAN OF NORWICH
Offenbarungen der Liebe Gottes

1

Kaum zwanzig Minuten sind vergangen, seit du mich hier, in diesem Café, zurückgelassen hast. Ich habe deine Bitte abgelehnt. Nein, niemals würde ich für dich die Geschichte meines sterblichen Lebens niederschreiben, wie ich ein Vampir wurde – wie ich mit Marius zusammentraf, nur wenige Jahre nachdem er seine Sterblichkeit eingebüßt hatte.

Und nun sitze ich hier vor dem aufgeschlagenen Notizbuch von dir, in der Hand einen der ebenfalls von dir stammenden spitzen, langlebigen Tintenstifte, und bin entzückt über die reizvolle Spur der schwarzen Tinte auf dem teuren blütenweißen Papier.

Natürlich hast du mir damit etwas Exquisites überlassen, David, es lädt regelrecht zum Schreiben ein. Das in dunkel gegerbtes Leder gebundene Notizbuch – geprägt mit einem Muster aus prächtigen, dornenlosen Rosen –, ist es nicht eine Form, die letztlich zwar nur Design ist, aber gleichzeitig von etwas Bedeutendem zeugt? Was zwischen diesen stattlichen Buchrücken geschrieben steht, hat Gewicht, so lautet die Botschaft des Einbands.

Die festen Seiten sind mit hellblauen Linien versehen – du bist so praktisch, so aufmerksam, und vermutlich weißt du, dass ich so gut wie nie einen Stift in die Hand nehme, um etwas zu Papier zu bringen.

Selbst das Geräusch der Feder hat seinen Reiz, dieses scharfe

Kratzen, als führe man mit dem feinsten Federkiel über Pergament, wie ich es einst im alten Rom zu tun pflegte, wenn ich Briefe an meinen Vater schrieb oder dem Tagebuch meinen Kummer anvertraute … ach, dieses Geräusch!

Das Einzige, was mir fehlt, ist der Geruch der Tinte, aber wir haben ja heute diesen Plastikstift, der dicke Bände füllen kann, ohne leer zu werden, während er die zarten und die kräftigen Linien ganz nach meinem Wunsch aufs Papier zaubert.

Beim Schreiben denke ich über deine Bitte nach. Du siehst also, etwas bekommst du doch von mir. Ich spüre, wie ich allmählich nachgebe, fast wie unsere menschlichen Opfer uns nachgeben. Während draußen der endlose Regen niedergeht und hier drinnen im Café sich das endlose Geschnatter fortsetzt, ertappe ich mich ja vielleicht bei dem Gedanken, dass es womöglich gar nicht so qualvoll wäre, wie ich annahm – über den Zeitraum von zwei Jahrtausenden zurückzugehen –, sondern eher eine Wonne wie der Akt des Bluttrinkens.

Nur dass dieses Opfer, nach dem ich jetzt meine Hände ausstrecke, nicht so einfach zu bezwingen ist: Es ist meine Vergangenheit – und sie wird sich mir möglicherweise mit einer Schnelligkeit entziehen, die meiner eigenen gleicht. Wie dem auch sei, ich stelle nun einem Opfer nach, mit dem ich noch nie konfrontiert war. Und darin liegt für mich auch der Reiz der Jagd beziehungsweise der Ermittlungen, wie man das heute nennt.

Warum sonst sollte ich auf einmal jene vergangenen Zeiten so lebhaft vor mir sehen? Du gabst mir keinen Zaubertrank, um meinen Geist zu öffnen. Für uns existiert nur ein Zaubertrank, und das ist Blut.

»Du wirst dich an alles erinnern.« Das sagtest du mir, als wir auf dem Weg zu dem Café waren.

Du, der du erst seit kurzem zu uns gehörst und doch als Sterblicher ein so hohes Alter erreicht hast und ein so großer Gelehrter warst. Vielleicht ist es für dich nur natürlich, dass du so energisch versuchst, unsere Geschichten zu sammeln.

Aber warum soll ich nach Erklärungen für einen Wissensdurst wie den deinen suchen, für den Mut angesichts blutiger Wahrheit?

Wie gelang es dir, dieses Verlangen nach Rückkehr in mir zu entfachen, fast auf das Jahr genau zweitausend Jahre zurückzugehen – um von den einst in Rom als Sterbliche gelebten Zeiten zu erzählen und davon, wie ich mich Marius anschloss und welch geringe Chance er gegen das Schicksal hatte.

Wie kommt es, dass die Anfänge, die ich so tief in mir begraben hatte und so lange verleugnete, mich plötzlich locken? Eine Tür springt auf, ein Licht erstrahlt. Herein.

Ich lehne mich zurück.

Ich schreibe, aber ich halte auch inne und blicke mich um, betrachte die Menschen in diesem Pariser Café. Ich sehe die tristen Unisex-Stoffe der heutigen Zeit, das frische amerikanische Mädchen in seinem olivgrünen militärischen Aufzug, mit dem Rucksack über der Schulter, der all ihre Besitztümer enthält; ich beobachte den alten Franzosen, der schon seit einer Ewigkeit hierher kommt, nur um sich an den nackten Armen und Beinen der jungen Leute zu ergötzen, sich von ihren Bewegungen zu nähren wie ein Vampir von Blut, und um auf den kurzen, kostbaren Augenblick zu warten, wenn eine Frau mit der Zigarette in der Hand sich lachend zurückwirft und der synthetische Stoff ihrer Bluse sich über der Brust spannt, so dass sich die Brustwarzen abzeichnen.

Ach, alter Mann! Sein Haar ist grau, und er trägt einen teuren Mantel. Er belästigt niemanden. Sein Leben beschränkt sich aufs Zuschauen. Heute Abend wird er in seine bescheiden-elegante Wohnung zurückkehren, die er schon seit dem letzten Krieg besitzt, und er wird sich Filme von der jungen, schönen

Brigitte Bardot ansehen. Er lebt durch seine Augen. Zehn Jahre hat er keine Frau mehr angerührt.

Ich schweife nicht ab, David, ich suche nur festen Grund. Denn ich will nicht, dass meine Geschichte aus mir hervorsprudelt wie aus einem berauschten Orakel.

Ich sehe die Sterblichen in einem anderen Licht, mit größerer Aufmerksamkeit. Sie kommen mir so neu, so fremdartig und doch so verlockend vor, diese Sterblichen; sie sehen aus, wie die tropischen Vögel meiner Kindheit ausgesehen haben müssen: so voller vibrierendem, rebellischem Leben, dass ich sie greifen wollte, um es zu fühlen, um ihre Flügel in meinen Händen flattern zu lassen, ihren Flug einzufangen und daran teilzuhaben. Ach, dieser schreckliche Augenblick im Leben eines Kindes, wenn es versehentlich einem rot leuchtenden Vögelchen die Luft abdrückt.

Und dabei wirken einige von diesen Sterblichen unheimlich in ihren düsteren Gewändern: drüben in der hintersten Ecke der unvermeidliche Kokaindealer – und sie sind überall, sind unsere bevorzugte Beute –, der auf seine Kontaktperson wartet; sein langer Ledermantel stammt von einem italienischen Designer, sein Haar ist extravagant geschnitten, damit er auffällt, was auch gelingt, obwohl es dessen gar nicht bedarf, wenn man seine riesigen schwarzen Augen betrachtet und seinen Mund, der zwar großzügig geschnitten, doch nun hart und verkniffen ist. Er lässt das Feuerzeug mit den schnellen, ungeduldigen Gesten, die den Süchtigen verraten, auf dem Marmortischchen tanzen, er dreht und windet sich, er kann nicht bequem sitzen. Er weiß nicht, dass es die Behaglichkeit in seinem Leben nie wieder geben wird. Eigentlich möchte er verschwinden, um sein brennend ersehntes Kokain zu schnupfen, doch er kann nicht fort, er muss auf seinen Verbindungsmann warten. Seine Schuhe glänzen zu sehr, und seine langen, dünnen Hände werden keine Gelegenheit haben zu altern.

Ich denke, er wird heute Nacht sterben, dieser Mann. Ich spüre, wie das Verlangen langsam in mir wächst, ihn eigenhändig zu töten. Er hat so viel Gift an so viele Menschen ausgeteilt. Wenn ich ihm auf den Fersen bliebe, ihn mit meinen Armen umschlänge, müsste ich ihn nicht einmal mit Halluzinationen einwickeln. Ich würde ihn wissen lassen, dass der Tod gekommen ist in Gestalt einer Frau, die zu bleich ist, um ein Mensch zu sein, zu glatt geschliffen durch die Jahrhunderte, um etwas anderes zu sein als eine zum Leben erwachte Statue. Andererseits planen die Leute, auf die er hier wartet, bereits seinen Tod. Warum sollte ich also eingreifen?

Wie nehmen die Menschen mich hier wahr? Als eine Frau mit langen, welligen braunen Haaren, die wie ein Nonnenschleier über mein Gesicht fallen, einem Teint, dessen Blässe kosmetisch hergestellt scheint, mit Augen, die selbst noch hinter den golden getönten Gläsern unnatürlich glänzen.

Ach, wir müssen diesem Zeitalter sehr dankbar sein für seine vielen verschiedenartigen Brillen; denn wenn ich keine Augengläser trüge, bliebe mir nichts anderes übrig, als ständig mit gesenktem Kopf herumzulaufen, um die Menschen nicht zu erschrecken. In meinen Augen changieren nämlich Gelb und Braun und Gold, und über die Jahrhunderte sind sie Edelsteinen immer ähnlicher geworden, so dass es aussieht, als hätte man einer blinden Frau Topase als Iris eingesetzt – oder eher noch sorgfältig geschliffene runde Scheiben aus Saphir und Topas und Aquamarin.

Sieh mal, nun habe ich schon so viele Seiten gefüllt. Und doch habe ich damit bisher nur gesagt: »Ja, ich will dir erzählen, wie das Ganze für mich begann. Ja, ich will dir davon berichten, wie ich als Sterbliche im alten Rom lebte, wie ich Marius lieben lernte und wie wir uns fanden und wieder getrennt wurden.«

Dieser Entschluss, was für eine Sinnesänderung spiegelt er wider!

Wie mächtig ich mich mit diesem Stift in der Hand fühle, und wie eifrig bemüht ich bin, uns beide nüchtern und klar zu sehen, ehe ich mich an die Erfüllung deines Wunsches begebe.

Dies hier ist also Paris in einer Zeit des Friedens. Es regnet. Der Boulevard wird von grauen, herrschaftlichen Häusern mit den typischen Doppelfenstern und schmiedeeisernen Balkons gesäumt. Lärmende kleine Autos rasen gefährlich schnell durch die Straßen. Cafés wie dieses quellen über von Touristen aus aller Welt. Alte Kirchen sind in zahllose Mietwohnungen aufgeteilt, ehemalige Paläste in Museen umgewandelt, deren Hallen ich stundenlang durchstreife, versunken in die Betrachtung ägyptischer und sumerischer Kunstgegenstände, die sogar älter sind als ich. Die Architektur des antiken Rom ist allgegenwärtig, Banken residieren in Imitationen von Tempeln aus meiner Zeit. Und die Worte meiner lateinischen Muttersprache durchdringen die modernen Sprachen. Der Dichter Ovid, mein geliebter Ovid, hat Recht behalten, als er prophezeite, dass seine Dichtkunst das römische Reich überdauern werde.

Welche Buchhandlung du auch aufsuchst, du wirst seine Werke dort finden, gebunden in hübsche kleine Taschenbücher, die Studenten ansprechen.

Rom hat seinen Einfluss ausgesät, der inmitten des modernen Waldes von Computern, Disketten, Mikroviren und Satelliten mächtige Eichen hervorgebracht hat.

Hier ist es – wie zu allen Zeiten – leicht, das greifbare Böse zu finden oder die Verzweiflung, die der zärtlichen Erfüllung würdig ist.

Und was mich angeht, so muss immer auch etwas wie Liebe für das Opfer im Spiel sein, ein wenig Erbarmen, und die Selbsttäuschung, dass der Tod, den ich bringe, nicht das große Leichentuch der Zwangsläufigkeit zerreißt, das aus Bäumen, Erde, Sternen und menschlichen Ereignissen gewoben ist, das um uns wogt, jederzeit bereit, sich um die gesamte Schöpfung, um alles, was wir kennen, zu schlingen.

Vergangene Nacht, als du mich plötzlich entdeckt hast, welchen Eindruck hattest du da? Ich war allein auf der Seine-Brücke, wandelte durch diese für uns so gefährliche Dunkelheit kurz vor Anbruch der Morgendämmerung.

Du hattest mich gesehen, noch ehe ich deine Gegenwart spürte. Meine Kapuze hing herunter, und ich ließ meine Augen in dem trüben Licht auf der Brücke für einen kurzen Moment in ihrer ganzen Pracht erstrahlen. Mein auserwähltes Opfer stand am Geländer, fast noch ein Kind, doch verletzt und missbraucht von hundert Männern. Sie wollte den Tod im Wasser. Ich weiß nicht, ob die Seine hier, nicht weit von der Ile St. Louis und Notre Dame, überhaupt tief genug ist, dass man darin ertrinken könnte. Vielleicht, wenn man dem letzten Kampf um sein Leben widerstehen kann.

Doch die Seele dieses Opfers empfand ich wie Asche, als wäre ihr Geist schon verbrannt und nur der Körper zurückgeblieben, eine verbrauchte, von Krankheit versehrte Hülle. Ich legte den Arm um die junge Frau, und als ich die Angst in ihren schmalen schwarzen Augen sah, als ich die Frage aufsteigen sah, gaukelte ich ihr Idole vor. Die Schicht, die meinen Teint bedeckte, hinderte mich nicht daran, wie die Jungfrau Maria auszusehen, so dass sie in Hymnen und Gebete versank. Sogar meine Schleier sah sie in den Farben, die sie aus den Kirchen ihrer Kindheit kannte, als sie mir erlag. Und ich – die ich wusste, dass ich des Trunkes nicht bedurfte, aber nach ihr dürstete, nach der Seelenqual dürstete, die sie vielleicht in ihrem letzten Augenblick zeigen würde, nach dem köstlichen roten Blut, das meinen Mund füllen und mir eine Sekunde lang das Gefühl geben würde, ich wäre in meiner ganzen Ungeheuerlichkeit ein Mensch – ließ mich auf ihre Visionen ein. Ich bog ihren Hals, fuhr mit den Fingern über die wunde, zarte Haut,

und dann, als ich meine Zähne in sie versenkte, von ihr trank –
da wusste ich, dass du dort warst. Du schautest zu.

Ich wusste es, und ich fühlte es, und in deinen Augen sah ich
unser beider Abbild, wenn auch nur flüchtig, denn die Wollust
durchströmte mich trotzdem und machte mich glauben, ich
wäre lebendig, gewissermaßen im Einklang mit Wiesen voller
Klee oder mit Bäumen, deren Wurzeln tiefer in die Erde reichten als ihre Äste ins Firmament.

Im ersten Moment hasste ich dich. Du hast mich beobachtet,
als ich in Genuss schwelgte. Du sahst mich, als ich mich fallen
ließ. Du wusstest nichts von den langen Monaten des Hungers,
der Mäßigung und Wanderschaft. Du sahst nur mein plötzlich
freigesetztes unreines Verlangen, ihr die Seele aus dem Leib zu
saugen, ihr Herz zu sprengen, ihren Venen jedes winzige Parti-
kelchen zu entreißen, das noch überleben wollte.

Und sie wollte überleben. Verstrickt in Fantasien von Heiligen
und Träumen von der nährenden Mutterbrust, kämpfte ihr
junger Körper, drängte und pumpte sein Blut gegen mich: sie
so weich und meine eigene Gestalt hart wie eine Statue mit
ihren zu Marmor versteinerten Warzen ohne stillenden Trost.
Ich ließ sie ihre Mutter sehen, die, tot und vergangen, jetzt auf
sie wartete. Mir verschaffte ich durch ihre brechenden Augen
einen Blick auf das Licht, durch das sie der sicheren Erlösung
entgegeneilte.

Dann vergaß ich dich. Ich wollte mir diesen Moment nicht rau-
ben lassen. Ich trank langsamer, gewährte ihr einen letzten
Seufzer, ließ ihre Lungen sich mit der kühlen Luft vom Fluss
füllen, während ihre Mutter immer näher kam, bis ihr im Tode
schien, als wäre sie in den Mutterleib zurückgekehrt. Ich
saugte jeden Tropfen aus ihr.

Tot hing sie an mir wie eine, die ich gerettet hatte, eine, der ich
von der Brücke helfen wollte, ein geschwächtes, krankes, be-
trunkenes Mädchen. Ich ließ meine Hand in ihren Körper glei-

ten, durchbrach mühelos das Fleisch, trotz meiner zierlichen Finger, und ich schloss diese Finger um ihr Herz, zog es an meine Lippen und saugte es aus – den Kopf auf ihr Gesicht gesenkt –, saugte das Herz aus wie eine Frucht, bis auch nicht ein Tropfen Blut mehr in den Kammern und Gefäßen übrig war, und dann – vielleicht dir zuliebe – hob ich das Mädchen auf und ließ es in das Wasser hinunterfallen, nach dem sie sich so gesehnt hatte.

Doch wenn nun das Flusswasser ihre Lungen füllte, würde es keinen Todeskampf geben. Kein letztes verzweifeltes Aufbegehren. Noch einmal saugte ich an ihrem Herzen, um auch noch die Farbe des Blutes herauszuziehen, und dann warf ich es ihr nach – ausgequetschte Trauben – und dachte: Armes Kind, Beute von ungezählten Männern.

Dann wandte ich mich zu dir, gab dir zu verstehen, dass ich deine beobachtenden Blicke wahrgenommen hatte. Ich glaube, ich versuchte dir Angst einzujagen. Von Wut überwältigt, ließ ich dich wissen, wie schwach du seist, dass alles Blut, das du von Lestat bekommen hattest, dich doch zu keinem Gegner für mich machen würde, wenn mir einfallen sollte, dich in Stücke zu reißen, in dir eine tödliche Glut zu entfachen und dich in Flammen aufgehen zu lassen oder dir nur eine tiefe Wunde beizubringen – einfach als Strafe dafür, dass du mir nachspioniert hattest.

In Wahrheit habe ich jüngeren Vampiren niemals etwas Derartiges angetan. Wenn sie beim Anblick von uns Uralten vor Furcht und Schrecken erbeben, tun sie mir sogar Leid. Aber obwohl ich mich selbst gut kenne, hätte ich mich besser so schnell zurückziehen sollen, dass du mir in der Nacht unmöglich hättest folgen können.

Etwas in deinem Auftreten verzauberte mich, die Art, wie du dich mir auf dieser Brücke nähertest, du, der junge Anglo-Inder in dem braunhäutigen Körper, der durch das Alter, das du als

Mensch erreicht hast, in solch verführerischer Anmut glänzte. Ohne dich zu erniedrigen, schienst du mit deiner ganzen Haltung die Bitte auszudrücken:

»Pandora, können wir miteinander reden?«

Meine Gedanken schweiften ab. Vielleicht wusstest du das. Ich weiß nicht mehr, ob ich meinen Geist vor dir verschloss, aber ich weiß, dass deine telepathischen Fähigkeiten nicht besonders stark entwickelt sind. Meine Gedanken schweiften plötzlich ab, vielleicht ganz von selbst, vielleicht auch von dir angespornt. Ich dachte über all das nach, was ich dir erzählen könnte, was sich von den Geschichten Lestats so sehr unterschied, vor allem das, was er über Marius erzählt hatte. Ich wollte dich warnen, warnen vor den uralten Vampiren des Fernen Ostens, die dich töten würden, wenn du dich in ihr Revier wagtest, aus dem einfachen Grund, dass du dort anwesend wärst.

Ich wollte mich vergewissern, ob du wusstest, was wir alle zu akzeptieren hatten: Die Quelle unseres unsterblichen vampirischen Hungers liegt in zwei Wesen, in Mekare und Maharet – beide so alt, dass ihr Anblick mehr Furcht erregend ist als schön. Und wenn sie sich selbst vernichten, werden wir alle mit ihnen sterben.

Ich wollte dir von anderen erzählen, die uns nie als einen Stamm kennen gelernt oder unsere Geschichte erfahren haben, jene, die das schreckliche Feuer, das unsere Urmutter Akasha über ihre Kinder brachte, überlebten. Ich wollte dir berichten, dass Wesen über unsere Erde wandern, die zwar aussehen wie wir, aber ebenso wenig unseres Ursprungs sind, wie sie Menschen sind. Und ich hatte plötzlich den Wunsch, dich unter meine Fittiche zu nehmen.

Sicher hast du mich dazu angespornt. Du standest da, ganz der englische Gentleman, und pflegtest die Etikette lässiger und natürlicher, als ich es je bei einem Mann erlebt hatte.

Ich staunte über deine elegante Kleidung, dass du dir einen schwarzen Umhang aus leichter Schurwolle erlaubt, ja sogar den Luxus eines schimmernd roten Seidenschals gegönnt hattest – wie anders als damals, da du gerade neu geschaffen worden warst.

Versteh mich, in jener Nacht war ich mir nicht der Tatsache bewusst, dass Lestat dich zu einem Vampir gemacht hatte. Diesen Umstand konnte ich nicht erfühlen.

Allerdings hatte unser übernatürliches Universum ein paar Wochen zuvor von der Neuigkeit gesummt, dass ein Sterblicher in den Körper eines anderen Sterblichen geschlüpft war; wir wissen so etwas einfach, als ob die Sterne es uns erzählt hätten. Ein übernatürlicher Verstand greift die kleinen Fäden auf, die sich aus dem scharfen Schnitt im Gewebe des Gewohnten lösen, ein anderer Verstand empfängt das Bild, und so geht es immer weiter.

David Talbot – der Name war uns allen von dem ehrwürdigen Orden jener parapsychologischen Detektive, der Talamasca, bekannt –, David hatte es geschafft, seine Seele und seinen Astralkörper in den Körper einer anderen Person zu verpflanzen. Von diesem Körper wiederum hatte zuvor ein Körperdieb Besitz ergriffen, den du daraus vertriebst. Und als du dich erst einmal in dem jugendlichen Körper verankert hattest, bliebst du mit all deinen Skrupeln, deinen Wertvorstellungen, dem ganzen Wissen deiner vierundsiebzig Jahre in diesen jungen Zellen.

David mit der Hochglanz-Schönheit, die er seiner indischen, und der prallen Muskelkraft, die er seiner britischen Abstammung verdankte, dieser wieder geborene David war es also, den Lestat zum Vampir gemacht hatte, indem er beides, Körper und Seele, herüberbrachte. So schuf er eine Mischung aus unserem Dunklen Zauber und einem Wunder und beging wieder einmal eine Sünde, die seine Altersgenossen und die Uralten gleichermaßen schockieren sollte.

Und das, das wurde dir von deinem besten Freund angetan!

Willkommen in der Finsternis, David. Willkommen im Reich des »unbeständ'gen Mondes«, um mit Shakespeare zu sprechen.

Tapfer schrittest du mir auf der Brücke entgegen.

»Verzeih mir, Pandora«, sagtest du ganz ruhig. Makelloser britischer Upperclass-Akzent und der übliche hinreißende britische Tonfall, der so verführerisch ist, dass er auszudrücken scheint: Wir werden die Welt schon retten.

Du hieltest höflich Distanz, so als wäre ich ein jungfräuliches Mädchen des vergangenen Jahrhunderts und als wolltest du mein Zartgefühl nicht verletzen. Ich lächelte.

Dann gab ich einem Drang nach. Ich musterte dich gründlich, dich, diesen Zögling, den Lestat – entgegen Marius' ausdrücklichem Befehl – zu schaffen gewagt hatte. Und ich sah all die einzelnen Komponenten, die dich als Mann ausmachten: eine große menschliche Seele, ohne Furcht, doch ein wenig verliebt in die Verzweiflung, und einen Körper, bei dessen Umwandlung sich Lestat fast umgebracht hätte, weil er ihm so viel Kraft wie möglich übertragen wollte. Er hatte dir deshalb mehr von seinem Blut gegeben, als für ihn gut war. Er war bemüht, dir seine Kühnheit, seine Klugheit, seine Gerissenheit mitzugeben. Durch das Blut wollte er dir eine Rüstung schaffen.

Er hatte es gut gemacht: Deine Stärke war vielfältig und nicht zu übersehen. In Lestats Adern floss das Blut unserer Königin Akasha, und auch Marius, mein Geliebter aus längst vergangenen Zeiten, hatte ihm von seinem Blut gegeben. Lestat, ach ja, was sagen sie doch gleich? Sie sagen, dass er möglicherweise sogar vom Blut Christi getrunken hat.

Das wollte ich als Erstes mit dir besprechen, da ich von Neugier überwältigt war; denn in der Welt nach Erkenntnissen zu suchen bedeutet häufig, in so viel Unglück zu wühlen, dass ich Abscheu davor empfinde.

»Sag mir die Wahrheit«, bat ich. »Diese Geschichte von *Memnoch dem Teufel*! Lestat behauptete, dass er sowohl in den Himmel als auch in die Hölle gegangen sei. Er brachte das Schweißtuch der Veronika von dort mit. Das Antlitz Christi war darauf! Das hat Tausende zum Christentum bekehrt, hat Entfremdung aufgehoben und Bitterkeit verdrängt. Und andere Kinder der Finsternis trieb es dazu, sich mit ausgebreiteten Armen dem tödlichen Licht der aufgehenden Sonne entgegenzuwerfen, als wäre die Sonne wahrhaftig das Feuer Gottes.«

»Ja, es war wirklich alles so, wie ich es beschrieben habe«, sagtest du und senktest den Kopf in höflicher, aber nicht übertriebener Bescheidenheit. »Und dir ist ja bekannt, dass ein paar ... von *uns* in dieser Gluthitze umkamen und Zeitungsmacher und Wissenschaftler unsere Asche sammelten, um sie zu untersuchen.«

Ich wunderte mich über deine ruhige Haltung. Eine Sensibilität, typisch für das zwanzigste Jahrhundert. Ein Geist, der bestimmt wird von einem unschätzbaren Reichtum an Informationen, und eine flinke Zunge, gepaart mit einem Intellekt, der sich der Schnelligkeit, Synthese und Plausibilität verschrieben hat, und das alles vor dem Hintergrund grauenvoller Erfahrungen und vielleicht den grässlichsten Kriegen und Massakern, die die Welt je gesehen hat.

»Es stimmt alles«, sagtest du, »und Mekare und Maharet, diese Uralten, habe ich auch getroffen, und du brauchst dich meinetwegen nicht zu beunruhigen; ich weiß, wie verletzbar unsere Wurzeln sind. Es ist sehr freundlich, dass du mit solcher Fürsorge an mich denkst.«

Ich war im Stillen entzückt.

»Was hast du von dieser Reliquie, dem Schweißtuch, gehalten?«, fragte ich.

»Unsere Heilige Frau von Fatima«, murmeltest du. »Das Turiner Grabtuch; ein Krüppel, der sich geheilt aus den Wunderwassern von Lourdes erhebt! Wie tröstlich muss es sein, diese Dinge ganz einfach zu akzeptieren.«

»Und du konntest das nicht?«

Du hast den Kopf geschüttelt. »Und Lestat genauso wenig, ehrlich. Die Sterbliche war es, Dora, sie hat ihm das Schweißtuch weggeschnappt, sie hat es mit hinausgenommen und aller Welt gezeigt. Allerdings war es ein einzigartiges, mit akribischem Geschick hergestelltes Tuch, das muss ich schon sagen, und der Bezeichnung Reliquie eher würdig als alles andere, was ich auf dem Gebiet je gesehen habe.«

Du klangst plötzlich niedergeschlagen.

»Es steckte eine gewaltige Absicht hinter seiner Herstellung«, sagtest du.

»Und der Vampir Armand, dieser grazile, jungenhafte Armand, er glaubte an dieses Tuch?«, fragte ich. »Armand warf einen Blick darauf und sah das Antlitz Christi.« Ich wollte deine Bestätigung.

»Er glaubte fest genug, um dafür zu sterben«, sagtest du feierlich. »Genug, um seine Arme der Morgensonne entgegenzustrecken.«

Du wandtest den Blick ab und hast die Augen geschlossen, eine unmittelbare Bitte an mich, dich nicht über Armand sprechen zu lassen, über seinen Gang in das morgendliche Sonnenfeuer.

Ich seufzte auf, erstaunt und beinahe fasziniert, weil du dich so deutlich, mit solcher Skepsis geäußert hast und dabei doch eine so offenkundige Beziehung zu den anderen hattest.

Mit Erschütterung in der Stimme sagtest du: »Armand«, und immer noch von mir abgewandt: »Welch eine Totenmesse. Und weiß er nun, ob Memnoch wirklich war, ob der Fleisch gewordene Gott, der Lestat in Versuchung geführt hat, tatsächlich der Sohn des allmächtigen Gottes war? Weiß das überhaupt jemand?«

Deine Ernsthaftigkeit, deine Leidenschaft begeisterten mich. Du warst weder abgestumpft noch zynisch. Deine Gefühle für diese Ereignisse und diese Wesen waren von einer ebensolchen Unmittelbarkeit wie die Fragen, die du aufwarfst.

Du sagtest: »Weißt du, man hat das Schweißtuch weggeschlossen. Es ist im Vatikan. Zwei Wochen herrschte der reine Wahnsinn in der St. Patrick's Cathedral auf der Fifth Avenue; die Leute strömten hinein und wollten in die Augen des HERRN schauen, und dann war das Tuch fort, man hatte es in die vatikanischen Schatzkammern gebracht. Ich glaube kaum, dass irgendein Land der Welt die Macht hat, jetzt auch nur einen Blick darauf zu werfen.«

»Und Lestat? Was ist mit ihm?«, fragte ich.

»Wie gelähmt, stumm«, war deine Antwort. »Lestat liegt in New Orleans auf dem Boden einer Kapelle. Er rührt sich nicht. Er sagt nichts. Seine Mutter Gabrielle ist zu ihm gekommen. Du hast sie ja kennen gelernt, er hat sie zu einem Vampir gemacht.«

»Ja, ich erinnere mich an sie.«

»Selbst sie kann ihn zu keiner Reaktion bewegen. Was immer er auf seinem Streifzug durch Himmel und Hölle sah, die Wahrheit kennt er genauso wenig – er hat versucht, Dora das klar zu machen! Und nachdem ich die ganze Geschichte für ihn niedergeschrieben hatte, versank er schließlich innerhalb weniger Nächte in diesen Zustand. Seine Augen starren auf einen Punkt, sein Körper ist schlaff. Er und Gabrielle, sie bilden eine merkwürdige Pietà dort in diesem verlassenen Kloster mit seiner Kapelle. Lestats Geist ist verschlossen, oder schlimmer noch – er ist leer.«

Ich stellte bei mir fest, dass mir deine Art zu sprechen wirklich gefiel. Du hast mir in der Tat meine Vorbehalte genommen.

»Ich habe Lestat verlassen, weil ich nicht wusste, wie ich ihm noch hätte helfen können, ich konnte nicht zu ihm durchdringen«, fuhrst du fort. »Und ich muss einfach wissen, ob mir irgendwo einer der Uralten nach dem Leben trachtet; ich muss meine Pilgerfahrten fortsetzen, damit ich die Gefahren dieser Welt, in die man mich eingelassen hat, erkenne.«

»Du bist so offen. Gar nicht hinterhältig.«

»Im Gegenteil. Die Ziele, die mir am wichtigsten sind, verberge ich vor dir.« Du zeigtest mir ein kleines, höfliches Lächeln und fügtest hinzu: »Deine Schönheit bringt mich einigermaßen durcheinander. Bist du daran gewöhnt?«

»Ziemlich«, antwortete ich, »und dessen überdrüssig. Sieh einfach darüber hinweg. Nur lass dich warnen, es gibt da alte Vampire, die keiner kennt oder erklären kann. Es geht das Gerücht, du wärst bei Maharet und Mekare gewesen, die nun die Ältesten sind, die Quelle, der wir alle entstammen. Sie haben sich offensichtlich von uns zurückgezogen, haben der Welt den Rücken gekehrt und leben an einem geheimen Ort; sie finden keinen Geschmack daran, Autorität auszuüben.«

»Damit hast du Recht«, stimmtest du zu, »und mein Aufenthalt bei ihnen war schön, aber kurz. Sie wollen über niemanden herrschen, Maharet schon gar nicht, solange die Geschichte der Welt währt und ihre eigenen leiblichen Nachfahren in ihr leben – die Tausende menschlicher Abkömmlinge aus uralter Zeit, die so weit zurückliegt, dass es keine Daten dafür gibt. Niemals wird Maharet sich und ihre Schwester töten, womit sie uns ja alle vernichten würde.«

»Ja«, sagte ich, »daran glaubt sie, an die Große Familie, die Generationen, deren Spur sie seit Tausenden von Jahren verfolgt. Damals, bei unserem großen Treffen, habe ich Maharet gesehen. Sie betrachtet uns nicht als das Böse – dich, mich, Lestat –, sie glaubt, wir wären Naturerscheinungen, wie Vulkane oder wie Feuer, das durch die Wälder rast, oder wie Blitze, die ja auch Menschen töten.«

»Genau«, sagtest du. »Eine Königin der Verdammten gibt es

nicht mehr. Ich fürchte nur einen Unsterblichen, und das ist dein Geliebter, Marius. Denn er war es, der damals, ehe er die anderen verließ, die strikte Regel festsetzte, dass keine weiteren Bluttrinker mehr geschaffen werden sollten. In Marius' Augen bin ich sozusagen ein illegitimes Kind. Ja, ich denke, wenn er Engländer wäre, würde er es so ausdrücken.«

Ich schüttelte den Kopf. »Ich glaube einfach nicht, dass er dir etwas antun würde. War er denn nicht bei Lestat? Wollte er das Schweißtuch nicht mit eigenen Augen sehen?«

Du verneintest beides.

»Merke dir diesen Rat: Sobald du seine Gegenwart spürst, sprich ihn an. Sprich ihn an, wie du es mit mir gemacht hast. Beginne ein Gespräch, und er wird nicht so anmaßend sein, es abzubrechen.«

Du lächeltest abermals und sagtest: »Das hast du wirklich geschickt ausgedrückt.«

»Aber ich glaube nicht, dass du ihn fürchten musst. Wenn er wollte, dass du vom Erdboden verschwindest, wärst du schon längst verschwunden. Was wir fürchten müssen, ist das Gleiche, was auch die Menschen fürchten – dass es innerhalb der eigenen Spezies Wesen gibt, deren Fähigkeiten und Glaubensbekenntnisse sich von unseren grundlegend unterscheiden; und wir können uns niemals sicher sein, wo sie sind und was sie tun. Mehr kann ich dir nicht sagen.«

»Es ist sehr freundlich von dir, dass du deine Zeit für mich opferst«, sagtest du.

Ich hätte weinen mögen. »Im Gegenteil. Du weißt nichts von dem Schweigen, der Einsamkeit meiner Streifzüge, und bete, dass du sie nie kennen lernst. Außerdem hast du mir heute Feuer ohne Tod geschenkt, hast mir Nahrung gegeben ohne Blut. Ich bin froh, dass du hier bist.«

Ich bemerkte, wie du deinen Blick zum Himmel hobst, eine Angewohnheit der Jungen, Neugeschaffenen.

»Ich weiß, wir müssen uns nun trennen.«

Jäh wandtest du dich mir zu. »Triff dich morgen Nacht mit mir«, batest du flehend. »Lass uns diesen Gedankenaustausch fortsetzen! Ich will in das Café kommen, in dem du jeden Abend in Gedanken versunken sitzt. Ich werde dich finden. Lass uns miteinander reden.«

»Du hast mich also dort gesehen.«

»Oh, schon oft«, gabst du zu. »Ja.« Du sahst wieder einmal weg. Ich merkte, du wolltest so deine Gefühle verbergen. Dann richteten sich deine dunklen Augen erneut auf mich.

»Pandora, die Welt ist unser, nicht wahr?«, flüstertest du.

»Ich weiß nicht, David. Aber ich werde dich morgen Abend erwarten. Warum hast du mich nicht dort angesprochen? Wo es warm und hell ist?«

»Ich hätte es bei weitem aufdringlicher gefunden, mich dir in dem geheiligten Refugium eines stark besuchten Cafés zu nähern. Man geht schließlich dorthin, um allein zu sein. Das hier erschien mir irgendwie angemessener. Und noch etwas: Ich wollte kein Voyeur sein. Wie viele Neulinge muss ich mich jede Nacht nähren. Es war ein unglücklicher Zufall, dass wir uns in diesem Moment sahen.«

»Das ist bezaubernd, David«, antwortete ich. »Es ist lange her, seit mich jemand bezaubert hat. Ich werde dich dort treffen … morgen Abend.«

Und dann packte mich eine gewisse Bosheit. Ich rückte näher an dich heran und umarmte dich, in dem Bewusstsein, dass die Härte und Kälte meines jahrhundertealten Körpers die verborgensten Saiten des Schreckens in dir erklingen lassen würden, du Neugeborener, der du noch als Sterblicher durchgehen kannst.

Aber du bist nicht zurückgeschreckt. Und als ich dich auf die Wange küsste, hast du den Kuss erwidert.

Jetzt, da ich in diesem Café sitze und schreibe … vielleicht in dem Versuch, dir mit diesen Worten mehr zu geben, als du verlangst … frage ich mich, was ich getan hätte, wenn du mich nicht geküsst hättest, wenn du zurückgefahren wärst mit der für die Jungen so typischen Furcht.

David, du bist wahrhaftig ein Rätsel.

Du siehst, dass ich begonnen habe, nicht etwa mein Leben zu schildern, sondern das, was in den letzten beiden Nächten zwischen dir und mir vor sich ging.

Erlaube mir das, David. Erlaube, dass ich über dich und mich spreche, dann kann ich vielleicht mein verlorenes Leben wieder finden.

Als du heute Abend dieses Café betratest, machte ich mir keine großen Gedanken wegen der Notizbücher. Zwei hattest du bei dir. Sie waren sehr dick. Ihr Leder roch gut und alt, und erst als du sie auf den Tisch legtest, offenbarte mir ein Funke deines disziplinierten, verschlossenen Geistes, dass sie etwas mit mir zu tun hatten.

Ich hatte diesen Tisch in der voll besetzten Mitte des Raumes gewählt, als wollte ich im Zentrum dieses Strudels aus menschlichen Gerüchen und Aktivitäten sein. Du schienst zufrieden, furchtlos und dich ganz und gar in vertrauter Umgebung zu fühlen.

Wieder trugst du einen umwerfenden, modern geschnittenen Anzug, dazu ein Cape aus feiner Wolle, sehr geschmackvoll, aber auch sehr europäisch – altes Europa –, und mit deiner goldbraunen Haut und den strahlenden Augen brachtest du jede Frau dazu, sich nach dir umzudrehen – und einige Männer ebenfalls.

Du hast gelächelt. Ich bin dir sicher wie eine Schnecke vorgekommen mit meinem Kapuzenumhang und den großen goldfarbenen Brillengläsern, die mein Gesicht fast zur Hälfte bedeckten. Dazu hatte ich eine Spur billigen Lippenstift aufgelegt, ein weiches, lila angehauchtes Rosarot, das ein bisschen an blaue Flecken erinnerte. In dem Spiegel des Ladens hatte es sehr verführerisch gewirkt, und mir gefiel, dass ich meinen Mund nicht zu verbergen brauchte. Meine Lippen sind mittlerweile fast farblos. Mit diesem Lippenstift konnte ich lächeln.

Ich trug meine üblichen Handschuhe aus schwarzer Spitze, die die Finger oben frei lassen, damit ich mehr Gefühl darin habe, und die Nägel hatte ich geschwärzt, damit sie in dem Café nicht wie Kristall funkelten. Ich streckte dir die Hand entgegen, und du drücktest einen Kuss darauf.

Wieder erlebte ich deine Unerschrockenheit und deine Umgangsformen. Und dann empfing ich ein herzliches Lächeln von dir, ein Lächeln, das sicherlich deine früheren Züge beherrscht hat, denn es war viel zu weise für jemanden, der so jung und von so kräftiger Statur ist. Ich staunte über das vollkommene Bild, das du von dir geschaffen hast.

»Du weißt gar nicht, wie ich mich freue, dass du gekommen bist«, sagtest du, »dass ich mich hier zu dir an den Tisch setzen darf.«

»Du selbst hast diesen Wunsch in mir geweckt«, antwortete ich und hob die Hände. Ich sah, dass du benommen auf meine Fingernägel starrtest, deren Kristallglanz auch der Ruß nicht ganz verbergen konnte.

Ich streckte die Hand nach dir aus und erwartete, dass du zurückzucken würdest, aber du legtest deine warme dunkle Hand vertrauensvoll in meine kalten weißen Finger.

»Du siehst in mir ein lebendiges Wesen?«, fragte ich.

»Aber ja, ganz eindeutig, ein strahlendes, perfektes lebendiges Wesen.«

Wir bestellten uns Kaffee, wie die Sterblichen es von uns erwarteten, und rührten hingebungsvoll mit den Löffeln in den kleinen Tassen, denn aus der Wärme und dem Aroma ziehen wir mehr Genuss, als Sterbliche sich das je vorstellen können. Vor mir stand ein rotes Dessert. Das steht natürlich immer noch dort. Ich bestellte es, weil es rot war – Erdbeeren in Sirup eingelegt – mit einem starken, süßen Duft, der Bienen anlockt.

Ich lächelte über deine Schmeicheleien. Sie gefielen mir.

Spöttisch ging ich auf das Spiel ein. Ich ließ meine Kapuze vom Kopf gleiten und schüttelte mein Haar, um seine Fülle und das dunkle Braun im Licht zur Geltung zu bringen.

Natürlich hat dieser Glanz für Sterbliche nicht die Signalwirkung, die das blonde Haar von Marius oder Lestat hervorruft. Aber ich mag mein Haar sehr, die Art, wie es einem Schleier gleich über meine Schultern fällt, und ich mochte, was ich in deinen Augen las.

»Irgendwo tief in mir ist eine Frau versteckt«, sagte ich.

Das nun niederzuschreiben – in diesem Notizbuch, während ich allein hier sitze – gibt dem banalen Augenblick Struktur, und es scheint ein notwendiges Geständnis zu sein.

David, je länger ich schreibe, desto erregender finde ich das Erzählen als solches, und desto mehr glaube ich an die Bedeutung eines Zusammenhangs, der auf der geschriebenen Seite möglich ist, wenn auch nicht im Leben.

Doch noch einmal: Ich wusste nicht, dass ich diesen Stift überhaupt zur Hand nehmen würde. Wir redeten nur.

»Pandora, wer nicht sehen kann, dass du eine Frau bist, ist ein Dummkopf«, sagtest du.

»Wie wütend wäre Marius auf mich, weil mir deine Bemerkung gefällt«, erwiderte ich. »Nein, doch nicht. Er würde es vielmehr als einen Pluspunkt für seine Ansicht werten. Ich verließ ihn nach unserem letzten Treffen, verließ ihn ohne ein Wort – das war vor Lestats kleiner Eskapade, als er in einem menschlichen Körper herumlief, und lange bevor er mit *Memnoch dem Teufel* zusammentraf –, ich verließ Marius. Und plötzlich wünsche ich mir, ich könnte ihn erreichen! Ich wünschte, ich könnte mit ihm sprechen, so wie wir beide jetzt miteinander sprechen.«

Du sahst um meinetwillen ganz bekümmert aus, und du hattest Grund dazu. Irgendwie musst du gespürt haben, dass ich so viel Enthusiasmus wie hier in so manchem eintönigen Jahr nicht aufgebracht habe.

»Würdest du deine Geschichte für mich aufschreiben, Pandora?«, fragtest du unversehens.

Ich war vollkommen überrascht.

»In diese Notizbücher?«, drängtest du. »Erzähl von der Zeit, als du noch ein Mensch warst, von der Zeit, als ihr, du und Marius, euch begegnet seid. Über Marius kannst du schreiben, was du willst. Doch deine Geschichte, die brauche ich auf jeden Fall.«

Ich war verblüfft.

»Warum, in aller Welt, willst du die?«

Du gabst keine Antwort.

»David, du bist doch hoffentlich nicht zu diesem Orden der Sterblichen zurückgekehrt, zur Talamasca? Diese Leute wissen zu viel –«

Du hobst die Hand.

»Nein, und das werde ich auch nicht; und wenn ich da jemals Zweifel gehabt hätte, dann bin ich ein für allemal in Maharets Archiven eines Besseren belehrt worden.«

»Sie hat dir erlaubt, ihre Archive zu sehen, die Bücher, die sie über die Zeiten hinweggerettet hat?«

»Ja, das war bemerkenswert, weißt du ... ein Lagerhaus voller Tontafeln, Schriftrollen, Pergamente – Schriften und Dichtungen aus Kulturen, von denen die moderne Welt vermutlich nichts weiß. Bücher, die der Zeit entgangen sind. Natürlich hat sie mir verboten, etwas von dem, was ich gefunden habe, zu veröffentlichen oder im Einzelnen über unser Zusammentreffen zu sprechen. Sie sagte, es sei voreilig, in die Dinge einzugreifen, und auch sie hegte natürlich die Furcht, dass ich zur Talamasca gehen könnte – zu meinen früheren, übersinnlich veranlagten sterblichen Freunden. Das habe ich nicht getan.

Ich werde es nie tun. Aber es fällt mir nicht schwer, diesen Schwur zu halten.«

»Wieso?«

»Pandora, als ich diese alten Schriften sah – da wurde mir bewusst, dass ich kein Mensch mehr bin. Ich wusste, dass die Historie, die dort lag, um geordnet zu werden, nicht mehr die meine war! Ich bin keiner mehr von ihnen!« Deine Augen irrten durch den Raum. »Natürlich musst du diese Worte schon hunderttausend Mal von jungen Vampiren gehört haben! Aber siehst du, ich hoffte inbrünstig, dass Philosophie und Vernunft mir eine Brücke bauen würden, über die ich in beide Welten gelangen könnte. Nun, da ist keine Brücke. Sie ist verschwunden.«

Deine Traurigkeit lag wie eine Aura um dich, leuchtete in deinen jungen Augen und in der Weichheit deines neu geschaffenen Fleisches.

»Also weißt du es«, sagte ich. Ich hatte das nicht vor. Die Worte rutschten mir einfach so heraus. »Du weißt es.« Ich stieß ein leises, bitteres Lachen aus.

»So ist es. Ich weiß es, seit ich die vielen Dokumente aus deiner Zeit in der Hand hielt, aus der Zeit des Römischen Imperiums, und andere bröckelnde Reste von in Stein geritzten Texten, bei denen ich nicht einmal die Hoffnung hatte, sie einordnen zu können. In dem Moment wusste ich es. Diese Dinge waren mir gleichgültig, Pandora. Aber mir ist nicht gleichgültig, was wir sind, was wir heute sind.«

»Bemerkenswert«, sagte ich. »Du weißt nicht, wie sehr ich dich bewundere oder wie anziehend deine Einstellung für mich ist.«

»Das zu hören macht mich glücklich«, sagtest du. Dann hast du dich zu mir geneigt. »Ich will damit nicht sagen, dass wir keine menschliche Seele, keine Geschichte haben; natürlich haben wir beides.

Ich erinnere mich an das, was Armand mir einmal vor langer Zeit erzählt hat. Als er Lestat fragte: ›Wie soll ich je die menschliche Rasse verstehen?‹, antwortete Lestat: ›Lies alle Dramen von Shakespeare, oder schau sie dir an, und du wirst alles über die Menschen erfahren, was du je wissen musst.‹ Armand tat das. Er verschlang die Gedichte, er saß stundenlang im Theater, er sah im Kino die brillanten neuen Verfilmungen mit Laurence Fishburne und Kenneth Branagh und Leonardo di Caprio. Und als wir beide zuletzt miteinander sprachen, äußerte er sich folgendermaßen über seine Erziehung:

›Lestat hatte Recht. Er gab mir nicht einfach Bücher, sondern er wies mir einen Weg zum Verstehen. Dieser Shakespeare schreibt‹ – und hier zitiere ich beide, Armand und Shakespeare, wie Armand seine Verse vortrug und wie ich sie nun spreche, als kämen sie aus der Tiefe meines Herzens:

> *Morgen, und morgen, und dann wieder morgen,*
> *Kriecht so mit kleinem Schritt von Tag zu Tag,*
> *Zur letzten Silb' auf unserm Lebensblatt;*
> *Und alle unsre Gestern führten Narren*
> *Den Pfad zum staubigen Tod. Aus, kleines Licht!*
> *Leben ist nur ein wandelnd Schattenbild,*
> *Ein armer Komödiant, der spreizt und knirscht*
> *Sein Stündchen auf der Bühn und dann nicht mehr*
> *Vernommen wird; ein Märchen ist's, erzählt*
> *Von einem Blödling, voller Klang und Wut,*
> *Das nichts bedeutet.*

›Shakespeare schreibt diese Worte‹, sagte Armand zu mir, ›und wir alle wissen, dass sie unbedingt wahr sind und dass durch sie jede Offenbarung früher oder später zunichte wird, und zugleich müssen wir die Form lieben, in der Shakespeare sie gesagt hat, wir möchten die Verse wieder hören! Wir möchten uns daran erinnern! Wir möchten kein einziges Wort vergessen.«

Eine Weile schwiegen wir beide. Du senktest den Kopf, du ließest dein Kinn auf den Fingerknöcheln ruhen. Ich wusste, dass Armands Gang in die Sonne mit seiner ganzen Schwere auf dir lastete, und ich hatte deine Rezitation der Verse sehr gemocht, und auch die Verse selbst. Schließlich sagte ich: »Und das macht mir Freude. Stell dir vor: Freude. Dass du mir diese Verse jetzt rezitierst.«

Du hast gelächelt.

»Ich möchte nun wissen, was wir lernen können«, sagtest du, »ich möchte wissen, zu welchen Einsichten wir fähig sind! Deshalb komme ich zu dir, einem Kind der Jahrtausende, einem Vampir, der vom Blut der Königin Akasha trank, der zweitausend Jahre überlebt hat. Und ich bitte dich, Pandora, schreib für mich, bitte, schreib deine Geschichte auf, schreib, was du willst.«

Es dauerte eine ganze Weile, bis ich antwortete.

Dann sagte ich schroff, dass ich es nicht könne. Doch etwas hatte sich in mir gerührt. Ich sah und hörte Streitereien, Tiraden aus längst vergangenen Jahrhunderten, ich sah das Licht des Dichters auf die Epochen scheinen, von denen ich durch die Liebe intime Kenntnis besessen hatte. Andere Zeiten hatte ich wiederum nie kennen gelernt, weil ich unwissend, als Gespenst umhergezogen war.

Ja, es gab eine Geschichte zu erzählen. Tatsächlich. Doch zu diesem Zeitpunkt konnte ich das noch nicht zugeben.

Du fühltest dich elend wegen deiner Erinnerungen an Armand, weil du daran dachtest, wie er in die Morgensonne eingegangen war. Du hast um Armand getrauert.

»Gab es eine Bindung zwischen euch?«, fragtest du. »Verzeih meine Unverfrorenheit, aber ich meine, ob es irgendeine Beziehung zwischen dir und Armand gab, als ihr euch kennen lerntet, weil Marius euch beiden die Dunkle Gabe geschenkt hatte. Dass keine Eifersucht zwischen euch war, weiß ich, ich kann es spüren. Ich würde den Namen Armand nicht erwähnen, wenn ich merkte, dass es dich schmerzt. Aber sonst ist da auch nichts, außer Schweigen. Gab es keine Verbindung zwischen euch?«

»Leid ist die einzige Verbindung. Armand überließ sich der Sonne. Und Leid verbindet am leichtesten und am sichersten.«

Du lachtest verhalten.

»Was kann ich tun, damit du meine Bitte erhörst? Hab Mitleid mit mir, huldvolle Herrin, vertrau mir dein Lied an.«

Ich lächelte geduldig, aber ich fand dennoch, dass es unmöglich war.

»Es gäbe zu viele Dissonanzen, mein Lieber«, wandte ich ein.

»Es gäbe zu viel –«

Ich schloss die Augen.

Ich hatte sagen wollen, dass mein Lied viel zu schmerzlich sei, um es zu singen.

Plötzlich richteten sich deine Augen nach oben. Dein Gesichtsausdruck wandelte sich. Es sah fast so aus, als versuchtest du absichtlich den Anschein zu erwecken, als fielest du in Trance. Langsam drehtest du den Kopf und zeigtest auf etwas in der Nähe des Tisches. Dann erschlaffte deine Hand.

»Was ist los, David?«, fragte ich. »Was siehst du da?«

»Gespenster, Pandora, Geister.«

Du hast dich geschüttelt, als wolltest du wieder einen klaren Kopf bekommen.

»Aber davon kann keine Rede sein«, wandte ich ein. Doch ich wusste, dass du die Wahrheit sprachst. »Die Dunkle Gabe nimmt uns diese Fähigkeit. Selbst unsere uralten Hexen, Maharet und Mekare, haben uns das erzählt. Sie sagten, nachdem erst einmal das Blut Akashas in sie eingedrungen war und sie sich in Vampire verwandelt hatten, konnten sie nie wieder Geister sehen oder hören. Du warst doch kürzlich bei ihnen. Hast du ihnen von deiner Fähigkeit erzählt?«

Er nickte. Offensichtlich hinderte ihn ein Loyalitätsgefühl daran, zuzugeben, dass sie das nicht konnten. Doch ich wusste es auch so. Ich konnte es in seinen Gedanken lesen, und ich hatte es bemerkt, als ich mit den uralten Zwillingen zusammentraf, denselben Zwillingen, die die Königin der Verdammten niedergestreckt hatten.

»Ich kann die Geister sehen, Pandora«, sagtest du und sahst sehr bekümmert aus. »Wenn ich es darauf anlege, kann ich sie überall sehen und an ganz speziellen Orten, wenn sie selbst es wollen. Lestat sah den Geist von Roger, der sein Opfer in *Memnoch der Teufel* war.«

»Aber das war eine Ausnahme, das lag an der leidenschaftlichen Liebe, die die Seele dieses Mannes erfüllte und so dem Tod trotzte oder vielleicht das Erlöschen der Seele hinauszögerte – das ist etwas, das wir uns nicht erklären können.«

»Ich sehe zwar Geister, aber ich bin nicht hierher gekommen, um dich damit zu belasten oder zu erschrecken.«

»Du musst mir mehr darüber erzählen«, sagte ich. »Was hast du jetzt gerade gesehen?«

»Einen schwachen Geist, der niemandem schaden könnte. Es war nur eines dieser beklagenswerten Menschenwesen, die nicht wissen, dass sie gestorben sind. Sie bilden wirklich so etwas wie eine Atmosphäre rund um den Erdball. Man nennt sie ›Erdgebundene‹. Aber, Pandora, es gibt in mir anderes als dies zu erforschen.«

Du fuhrst fort: »Anscheinend entlässt jedes Jahrhundert eine neue Art von Vampiren, oder lass es mich so ausdrücken: Unser Entwicklungsweg war am Anfang genauso wenig festgelegt wie der von den Sterblichen. Vielleicht werde ich dir eines schönen Abends alles, was ich erlebe, erzählen – von diesen

Geistern, die ich nie so klar sehen konnte, als ich sterblich war –, ich werde dir von etwas erzählen, das Armand mir anvertraut hat, von den Farben, die er sah, wenn er ein Leben auslöschte, wie die Seele den Körper in Wellen farbigen Lichtes verließ!«

»Davon habe ich noch nie etwas gehört.«

»Ich sehe das auch!«, sagtest du.

Ich merkte, dass es dich fast unerträglich schmerzte, von Armand zu sprechen.

»Aber was war bloß in Armand gefahren, dass er an die Echtheit des Schweißtuchs glaubte?«, fragte ich, verwundert über meine plötzliche Leidenschaftlichkeit. »Warum lieferte er sich der Sonne aus? Und wie konnte dieser Lappen Lestats Verstand und Willen lahm legen? Veronika! Ob sie wohl wussten, dass der Name eigentlich nur *vera ikon* bedeutet, dass es eine solche Person nie gegeben hat, dass jemand, der sich in das alte Jerusalem, an den Tag, als Christus sein Kreuz trug, zurückversetzen würde, sie also gar nicht finden könnte. Sie war nur eine Erfindung der Priester. Wussten sie das denn beide nicht?«

Ich hatte anscheinend unbewusst die beiden Notizbücher an mich genommen, denn als ich den Blick senkte, fand ich sie tatsächlich in meinen Händen. Ich hielt sie sogar fest an meine Brust gepresst und beäugte einen der Stifte.

»Vernunft«, flüsterte ich. »Oh, kostbare Vernunft! Und Bewusstsein inmitten einer Leere.« Ich schüttelte den Kopf und lächelte dich freundlich an. »Und Vampire, die mit Geistern sprechen! Menschen, die von einem Körper in den anderen wandern können.«

Ich setzte meine Rede mit ganz ungewohnter Energie fort:

»Ein lebendiger, vom Zeitgeist angetriebener Engelskult, florierende Frömmigkeit überall. Und Menschen, die sich von Operationstischen erheben und von einem Leben nach dem Tode sprechen, von einem Tunnel, einer alles umfassenden Liebe! Ach, du bist vielleicht in viel versprechenden Zeiten geschaffen worden! Ich weiß nicht, was ich davon halten soll.«

Du warst offensichtlich ziemlich beeindruckt von meinen Worten, oder eher von der Art und Weise, wie meine Sicht der Dinge zu Tage trat. Mir ging es genauso.

»Ich habe gerade erst angefangen«, erklärtest du, »aber ich werde mich zu den brillanten Kindern der Jahrtausende ebenso gesellen wie zu den Wahrsagern, die an Straßenecken Tarotkarten auslegen. Ich bin erpicht darauf, in Kristallkugeln und geschwärzte Spiegel zu blicken. Ich werde jetzt unter denen Ausschau halten, die andere als verrückt abtun, oder bei *uns* unter denen, die wie du etwas erlebt haben, das sie, wie sie meinen, nicht mit anderen teilen sollten. So ist es doch, oder? Aber ich bitte dich, es zu teilen. Ich bin fertig mit den Seelen der normalen Sterblichen. Ich bin fertig mit Wissenschaft und Psychologie, mit Mikroskopen und vielleicht sogar mit den Teleskopen, die auf die Sterne gerichtet sind.«

Ich war gefesselt. Wie ernst es dir war! Ich spürte, dass mein Gesicht ganz warm geworden war von dem Gefühl, das ich dir entgegenbrachte, während ich dich anschaute. Ich glaube, mir stand der Mund offen vor Staunen.

»Ich bin mir selbst ein Rätsel«, sagtest du. »Ich bin unsterblich, und ich möchte etwas über uns erfahren! Deine Geschichte ist erzählenswert, du bist uralt und tief innerlich zerrissen. Ich empfinde Liebe für dich und weiß zu schätzen, dass sie ist, wie sie ist, und sonst nichts.«

»Merkwürdig, was du da sagst!«

»Liebe.« Du hast die Achseln gezuckt. Und zum Nachdruck wandtest du den Blick nach oben und dann wieder zu mir. »Und es regnete und regnete Millionen Jahre hindurch, und die Vulkane brodelten, und die Meere kühlten ab, und dann tauchte plötzlich die Liebe auf?« Mit einem nochmaligen

Achselzucken hast du spöttisch auf diese Absurdität hinge-
wiesen.

Ich konnte nicht umhin, über deine kleine Posse zu lachen.
»Einfach zu perfekt«, dachte ich. Doch ich fühlte mich plötzlich
so zerrissen.

»Das kommt ganz unerwartet«, sagte ich. »Denn wenn ich nun
wirklich eine Geschichte zu erzählen hätte, eine ganz kleine
Geschichte –«

»Ja?«

»Also, meine Geschichte – wenn es denn eine gibt – trifft den
Kern. Sie behandelt genau die Themen, die du angeschnitten
hast.«

Plötzlich fiel mir etwas ein. Ich lachte abermals leise auf.

»Ich verstehe dich!«, sagte ich. »Oh, nicht, dass du Geister sehen kannst, denn das ist ein großes Thema für sich.

Aber ich erkenne nun die Quelle deiner Kraft. Du hast ein ganzes Menschenleben gelebt. Anders als Marius, anders als ich
wurdest du nicht in der Blüte deiner Jahre übernommen. Man
übernahm dich, als du fast am Ende deines Lebens standest
und auf deinen natürlichen Tod gefasst warst, daher willst du
dich nicht mit den Abenteuern und Irrtümern der Erdgebun-
denen begnügen. Du bist entschlossen, mit dem Mut eines
Mannes vorwärts zu stürmen, der in hohem Alter starb und
dann feststellt, dass er aus dem Grabe auferstanden ist. Du
hast die Kränze mit einem Tritt aus dem Weg geräumt. Du bist
bereit für den Olymp, ist es nicht so?«

»Oder für Osiris in den Tiefen der Finsternis«, fügtest du hinzu.

»Oder für die Schatten des Hades. Mit Sicherheit bin ich bereit für die Geister, für die Vampire, für diejenigen, die in die
Zukunft sehen und behaupten, schon mehrere Leben gelebt zu
haben, für dich, die du in einer schönen Hülle einen erstaunlichen Intellekt besitzt, der nun schon so lange Jahre existiert,
einen Intellekt, der vielleicht nur dein Herz zerstört hat.«

Ich atmete schwer.

»Verzeih mir. Das war nicht recht von mir«, batest du.

»Nein, erklär mir, was du damit meinst.«

»Du nimmst dir immer das Herz deiner Opfer, ist es nicht so? Du willst das Herz.«

»Mag sein. Erwarte keine Weisheit von mir, wie sie vielleicht von Marius oder den alten Zwillingen kommen könnte.«

»Du ziehst mich an«, sagtest du.

»Warum?«

»Weil du diese Geschichte mit dir herumträgst; sie ist schon fertig formuliert und wartet nur darauf, aufgeschrieben zu werden – sie ist dort, hinter deinem Schweigen und deinem Leiden.«

»Mein Freund, du bist zu romantisch«, sagte ich.

Du hast geduldig gewartet. Ich glaube, du konntest den Aufruhr in mir spüren, das Beben meiner Seele angesichts so viel neuer Emotionen.

»Es ist eine so unbedeutende Geschichte«, sagte ich. Ich sah Bilder vor mir, Erinnerungen, Augenblicke, all das, was eine Seele zum Handeln, zum schöpferischen Akt bewegen kann. Ich sah eine winzige Möglichkeit, Vertrauen zu schöpfen.

Ich glaube, du kanntest die Antwort schon.

Du wusstest, was ich tun würde, als es mir noch nicht klar war. Du hast zwar taktvoll gelächelt, aber ungeduldig gewartet.

Ich sah dich an und überlegte, ob ich versuchen sollte zu schreiben, alles aus mir herauszuschreiben …

»Du möchtest wohl, dass ich dich jetzt allein lasse?«, fragtest du. Du erhobst dich, nahmst deinen regenfeuchten Mantel an dich und beugtest dich galant zum Kuss über meine Hand.

Ich umklammerte die Notizbücher.

»Nein«, sagte ich, »ich kann es nicht.«

Du zeigtest keine unmittelbare Reaktion.

»Komm übermorgen Abend wieder«, sagte ich. »Ich verspreche

dir, du wirst deine Notizbücher wiederbekommen, selbst wenn sie leer bleiben sollten oder nur eine bessere Erklärung enthalten, warum ich mein vergeudetes Leben nicht zurückholen kann. Ich werde dich nicht enttäuschen. Aber erwarte nicht mehr, als dass ich hier sein und dir die Bücher wieder überreichen werde.«

»Übermorgen«, sagtest du, »und wir werden uns hier treffen.«

Stumm beobachtete ich, wie du das Café verließest. Und nun siehst du, David, es hat begonnen.

Du siehst, David, dass ich unsere Begegnung zur Einleitung der Geschichte gemacht habe, die aufzuschreiben du mich batest.

2

Pandoras Geschichte

*I*ch wurde in Rom während der Regierungszeit des Kaisers Augustus, nach eurer heutigen Zeitrechnung im Jahre 15 vor Christi Geburt, geboren.

Die römische Geschichte und auch die römischen Namen, die ich hier anführe, sind authentisch. Ich habe sie nicht verfälscht oder mir Geschichten ausgedacht oder politische Ereignisse erfunden. Alles hat Auswirkungen auf mein eigentliches Schicksal und ebenso auf das von Marius. Nichts habe ich nur aus Liebe zu den vergangenen Zeiten einbezogen.

Meinen Familiennamen habe ich ausgelassen, und zwar deswegen, weil meine Familie eine Geschichte hat und ich es nicht über mich bringe, ihren uralten guten Ruf, ihre Taten, ihre Grabinschriften mit dieser Erzählung zu verquicken. Als Marius sich Lestat anvertraute, verschwieg auch er seinen vollen römischen Familiennamen. Das respektiere ich, also wird er ebenfalls hier nicht enthüllt.

Zu jener Zeit war Augustus schon mehr als zehn Jahre Kaiser, und es war eine großartige Epoche, wenn man als gebildete Frau in Rom lebte, denn Frauen verfügten über eine enorme Freiheit. Und ich hatte noch dazu einen reichen Senator zum Vater und fünf vom Erfolg begünstigte Brüder. Ich wuchs ohne Mutter auf, jedoch gehätschelt von diversen griechischen Hauslehrern und Kinderfrauen, die mir jeden Wunsch erfüllten.

Also wenn ich es wirklich darauf anlegte, David, das hier für dich schwierig zu gestalten, dann schriebe ich jetzt in klassischem Latein. Aber das will ich nicht. Doch ich muss gestehen, dass ich im Gegensatz zu dir keinen systematischen Unterricht in der englischen Sprache genossen habe, und ganz bestimmt habe ich sie nicht anhand von Shakespeares Stücken gelernt.

Ich habe durchaus viele Ebenen der englischen Sprache auf meinen Streifzügen und bei meiner Lektüre kennen gelernt, doch die eigentliche Bekanntschaft mit ihr machte ich größtenteils in diesem Jahrhundert, also schreibe ich für dich in umgangssprachlichem Englisch.

Dafür gibt es noch einen anderen Grund, den du gewiss verstehen wirst, wenn du die modernen Übersetzungen des *Satyricon* von Petronius oder die Satiren des Juvenal gelesen hast. Das ganz moderne Englisch entspricht tatsächlich dem Latein meiner Zeit.

Das lässt der formelle Schriftwechsel des römischen Kaiserreichs nicht erkennen. Aber die Graffiti an den Mauern Pompejis machen es sehr deutlich. Wir bedienten uns einer raffinierten Sprache, die über zahllose pfiffige Abkürzungen und geläufige Ausdrücke verfügte.

Ich werde daher in einer Sprache schreiben, die ich als gleichwertig und natürlich empfinde.

Lass mich hier noch schnell in einer Erzählpause einflechten, dass ich nie, wie Marius behauptet hat, eine griechische Kurtisane war. Mein Leben erweckte diesen Eindruck, als Marius mir die Dunkle Gabe verlieh, und vielleicht beschrieb er mich so aus Rücksicht auf alte sterbliche Geheimnisse. Womöglich war es aber auch verächtlich gemeint, dass er mich so nannte. Ich weiß es nicht.

Immerhin wusste Marius alles über meine Familie in Rom: dass sie Senatoren stellte, dass sie zur Aristokratie gehörte wie seine eigene Familie und auch die gleichen Privilegien genoss und dass wir geradewegs von den Gründern Roms, Romulus und Remus, abstammten, was auch für seine eigene Familie galt. Außerdem erlag Marius mir nicht, weil ich so »wunderschöne Arme« hatte, wie er es Lestat gegenüber andeutete. Er wollte mit dieser trivialen Bemerkung vielleicht nur provozieren.

Ich werfe ihnen beiden nichts vor, weder Marius noch Lestat, ich weiß nicht, wer von den beiden was falsch verstanden hat.

David, was ich für meinen Vater empfinde, ist bis heute, da ich hier in diesem Café sitze und für dich schreibe, immer noch so stark, dass mich die Wirkung des Schreibens erstaunt – bringen mir doch die Worte auf dem Papier die geliebten Züge meines Vaters ganz lebendig wieder zurück.

Mein Vater sollte ein schreckliches Ende nehmen. Er hat nicht verdient, was ihm widerfuhr. Aber einige aus unserer Sippe überlebten und brachten unsere Familie später zu neuer Blüte.

Mein Vater war reich, er gehörte wirklich zu den Millionären jener Epoche, und er hatte sein Kapital breit angelegt. Er trat häufiger zum Militärdienst an, als man es von ihm, dem Senator, einem von Natur aus nachdenklichen, ruhigen Mann, erwartet hätte. Und nach den Schrecken des Bürgerkriegs war er ein großer Anhänger von Caesar Augustus und stand sehr hoch in der Gunst des Herrschers.

Natürlich träumte er wie wir alle davon, dass die Römische Republik wieder erstehen würde. Aber Augustus hatte dem Imperium Einheit und Frieden geschenkt.

Ich erlebte Augustus in meiner Jugend etliche Male, es war immer bei irgendeiner gut besuchten gesellschaftlichen Veranstaltung und ohne Bedeutung für mich. Er sah seinen Porträts sehr ähnlich: ein hagerer Mann mit langer, schmaler Nase, kurz geschorenem Haar und einem Durchschnittsgesicht. Er war von Natur aus ziemlich rational und pragmatisch und hatte keinen Hang zu besonderer Grausamkeit. Persönliche Eitelkeit war ihm fremd.

Für den Ärmsten war es wirklich ein Segen, dass er nicht in die Zukunft sehen konnte – dass er keinen Schimmer hatte von dem Wahnsinn und all den Gräueln, die mit Tiberius, seinem Nachfolger, Einzug hielten und sich während der Regierungszeit weiterer Mitglieder seiner Familie noch über lange Zeit fortsetzten.

Erst viel später erkannte ich die einzigartige Leistung der langen Herrschaft des Augustus in ihrem ganzen Ausmaß. Hatte sie nicht allen Städten des Römischen Reiches vierundvierzig Jahre Frieden gebracht?

Ach, in dieser Epoche geboren zu sein bedeutete, in einer Epoche der Kreativität und Prosperität geboren zu sein, in der Rom *caput mundi* beziehungsweise Hauptstadt der Welt war. Und wenn ich zurückblicke, wird mir klar, welch wirkungsvolle Mischung das war, dass wir sowohl über Tradition als auch über ungeheure Summen Geldes verfügten, dass wir alte Werte und neue Macht besaßen.

Unser Familienleben war konservativ, streng, sogar ein wenig angestaubt. Und doch hatten wir jeglichen Luxus. Mein Vater wurde im Laufe der Jahre noch stiller und konservativer. Er erfreute sich seiner Enkelkinder, die geboren wurden, als er noch kräftig und aktiv war.

Obwohl er hauptsächlich an den nördlichen Feldzügen entlang des Rheins teilgenommen hatte, war er auch eine Zeit lang in Syrien stationiert gewesen. Er hatte in Athen studiert. Da er so lange und mit solchem Erfolg gedient hatte, durfte er noch während der Jahre, in denen ich heranwuchs, seinen frühzeitigen Abschied nehmen; und obwohl mir das damals nicht auffiel, war damit auch ein vorzeitiger Rückzug aus dem gesellschaftlichen Leben verbunden, das um den kaiserlichen Palast seine Kreise zog.

Meine fünf Brüder kamen vor mir auf die Welt, so dass bei meiner Geburt die übliche »rituelle Trauer« ausblieb, wie man sie von anderen römischen Familien kannte, wenn ein Mädchen geboren wurde. Ganz im Gegenteil.

Fünf Mal hatte mein Vater im Atrium gestanden – dem Innenhof unseres Anwesens mit seinen Säulen und Stufen und dem herrlichen Marmorwerk –, fünf Mal hatte er dort vor der versammelten Familie gestanden, einen neugeborenen Sohn in den Händen gehalten, ihn untersucht und dann für vollkommen erklärt, für wert, als sein eigenes Kind aufgezogen zu werden, alles, wie es dem Vorrecht meines Vaters entsprach. Damit hatte er, wie du weißt, die Gewalt über Leben und Tod seiner Söhne.

Wenn mein Vater diese Söhne aus irgendeinem Grund nicht gewollt hätte, hätte er sie aussetzen können, um sie verhungern zu lassen. Wer ein solches Kind aufnahm und zum Sklaven machte, verstieß gegen das Gesetz.

Da mein Vater schon fünf Söhne hatte, rechneten einige Leute damit, dass er mich sofort würde loswerden wollen. Wer brauchte schon ein Mädchen? Aber mein Vater hat niemals ein von meiner Mutter geborenes Kind abgelehnt oder ausgesetzt.

Und man hat mir erzählt, dass er vor Freude geweint hat, als ich das Licht der Welt erblickte.

»Den Göttern sei Dank! Ein kleines Schätzchen.« Diese Geschichte habe ich von meinen Brüdern bis zum Erbrechen gehört; jedes Mal, wenn ich wieder auffiel – etwas Ungehöriges, Lustiges oder Wildes anstellte –, sagten sie grinsend: »Den Göttern sei Dank! Ein kleines Schätzchen!« Es wurde eine charmante Lästerung.

Meine Mutter starb, als ich zwei Jahre alt war, und das Einzige, an das ich mich erinnern kann, ist ihre Sanftheit und Zärtlichkeit. Sie verlor ebenso viele Kinder, wie sie gesunde Kinder geboren hat, und ihr früher Tod passte in dieses Bild. Mein Vater schrieb einen wunderschönen Nachruf auf sie und hielt ihr Andenken in Ehren, solange ich lebte. Er brachte keine andere Frau mehr ins Haus. Zwar schlief er mit einigen Sklavinnen, aber das war nichts Ungewöhnliches. Meine Brüder taten das Gleiche. Das war in einem römischen Hauswesen üblich. Aber er nahm keine neue Frau aus einer anderen Familie, die über mich hätte bestimmen können.

Ich trauere nicht um meine Mutter, ich war einfach noch zu jung, als sie starb, und sollte ich geweint haben, als sie nicht wiederkam, dann kann ich mich nicht daran erinnern.

An was ich mich erinnern kann, ist, dass ich ein altes, rechtwinkliges, palastartiges römisches Haus zur Verfügung hatte, mit Fluchten von rechtwinkligen Räumen, das Ganze eingebettet in einen großen Park hoch auf dem Palatin. Das Haus hatte Marmorböden und mit Malereien reich verzierte Wände, und an jedes Zimmer grenzte der verwinkelte Garten.

Ich war der eigentliche Augapfel meines Vaters, und ich weiß noch, wie viel Spaß es mir machte, meinen Brüdern draußen bei ihren Übungen mit dem Kurzschwert zuzusehen oder ihrem Unterricht zu lauschen, und dass ich dann selbst gute Lehrer bekam, die mir das Lesen beibrachten. Schon vor meinem fünften Lebensjahr konnte ich die *Aeneis* von Vergil lesen.

Ich liebte Worte. Ich singe oder spreche sie zu gern, und gerade jetzt – ich muss es zugeben – finde ich sogar Vergnügen daran, sie niederzuschreiben. Das hätte ich dir vor ein paar Nächten noch nicht sagen können, David. Ich muss dir gestehen, dass du etwas in mir wachgerufen hast. Und ich darf hier, in diesem Café der Sterblichen, die Worte nicht zu schnell aus der Feder fließen lassen, sonst mache ich mich noch verdächtig!

Also fahren wir fort.

Mein Vater fand es wahnsinnig komisch, dass ich in so zartem Alter schon Vergils Verse zitieren konnte, und er tat nichts lieber, als bei Festessen mit mir anzugeben, wenn er seine konservativen, irgendwie altmodischen Freunde aus dem Senat und manchmal sogar Augustus persönlich unterhielt. Kaiser Augustus war ein umgänglicher Mann. Ich glaube zwar nicht, dass mein Vater ihn unbedingt im Hause haben wollte, doch ich schätze, hin und wieder konnte man nicht umhin, den Imperator zu erlesenen Weinen und Speisen einzuladen.

Ich pflegte mit meiner Kinderfrau im Schlepptau hereinzuschneien und eine zündende Vorstellung zu geben, und dann wurde ich schnell irgendwohin gebracht, wo ich nicht sehen konnte, wie die stolzen römischen Senatoren sich voll stopften mit Pfauenhirn und *garum* – du weißt bestimmt, was *garum* ist. Ich meine diese scheußliche Soße, die die Römer so ziemlich über jede Speise gossen, man benutzte sie etwa so wie das heutige Ketchup. Jedenfalls zerstörte sie den Eigengeschmack von Aal und Tintenfisch oder Straußenhirn oder ungeborenem Lamm oder von irgendwelchen anderen absurden Delikatessen, die damals serviert wurden.

Wie du weißt, verhielt es sich wohl so, dass die Römer in ihrem tiefsten Inneren einen besonderen Hang zu echter Völlerei hatten, und die Bankette nahmen unweigerlich ein schändliches Ende. Die Gäste begaben sich nach und nach ins *vomitorium*, wo sie die ersten fünf Gänge des Menüs wieder erbrachen, damit sie die anderen auch noch verschlingen konnten. Und ich lag dann kichernd oben in meinem Bett und lauschte all dem Gelächter und Gewürge.

Darauf folgte die Vergewaltigung aller Sklaven, die zuvor bei Tisch bedient hatten, gleichgültig, ob es Jungen oder Mädchen waren.

Die Mahlzeiten in der Familie waren dagegen etwas völlig anderes. Dann stellten wir alte Römer dar. Jeder saß am Tisch; mein Vater war der unumstrittene Hausherr und ließ keine Kritik an Caesar Augustus zu, der, wie du ja weißt, Julius Caesars

Neffe war und nach dem Gesetz eigentlich nicht als Imperator regieren durfte.

»Wenn der richtige Zeitpunkt gekommen ist, wird er abtreten«, sagte mein Vater. »Er weiß, dass das jetzt noch nicht geht. Sein Ehrgeiz war jedoch nie so groß wie sein Überdruss und seine Einsicht. Wer will schon einen neuen Bürgerkrieg?«

Und wir erlebten wirklich eine solche Blütezeit, dass kein Mann von Rang an eine Revolte dachte.

Augustus war ein Garant für den Frieden. Er hatte größte Hochachtung vor dem römischen Senat. Er baute alte Tempel wieder auf, denn er glaubte, dass das Volk die Frömmigkeit brauchte, die es in der alten Republik gekannt hatte.

Er teilte das Korn aus Ägypten an die Armen aus, so dass niemand in Rom hungern musste. Die alten Feste, Spiele und Schaukämpfe, an denen er festhielt, folgten in Schwindel erregendem Tempo aufeinander – es reichte, um einem wahrhaftig Übelkeit zu verursachen. Doch als patriotische Römer mussten wir oft dabei sein.

Natürlich ging es in der Arena äußerst grausam zu. Es fanden scheußliche Exekutionen statt. Und es gab die allgegenwärtige Grausamkeit der Sklaverei.

Doch was die Menschen heute nicht verstehen, ist, dass das alles mit einem Gefühl individueller Freiheit einherging, selbst auf Seiten der Ärmsten.

Die Gerichte ließen sich Zeit mit ihren Entscheidungen, zogen auch frühere Gesetze zu Rate. Sie richteten sich nach der Logik und dem Gesetzbuch. Die Leute konnten ziemlich offen ihre Meinung sagen.

Ich weise hier auf etwas hin, das ein Schlüssel für diese Geschichte ist: Wir beide, Marius und ich, wurden in einer Zeit geboren, in der das römische Recht, wie Marius sagen würde, auf der Vernunft beruhte, die im Gegensatz stand zur göttlichen Offenbarung.

Wir unterscheiden uns vollkommen von den Vampiren, denen die Dunkle Gabe in Ländern verliehen wurde, in denen Magie und Mysterien herrschten.

Nicht nur, dass wir Augustus vertrauten, als wir noch zu den lebendigen Menschen gehörten, wir glaubten auch an die greifbare Macht des römischen Senats. Wir glaubten an Rechtschaffenheit und Charakterfestigkeit der staatlichen Organe; wir führten ein Leben, in dem Rituale, Gebete und Zauberei keinen Platz hatten, allenfalls nur in sehr oberflächlicher Form. Die Tugend war im Charakter verankert. Dieses Erbe der Römischen Republik teilten Marius und ich.

Selbstverständlich wimmelte es in unserem Haus von Sklaven. Da gab es Griechen mit brillantem Verstand und ächzende Arbeiter und ein ganzes Geschwader von Frauen, das durchs Haus huschte und Büsten und Vasen abstaubte. Die Stadt erstickte fast an Freigelassenen, von denen einige sogar beträchtlichen Reichtum besaßen.

Sie gehörten alle zur Familie, unsere Sklaven.

Als mein alter griechischer Lehrer starb, saßen mein Vater und ich die ganze Nacht bei ihm. Wir hielten seine Hand, bis sein Körper erkaltet war. Niemand wurde auf unserem Anwesen in Rom ausgepeitscht, es sei denn, mein Vater gab selbst den Befehl dazu. Auf unseren Landgütern faulenzten die Sklaven unter den Obstbäumen. Unsere Haushofmeister waren reich und stellten das auch mit entsprechender Kleidung zur Schau.

Ich kann mich an eine Zeit erinnern, als sich in unseren Gärten viele alte griechische Sklaven ergingen, so dass ich Tag für Tag bei ihnen saß und zuhörte, wie sie diskutierten. Sie hatten nichts anderes zu tun. Ich lernte eine Menge dabei.

Meine Jugend war mehr als glücklich. Wenn du findest, dass ich mit meiner umfassenden Bildung übertreibe, lies in den Briefen des Plinius nach oder in den Memoiren oder Korrespondenzen von Leuten aus jener Zeit. Vornehme junge Mädchen genossen eine gute Erziehung; die römischen Frauen jener Zeit blieben zum größten Teil von männlicher Einmischung verschont. Wir nahmen am Leben genauso teil wie die Männer.

Zum Beispiel war ich kaum acht Jahre alt, als ich zum ersten Mal mit den Frauen meiner Brüder in die Arena mitgenommen wurde, wo ich das zweifelhafte Vergnügen hatte, zuzusehen, wie exotische Tiere, Giraffen zum Beispiel, wild herumgehetzt wurden, ehe man sie mit Pfeilen erlegte. Diesem Schauspiel folgte eine kleine Gruppe von Gladiatoren, die andere Gladiatoren erschlug, und dann erschien ein Haufen Krimineller, der den hungrigen Löwen zum Fraß vorgeworfen wurde.

David, ich kann das Knurren dieser Löwen noch hören, als wäre es heute. Nichts steht zwischen mir und jenem Augenblick, da ich auf der hölzernen Bank saß, vielleicht zwei Reihen oberhalb der Arena – ein begehrter Platz –, und zusah, wie diese Bestien lebendige Menschen verschlangen; und wie man es von mir erwartete, sah ich mit Vergnügen zu, um Seelenstärke und Furchtlosigkeit angesichts des Todes zu beweisen und eben nicht das schiere Entsetzen.

Die Zuschauer schrien und lachten, während dort unten Männer und Frauen vor den Bestien flohen. Manchmal wurde der Menge diese Befriedigung versagt, dann standen die Opfer einfach starr, wie von einer Lähmung befallen, wenn die gierigen Löwen sie angriffen und sie bei lebendigem Leibe fraßen; das war, als ob ihre Seelen bereits den Körper verlassen hätten, obwohl die Löwen ihnen noch nicht einmal die Kehle zerfetzt hatten.

Ich kann mich noch an den Geruch erinnern. Aber stärker als alles andere ist mir der Lärm der Massen in Erinnerung geblieben.

Ich bestand den Test für Charakterstärke, ich war fähig, mir das alles anzusehen. Ich konnte, ohne mit der Wimper zu zucken, zusehen, wie der Stargladiator schließlich sein Ende fand und auf dem Sand verblutete, wenn das Schwert seine Brust durchbohrte.

Aber ich weiß auch noch genau, dass mein Vater kaum hörbar vor sich hin murmelte, dass das ganze Schauspiel Ekel erregend sei. Genau genommen fand jeder, den ich kannte, dies alles abstoßend. Mein Vater glaubte aber, wie die anderen auch, dass das gewöhnliche Volk dieses Blutvergießen brauchte, und wir, die Höhergeborenen, mussten uns das dem Volk zuliebe mit ansehen. Diesen öffentlich dargebotenen Grausamkeiten wohnte fast schon etwas Religiöses inne. Die Veranstaltung dieser schockierenden Schauspiele galt als Teil unserer sozialen Verantwortung.

Auch das römische Leben fand unter den Augen der Öffentlichkeit statt. Man nahm an Zeremonien und öffentlichen Darbietungen teil, man ließ sich sehen, zeigte Interesse und fand sich mit anderen zusammen.

Man traf alle anderen Hochgeborenen der Stadt oder auch solche von niedriger Geburt, und man vereinigte sich zu einer Menge, um einen Triumphzug zu sehen oder um einem großen Opfer am Altar des Augustus, einer ehrwürdigen Zeremonie, einem Spiel oder Wagenrennen beizuwohnen.

Wenn ich mir heute, im zwanzigsten Jahrhundert, das endlose Intrigenspiel und Gemetzel in den Kino- und Fernsehfilmen unserer westlichen Welt ansehe, frage ich mich, ob die Menschen das nicht wirklich brauchen; ob sie nicht das Bedürfnis haben, sich Mord und Totschlag, den Tod in allen Formen anzusehen. Manchmal kommt mir das Fernsehen vor wie eine endlose Serie von Gladiatorenkämpfen oder Massakern. Und sieh dir nur das Geschäft mit Video-Aufzeichnungen von aktuellen Kriegen an.

Dokumentationen von Kriegen sind so etwas wie Kunst und Unterhaltung geworden.

Der Kommentator spricht mit gedämpfter Stimme, während die Kamera über Leichenberge oder ausgezehrte Kinder gleitet, die in den Armen ihrer verhungernden Mütter weinen. Aber es ist packend. Man schüttelt den Kopf und kann zugleich in all diesem Sterben schwelgen. Ganze Fernsehnächte sind alten Dokumentarstreifen gewidmet, in denen Männer mit dem Gewehr in der Hand in den Tod gehen.

Ich glaube, wir sehen uns das an, weil wir Angst haben. Aber damals in Rom musste man sich das ansehen, um sich abzuhärten, und das galt für Frauen ebenso wie für Männer.

Allgemein ist jedoch hervorzuheben: Ich wurde nicht eingesperrt wie vielleicht eine griechische Frau in einem alten hellenistischen Hauswesen. Ich hatte nicht unter den Sitten zu leiden, die früher in der Römischen Republik üblich gewesen waren.

Ich kann mich noch lebhaft an die vollkommene Schönheit jener Tage erinnern, an das von Herzen kommende Bekenntnis meines Vaters, Augustus sei Gott und Rom habe seine Götter niemals zuvor mehr erfreut.

Nun möchte ich dir von einer besonders wichtigen Erinnerung berichten. Ich will ihr den richtigen Rahmen geben. Als Erstes lass mich auf Vergil zu sprechen kommen, auf sein Epos, die *Aeneis*, in dem er die Abenteuer seines Helden Aeneas wunderbar beschreibt und rühmt. Aeneas flieht aus Troja, um den Schrecken der Niederlage zu entgehen, denn die Griechen, die aus dem berühmten Trojanischen Pferd gekommen sind, wollen Helenas Stadt vernichten. Es ist eine hinreißende Geschichte. Ich habe sie immer geliebt. Aeneas verlässt das dem Untergang geweihte Troja, nimmt die lange Reise bis ins schöne Italien auf sich und gründet dort unsere Nation.

Aber was ich eigentlich sagen wollte, ist, dass Augustus Vergil immer sehr geschätzt und unterstützt hat; Vergil war ein hoch geachteter Dichter, ein Dichter, den zu zitieren als schicklich und fein galt, ein anerkannter patriotischer Dichter. Es war vollkommen in Ordnung, wenn man an Vergil Gefallen fand.

Vergil starb, ehe ich geboren wurde. Mit zehn Jahren hatte ich jedoch schon alles gelesen, was er geschrieben hatte, ebenso Horaz und Lukrez, auch vieles von Cicero und außerdem alle griechischen Schriften, die wir besaßen, und das waren viele.

Mein Vater hatte seine Bibliothek nicht eingerichtet, um damit Eindruck zu machen. Die Mitglieder der Familie brachten an diesem Ort Stunden zu. Und er selbst saß dort und schrieb Briefe – was er unaufhörlich zu tun schien –, Briefe, die mit seiner Senatsarbeit in Zusammenhang standen oder mit dem Herrscher, dem kaiserlichen Hof, seinen Freunden und so weiter.

Zurück zu Vergil. Ich hatte einen weiteren römischen Dichter gelesen, der noch lebte, jedoch bei Augustus, dem Gottkaiser, gefährlich tief in Ungnade gefallen war. Dieser Dichter war Ovid, der Autor der *Metamorphosen* und Dutzender früherer Werke, die bodenständig, lustig und unanständig waren.

Als Augustus sich gegen Ovid wandte, den er zuvor auch geliebt hatte, war ich noch zu jung, um mich jetzt erinnern zu können; er verbannte ihn an einen furchtbaren Ort irgendwo am Schwarzen Meer. Vielleicht war er auch gar nicht so furchtbar. Doch es war ein Ort, den kultivierte Bürger Roms einfach furchtbar finden mussten – sehr weit weg von Rom und nur von Barbaren bewohnt.

Ovid hat lange dort gelebt, und seine Bücher waren in ganz Rom verboten. Man konnte sie in keiner Buchhandlung kaufen, und auch öffentliche Bibliotheken führten sie nicht. Nicht einmal an den kleinen Buchständen auf dem Marktplatz waren sie zu haben.

Du weißt, die Zeit war günstig für populäre Literatur; es gab überall Bücher – sowohl in Form von Schriftrollen als auch in gebundener Form –, und viele Buchhändler hielten sich griechische Sklaven, die den ganzen Tag nur damit beschäftigt waren, Bücher abzuschreiben, damit die Bürger Lesestoff hatten.

Zurück zum Thema. Ovid war also beim Kaiser in Ungnade gefallen, er war verbannt worden, aber Männer wie mein Vater dachten nicht daran, ihre Ausgabe der *Metamorphosen* oder sonst eines seiner Werke zu verbrennen, und der einzige Grund, nicht für Ovid Fürsprache einzulegen, war Angst.

Der ganze Skandal hatte etwas mit Julia, der Tochter des Augustus zu tun, die nach allgemeinen Maßstäben als eine Schlampe galt. Was Ovid mit Julias Liebesaffären zu tun hatte, weiß ich nicht. Vielleicht schrieb man seinen frühen, sinnenfreudigen Gedichten, den *Amores*, einen schlechten Einfluss zu. Außerdem lagen auch während der Regierung des Augustus eine Menge »Reformen« in der Luft, und es gab viel Gerede über »alte Werte«.

Ich schätze, niemand weiß genau, was eigentlich zwischen Caesar Augustus und Ovid gewesen ist, jedenfalls wurde Ovid für den Rest seines Lebens aus dem Herrschaftsbereich Roms verbannt.

Ich hatte jedoch die zerlesenen Exemplare der *Amores* und der *Metamorphosen* schon längst konsumiert, als der Zwischenfall, den ich nun schildern möchte, eintrat. Und viele Freunde meines Vaters waren in ständiger Sorge um Ovid.

Nun also zu der besonderen Erinnerung: Ich war zehn Jahre alt. Von oben bis unten schmutzig, mit hängenden Haaren und zerrissenem Kleid kam ich vom Spielen ins Haus und sauste in den großen Empfangsraum meines Vaters – ließ mich am Fuße seines Ruhebetts nieder, um zu hören, was gesprochen wurde, während er dort mit der ganzen Würde eines Römers saß und mit anderen Männern, die ihre Aufwartung machten, plauderte.

Die Besucher waren mir alle bekannt, bis auf einen, und dieser Mann war blond und blauäugig und sehr groß, und während der Unterhaltung – die nur aus Flüstern und Nicken bestand – drehte er sich zu mir um und blinzelte mir zu.

Das war Marius: die Haut leicht gebräunt von seinen Reisen und in den Augen ein schönes Leuchten. Er hatte wie jeder Römer drei Namen. Aber ich kann nur wiederholen, ich werde seinen Familiennamen, obwohl ich ihn kenne, nicht preisgeben. Ich wusste, er war eine Art »schwarzes Schaf« in intellektueller Hinsicht, der »Dichter«, der »Tagedieb«. Allerdings hatte mir nie jemand gesagt, dass er schön war.

Nun, an jenem Tag sah ich Marius, den lebensprühenden Menschen, das war etwa fünfzehn Jahre, bevor er zu einem Vampir wurde. Ich schätze, dass er höchstens fünfundzwanzig war. Aber ich bin mir nicht sicher.

Weiter: Die Männer schenkten mir keine Aufmerksamkeit, und meinem immer neugierigen kleinen Kopf ging langsam ein Licht auf: Sie brachten meinem Vater Nachricht von Ovid; der große Blonde mit den bemerkenswerten blauen Augen, der Marius hieß, war gerade von der baltischen Küste zurückgekehrt, und er hatte meinem Vater diverse Geschenke mitgebracht, die sich als ordentliche Abschriften der Werke Ovids, der alten wie der neuesten, herausstellten.

Die Männer versicherten meinem Vater, dass es immer noch viel zu gefährlich sei, Caesar Augustus etwas über Ovid vorzujammern, und mein Vater sah das ein. Doch wenn ich mich nicht irre, vertraute er Marius, dem Blonden, einiges Geld für Ovid an. Als die Herren gingen, sah ich Marius im Atrium stehen und bekam einen richtigen Eindruck von seiner Körpergröße, die für einen Römer recht ungewöhnlich war; ich seufzte tief und brach in ein mädchenhaftes Kichern aus. Er blinzelte mir abermals zu.

Marius trug sein Haar damals kurz, nach römischer Manier militärisch gestutzt, mit ein paar spärlichen Locken in der Stirn; als man ihn zum Vampir machte, war es lang, und so ist es auch heute wieder, doch damals hatte es den typisch langweiligen römischen Militärschnitt. Immerhin war es blond und leuchtete im sonnendurchfluteten Atrium, und er schien mir der strahlendste und beeindruckendste Mann zu sein, der mir je unter die Augen gekommen war. Er sah mich sehr freundlich an.

»Warum bist du so groß?«, frage ich ihn. Mein Vater fand das natürlich witzig, und es war ihm gleichgültig, was die anderen über seinen kleinen Schmutzfink dachten, der an seinem Arm hing und mit der ehrenwerten Gesellschaft plapperte.

»Mein Schatz«, sagte Marius, »ich bin so groß, weil ich ein Barbar bin!« Mit seinem Lachen, das eigentlich ein Flirten war, erwies er mir als einer kleinen Dame seine Reverenz, was mir recht selten passierte.

Plötzlich krümmte er seine Finger zu Klauen und stürmte auf mich zu wie ein Bär.

Auf der Stelle verliebte ich mich in ihn!

»Nein, ehrlich!«, sagte ich. »Du bist doch kein Barbar! Ich kenne deinen Vater und deine Schwestern; sie wohnen da unten am Hügel. Die ganze Familie redet bei Tisch immer über dich, natürlich nur Gutes.«

»Da bin ich mir sicher«, antwortete er und brach in Lachen aus. Mir war bewusst, dass mein Vater nervös wurde.

Was ich nicht wusste, war, dass ein zehnjähriges Mädchen versprochen werden konnte.

Marius richtete sich auf, und mit seiner sanften, wohlklingenden Stimme, die darin geübt war, sowohl öffentliche Reden als auch Liebesworte zu sprechen, sagte er: »Ich bin durch meine Mutter mit den Kelten verwandt, meine kleine Schönheit, meine Muse. Ich stamme von den hoch gewachsenen Menschen des Nordens ab, von den Galliern. Meine Mutter war dort eine Prinzessin, so hat man mir wenigstens erzählt. Weißt du, wer die Kelten sind?«

Ich sagte, natürlich wisse ich das, und begann den genauen

Wortlaut aus Cäsars Bericht über die Eroberung der Gallier, jenes keltischen Volksstammes, aufzusagen: »Gallien ist in drei Teile geteilt …«

Marius war, wie die anderen Anwesenden auch, wirklich beeindruckt. Also sprach ich immer weiter: »Die Kelten sind von den Aquitanern durch den Fluss Garonne getrennt, und der Stamm der Belgae von ihnen durch die Flüsse Marne und Seine –«

Mein Vater ergriff leicht verlegen das Wort, weil seine Tochter sich derart in der allgemeinen Aufmerksamkeit sonnte, und versicherte allen Anwesenden, dass ich seine ganze Wonne sei und deswegen ein wenig verwildert und man möge doch, bitte, keinen Anstoß daran nehmen.

Und ich, die geborene Unruhestifterin, sagte keck: »Sendet dem großen Ovid liebe Grüße von mir! Weil ich nämlich auch wünsche, dass er wieder nach Rom zurückkommt.«

Und dann ließ ich einige gewagte Verse aus seinen *Amores* vom Stapel:

> Sie schenkte lachend mir die glüh'nsten Küsse,
> Dem Jupiter selbst entglitt sein Donnerkeil,
> Welch Qual, des Burschen Wonnen nur zu denken.
> Ich wünscht', dass mind'rer Qualität sein Teil.

Alle lachten, nur mein Vater nicht, und Marius, der sich fast überschlug vor Entzücken, klatschte Beifall. Mehr Ermutigung brauchte ich nicht, um nun meinerseits auf ihn loszugehen, als wäre ich ein Bär, wie er es vorher bei mir gemacht hatte, und fortzufahren, Ovids unzüchtige Verse aufzusagen:

> Doch mehr, sie küsste besser, als ich's lehrte,
> Von neuer Kenntnis schien besessen sie.
> Oh weh, zu viel Geschick bewies ihr Zünglein,
> Und meine Zunge küsst' zurück.

Mein Vater packte mich am Arm und mahnte: »Das reicht jetzt, Lydia, halt den Mund!«

Daraufhin lachten die anderen Männer noch mehr, legten ihm mitfühlend den Arm um die Schultern und lachten erneut.

Aber ich musste einen letzten Sieg über diesen Trupp Erwachsener erringen. »Ach, bitte, Vater«, sagte ich, »lass mich doch wenigstens mit ein paar weisen, patriotischen Worten von Ovid enden:

Ich gratuliere mir selbst, dass ich ausgerechnet in dieser Zeit geboren wurde. Diese Epoche ist ganz nach meinem Geschmack.«

Marius schien darüber mehr erstaunt als amüsiert. Doch mein Vater zog mich zu sich heran und sagte sehr deutlich:

»Lydia, Ovid würde das heute nicht mehr sagen, und du, da du eine solche ... Gelehrte und Philosophin bist, du solltest deines Vaters besten Freunden versichern, dass du sehr gut weißt, dass Ovid aus guten Gründen von Augustus aus Rom verbannt wurde und dass er nicht wieder heimkehren kann.«

Mit anderen Worten sagte er: »Hör endlich auf mit Ovid.«

Aber Marius, der sich davon nicht beirren ließ, fiel vor mir auf die Knie – schlank und gut aussehend, mit hypnotisierenden blauen Augen – und nahm meine Hand und küsste sie und sagte: »Ich werde Ovid herzlich von dir grüßen, kleine Lydia. Doch dein Vater hat Recht. Wir alle müssen das Urteil des Kaisers akzeptieren. Schließlich sind wir Römer.« Dann tat er etwas sehr Merkwürdiges; er sprach zu mir wie zu einer Erwachsenen: »Ich denke, Kaiser Augustus hat Rom mehr gegeben, als wir alle je zu hoffen gewagt haben. Und er ist auch ein Dichter. Er hat ein Gedicht geschrieben, das ›Ajax‹ heißt, und dann hat er es eigenhändig verbrannt, weil er meinte, es tauge nichts.«

Ich hatte mich noch nie so toll unterhalten. Ich hätte auf der Stelle mit Marius durchbrennen mögen!

Aber ich konnte nur um ihn herumtanzen, während er durch das Vestibül und das Tor hinausschritt.

Ich winkte ihm nach.

Er blieb stehen. »Leb wohl, kleine Lydia«, rief er. Dann sprach er gedämpft mit meinem Vater, und ich hörte, wie der antwortete: »Du bist nicht ganz bei Trost!«

Mein Vater wandte sich von Marius ab, der mir noch ein trauriges Lächeln zuwarf und dann verschwand.

»Was wollte er? Was war denn?«, fragte ich meinen Vater. »Was hast du?«

»Hör mal, Lydia«, antwortete er. »Ist dir bei all deiner Leserei das Wort ›verlobt‹ untergekommen?«

»Aber sicher, Vater.«

»Also, dieser Herumtreiber und Träumer hat nichts Besseres im Sinn, als sich mit einem kleinen Mädchen von zehn Jahren zu verloben, weil das bedeutet, dass sie noch nicht alt genug für eine Heirat ist und er auf diese Weise noch jahrelang seine Freiheit genießt, ohne dass der Kaiser etwas dagegen einwenden kann. Die sind doch alle gleich!«

»Nein, nein, Vater«, rief ich. »Ich werde ihn nie vergessen.« Ich glaube, ich hatte ihn schon am nächsten Tag vergessen.

Ich sah Marius fünf Jahre lang nicht.

Ich weiß das noch so genau, weil ich fünfzehn war und schon längst hätte verheiratet sein sollen und absolut nicht wollte. Jahr um Jahr hatte ich mich davor gedrückt, indem ich Krankheiten vortäuschte, Wahnsinn, unkontrollierte Anfälle. Nun lief mir die Zeit davon, denn ich war schon seit meinem zwölften Lebensjahr heiratsfähig.

Zu diesem Zeitpunkt standen wir alle als Zuschauer am Fuße des Palatin, wo die hochheiligen Luperkalien zelebriert wurden, eine der vielen Feiern, die zum römischen Leben gehörten.

Die Luperkalien waren besonders wichtig, obwohl man ihre Bedeutung nur schwer jemandem erklären kann, der eine christliche Auffassung von Religion hat. Es zeugte von Frömmigkeit, ein solches Fest zu feiern, als Bürger und tugendhafter Römer daran teilzunehmen.

Und außerdem hatte man großen Spaß dabei.

Also war ich auch da, gar nicht weit von der heiligen Grotte, dem Luperkal, entfernt, und schaute zusammen mit anderen jungen Frauen zu, wie die beiden in diesem Jahr ausgewählten Männer mit dem Blut eines geopferten Ziegenbocks bestrichen und anschließend in die noch blutige Haut des Opfertiers gehüllt wurden. Dieses Mal hatte ich keine besonders gute Sicht, doch ich schaute nicht zum ersten Mal zu, und als vor einigen Jahren zwei meiner Brüder bei dieser Zeremonie gelaufen waren, hatte ich mich weit nach vorn gedrängt, um alles gut verfolgen zu können.

Diesmal gewann ich schließlich einen ganz guten Überblick, als die beiden jungen Männer sich einzeln auf den Weg machten und ihren Lauf um den Fuß des Palatins begannen. Ich schob mich vorwärts, wie man es von mir erwartete. Die Jünglinge schlugen mit einem Streifen Ziegenhaut leicht auf die sich ihnen entgegenstreckenden Arme der jungen Frauen, was uns reinigen und fruchtbar machen sollte.

Ich trat vor und empfing den zeremoniellen Schlag. Während ich wieder zurückging, wünschte ich mir, ein Mann zu sein, damit ich zusammen mit den anderen Männern um diesen Hügel rennen könnte: ein durchaus gewohnter Wunsch für mich zu allen Zeiten meines sterblichen Lebens.

Über diese »Reinigung« hegte ich einige ziemlich sarkastische Gedanken, doch ich war inzwischen alt genug, um in der Öffentlichkeit den Anstand zu wahren, und hätte um nichts in der Welt meinen Vater oder meine Brüder beschämt.

Diese Streifen aus Ziegenhaut werden, wie du weißt, David, *februa* genannt, und Februar kommt von diesem Wort. So viel also zur Sprache und zu der Magie, die ihr, ohne dass das bekannt wäre, innewohnt. Bestimmt hatten die Luperkalien etwas mit Romulus und Remus zu tun, vielleicht ahmten sie sogar Menschenopfer aus alter Zeit nach. Immerhin bestrich man die Köpfe der jungen Männer mit Ziegenblut. Mich schaudert, weil das in etruskischer Zeit, lange bevor ich geboren wurde, eine wesentlich grausamere Zeremonie gewesen sein könnte.

Möglicherweise hat Marius bei dieser Gelegenheit meine Arme gesehen, denn ich streckte sie weit aus, um diesen zeremoniellen Schlag zu empfangen, und wie du sicher bemerkst, neigte ich überhaupt schon sehr dazu, mich zu produzieren; ich lachte zusammen mit den anderen Mädchen, während die Männer ihren Lauf fortsetzten.

In der Menge entdeckte ich Marius. Er sah mich an, dann wieder in sein Buch. Wie merkwürdig! Er lehnte an einem Baumstamm und schrieb. So etwas tat doch keiner – gegen einen Baum gelehnt, mit der einen Hand ein Buch haltend und mit der anderen schreibend. Ein Sklave stand neben ihm mit einem Tintenfass.

Marius' Haar war lang und wunderschön. Ganz wild.

Ich wandte mich an meinen Vater: »Sieh nur, da ist unser Freund Marius, der große Barbar, und er schreibt.«

Mein Vater lächelte und antwortete: »Marius schreibt ständig. Zum Schreiben taugt er, wenn auch für nichts anderes. Dreh dich um, Lydia. Sei still.«

»Aber er hat mich angesehen, Vater. Ich möchte mit ihm sprechen.«

»Das wirst du nicht, Lydia. Du wirst ihm nicht einmal ein winziges Lächeln schenken!«

Auf dem Weg nach Hause fragte ich meinen Vater: »Wenn du mich ohnehin mit jemandem verheiraten willst – wenn es für mich außer Selbstmord kein Mittel gibt, dieser widerlichen Entwicklung zu entgehen –, warum verheiratest du mich dann nicht mit Marius? Ich versteh's nicht. Ich bin reich. Er ist reich.

Ich weiß zwar, dass seine Mutter eine wilde keltische Prinzessin war, aber sein Vater hat ihn schließlich adoptiert.«

Mein Vater warf mir einen vernichtenden Blick zu. »Wo hast du das alles her?« Er blieb plötzlich stehen, immer ein schlechtes Zeichen. Die Menge teilte sich und strömte rechts und links an uns vorbei.

»Ich weiß auch nicht; es ist allgemein bekannt.« Ich drehte mich um. Da schlenderte Marius hinter uns, schaute mich an. »Vater«, sagte ich, »bitte, lass mich mit ihm sprechen.«

Mein Vater kniete nieder. Die meisten Leute waren schon fort. »Lydia, ich weiß, das ist schrecklich für dich. Ich habe mich jedem Einwand gebeugt, den du gegen deine Bewerber vorgebracht hast. Aber glaube mir, der Kaiser selbst würde nicht gutheißen, dass du einen solch verrückten, herumstreunenden Geschichtsschreiber wie Marius heiratest! Er hat nie dem Vaterland als Soldat gedient, er kann nicht einmal Senator werden, das ist ganz unmöglich. Wenn du heiratest, wirst du eine gute Partie machen.«

Als wir fortgingen, drehte ich mich noch einmal um, ich wollte nur sehen, ob ich Marius noch in der Menge ausmachen konnte, doch zu meinem Erstaunen stand er stocksteif da und sah mich an. Mit seinem herabwallenden Haar ähnelte er sehr stark dem Vampir Lestat. Er ist größer als Lestat, doch er hat den gleichen geschmeidigen, kraftvollen Körperbau, die gleichen intensiv blauen Augen und ein ebenmäßiges Gesicht, das fast schon hübsch ist.

Ich riss mich von meinem Vater los und rannte zu ihm hinüber.

»Also, ich wollte dich heiraten, aber mein Vater hat Nein gesagt«, stieß ich hervor.

Seinen Gesichtsausdruck werde ich niemals vergessen. Doch noch ehe er etwas sagen konnte, hatte mein Vater mich eingeholt und eine salonfähige Konversation begonnen, die alles auslöschte.

»Nun, Marius, wie kommt denn dein Bruder bei der Armee zurecht? Und wie läuft's mit deiner Geschichtsschreibung? Ich hörte, du hast schon dreizehn Bände geschrieben.«

Mein Vater trat zurück und zog mich praktisch mit sich fort.

Marius rührte sich nicht und gab auch keine Antwort. Bald schon eilten wir mit anderen den Hügel hinauf.

Dieser Augenblick hat unseren gesamten Lebensweg verändert. Aber ich wusste nicht, wie Marius oder ich das hätten ahnen können.

Zwanzig Jahre sollten vergehen, bis wir beide wieder zusammentrafen.

Da war ich inzwischen fünfunddreißig. Ich kann nur sagen, dass wir uns in mehr als einer Hinsicht in einem Reich der Finsternis wieder sahen.

So werde ich jetzt also die Lücke dazwischen füllen.

Ich war zwei Mal verheiratet, beide Male auf Druck des Kaiserhauses. Augustus war nämlich von dem Wunsch beseelt, dass wir alle Nachkommen haben sollten. Ich hatte keine. Meine Ehemänner säten reichlich, jedoch bei den Sklavinnen.

So wurde ich also von beiden legal geschieden und war wieder frei, und danach beschloss ich, mich vom gesellschaftlichen Leben zurückzuziehen, damit nicht Tiberius, der im Alter von fünfzig Jahren den kaiserlichen Thron bestieg, sich noch in meine Angelegenheiten einmischte, denn noch mehr als Augustus war er in öffentlichen Angelegenheiten ein Puritaner und in Familiendingen ein Diktator.

Wenn ich in meinen vier Wänden blieb, wenn ich weder zu Banketten noch Bällen ging und mich nicht mit der Kaiserin Livia, Augustus' Gattin und Mutter des Tiberius, herumtrieb, konnte ich vielleicht vermeiden, in den Stand einer Stiefmutter gedrängt zu werden. Ich blieb einfach zu Hause. Ich musste mich um meinen Vater kümmern. Er verdiente es. Wenn er auch immer noch bei bester Gesundheit war, so war er doch alt!

Bei allem gebührenden Respekt vor den Ehemännern, die ich erwähnt habe und deren Namen mehr als nur Fußnoten in der römischen Geschichte sind, war ich doch eine miserable Ehefrau.

Ich hatte reichlich eigenes Vermögen von meinem Vater, ich hörte auf nichts und niemanden und gab mich dem Liebesakt nur hin, wenn es mir passte, womit ich auch durchkam, denn ich besaß genügend Schönheit, um Männer wirklich leiden zu lassen.

Um diese Ehegatten zu ärgern und ihnen aus dem Weg zu gehen, schloss ich mich dem Isis-Kult an. Ich trieb mich im Tempelbereich herum, wo ich sehr viel Zeit in der Gesellschaft interessanter Frauen verbrachte; einige von ihnen waren wesentlich abenteuerlustiger und unkonventioneller, als ich es zu sein wagte. Huren zogen mich magisch an. Für mich hatten diese brillanten, lockeren Frauen Grenzen überwunden, die ich als die liebende Tochter meines Vaters nie überschreiten würde.

Ich wurde Stammgast im Tempel. Schließlich wurde ich in einer geheimen Zeremonie aufgenommen und nahm bald an jeder Prozession zu Ehren der Göttin Isis in Rom teil.

Meine Ehemänner hassten das. Möglicherweise habe ich deshalb den Kult wieder aufgegeben, nachdem ich in das Haus meines Vaters zurückgekehrt war. Wie dem auch sei, es war wahrscheinlich gut so. Aber das Schicksal ließ sich durch meine Entscheidungen nicht so leicht zu meinen Gunsten beeinflussen.

Nun war Isis eine importierte Göttin, aus Ägypten natürlich, und die alteingesessenen Römer brachten ihr das gleiche Misstrauen entgegen wie der Schrecken erregenden Kybele, der Großen Mutter aus dem Fernen Osten, deren männliche Anbeter sich ihr zu Ehren kastrierten. In der ganzen Stadt schwirrte es nur so von »östlichen Riten«, und die konservative Bevölkerung fand sie grässlich.

Diese Kulte konnte man nicht rational erfassen; sie beruhten auf Ekstase oder Euphorie. Sie boten eine vollkommene Wiedergeburt durch Einsicht.

Der typisch altmodische Römer war dafür viel zu praktisch veranlagt. Wenn du mit fünf Jahren noch nicht wusstest, dass die Götter erfundene Wesen waren und die alten Mythen erfundene Geschichten, dann warst du ein Dummkopf.

Aber Isis besaß eine merkwürdige Eigenschaft – etwas, das sie von der grausamen Kybele stark unterschied. Isis war beides, liebende Mutter und Göttin. Isis vergab ihren Anbetern alles. Isis war schon vor aller Schöpfung da. Isis war langmütig und weise.

Aus diesem Grund konnte selbst eine in Schande lebende Frau in ihrem Tempel beten. Darum wurde niemand abgewiesen.

Genau wie die Jungfrau Maria, die heute in Ost und West bekannt ist, empfing Isis, die Allherrschende, ihr göttliches Kind auf göttlichen Wegen. Dank eigener Fähigkeiten kam sie an den lebendigen Samen des toten, kastrierten Osiris. Und häufig wurde sie auf Bildern oder als Skulptur mit ihrem göttlichen Sohn Horus auf dem Schoß dargestellt, die Brust in aller Unschuld entblößt, um den jungen Gott zu stillen.

Und Osiris regierte im Land der Toten; sein Phallus war für immer in den Fluten des Nils untergegangen, doch aus ihm floss ein nie endender Samenstrom, der jedes Jahr, wenn der Fluss über die Ufer trat, den weiten Feldern Ägyptens Fruchtbarkeit schenkte.

Die Musik unseres Tempels war himmlisch. Wir spielten das Systrum, eine Art kleine Lyra aus starrem Metall, dazu Flöten und Tambourine. Dann tanzten wir und sangen zusammen. Die Isis-Litaneien waren von einer herrlichen, rauschhaften Poesie.

Isis war die Schutzherrin der Seefahrt und trug, ähnlich wie später die Jungfrau Maria, einen entsprechenden Beinamen.

Jedes Jahr, wenn ihre Statue zum Meeresstrand hinuntergetragen wurde, war ganz Rom auf den Beinen, um diese überwältigende Prozession zu sehen: die ägyptischen Götterbilder mit ihren Tierköpfen, die üppige Blumenpracht und natürlich die Statue der Mutter und Himmelskönigin. Die Luft hallte von Hymnen wider. Die Priester und Priesterinnen waren in weiße Leinengewänder gekleidet. Das marmorne Standbild der Isis, deren Hand das heilige Systrum hielt, ragte hoch über den Köpfen der Menge; sie trug ein königliches griechisches Gewand und eine griechische Haartracht.

Das war meine Isis. Nach meiner letzten Scheidung wurde ich ihr abtrünnig. Mein Vater mochte den Isis-Kult nicht, und ich selbst hatte ihn lange genug genossen. Mir als freier Frau hatten die Prostituierten nicht den Kopf verdreht. Ich hatte es unendlich viel besser. Ich führte meinem Vater den Haushalt, und er war alt genug – trotz seines schwarzen Haars und seiner noch bemerkenswert guten Augen –, so dass der Kaiser mich in Frieden ließ.

Ich könnte nicht sagen, dass ich mich an Marius erinnerte beziehungsweise an ihn dachte. Jahrelang hatte ihn niemand erwähnt. Nach den Luperkalien war er einfach aus meinem Bewusstsein verschwunden. Es gab keine irdische Kraft, die sich zwischen mich und meinen Vater hätte stellen können.

Meine Brüder waren alle vom Glück begünstigt. Sie verheirateten sich gut, hatten Kinder und kamen heil aus den grausamen Kriegen zurück, in denen sie kämpften, um die Grenzen des Reiches zu verteidigen.

Meinen jüngsten Bruder, Lucius, mochte ich nicht besonders. Er war immer ein wenig unsicher, neigte zur Trunksucht und offensichtlich auch zum Glücksspiel, was seiner Frau großen Verdruss bereitete.

Sie hatte ich ins Herz geschlossen wie alle meine Schwägerinnen, meine Neffen und Nichten. Ich genoss es, wenn sie in unser Haus einfielen, diese Scharen von Kindern, die – mit »Tante Lydias Segen« – quietschend und ungebärdig herumtobten, was sie zu Hause nie gedurft hätten.

Mein ältester Bruder, Antonius, hatte das Zeug, Großes zu vollbringen. Das Schicksal brachte ihn um die Größe, obwohl er sich bestens darauf vorbereitet hatte, gut ausgebildet und klug, wie er war.

Nur ein Mal habe ich Antonius etwas Törichtes sagen hören, das war, als er laut und deutlich behauptete, dass Kaiser Augustus von seiner Gattin Livia vergiftet worden sei, damit ihr Sohn Tiberius Kaiser werden könne. Mein Vater, der außer mir der Einzige im Zimmer war, sagte streng zu ihm: »Antonius, sag das nie wieder! Nicht hier und auch nirgendwo anders!« Mein Vater stand auf, und ohne es zu wollen, rückte er die Art und Weise, wie er und ich lebten, ins rechte Licht. »Halte dich fern vom Kaiserpalast«, sagte er, »halte dich fern von den kaiserlichen Familien; nimm bei den Spielen in den ersten Rängen deinen Platz ein, ebenso im Senat, aber lass dich nicht in die kaiserlichen Auseinandersetzungen und Ränke verwickeln.«

Antonius war sehr zornig, doch das hatte nichts mit meinem Vater zu tun.

»Ich habe es nur denen gegenüber erwähnt, bei denen ich es wagen kann, dir und Lydia gegenüber. Ich verabscheue es, mit einer Frau zu speisen, die ihren Gatten vergiftet hat! Augustus hätte die Republik wieder ausrufen lassen sollen. Er wusste, wann sein Ende nahe war.«

»Ja, und er wusste auch, dass er die Republik nicht wieder errichten konnte. Das war einfach unmöglich. Das Imperium hat sich bis nach Britannien im Norden und bis jenseits von Parthien im Osten ausgedehnt; es umfasst den ganzen Norden Afrikas. Wenn du ein guter Römer sein willst, Antonius, dann steh auf und sage vor dem Senat deine Meinung. Tiberius lädt ja dazu ein.«

»Ach, Vater, du lässt dich zu leicht täuschen«, sagte Antonius.

Mein Vater setzte diesem Streit ein Ende.

Aber er und ich führten genau das Leben, das er beschrieben hatte.

Tiberius schaffte es in kürzester Zeit, sich bei den lärmenden römischen Massen unbeliebt zu machen. Er war zu alt, zu trocken, zu humorlos, zu sittenstreng und gleichzeitig zu tyrannisch.

Aber er besaß einen Vorzug, der einen mit ihm versöhnte. Abgesehen von seiner tiefen Liebe zur Philosophie und seinen umfassenden Kenntnissen auf diesem Gebiet, war er ein sehr guter Soldat. Und das war schließlich der wichtigste Charakterzug, den man vom Kaiser verlangte.

Die Truppen respektierten ihn.

Er verstärkte die Prätorianergarde rund um den Palast und stellte einen Mann namens Sejanus ein, der die Angelegenheiten für ihn in die Hand nehmen sollte. Doch er ließ keine Legion nach Rom, und man hörte von ihm ein paar verdammt gute Worte über persönliche Rechte und Freiheit, das heißt, man hörte sie, wenn man bei seinen Reden lange genug wach bleiben konnte. Ich hielt ihn für einen Grübler.

Der Senat wurde jedes Mal ganz wild vor Ungeduld, wenn Tiberius sich wieder weigerte, eine Entscheidung zu treffen. Sie wollten schließlich nicht entscheiden! Doch schien das alles noch Sicherheit zu garantieren.

Dann aber kam es zu einem schrecklichen Vorfall, der dazu führte, dass ich den Kaiser von ganzem Herzen verachtete und meinen Glauben an ihn und seine Fähigkeit zum Regieren verlor.

In diese Geschichte war der Tempel der Isis verwickelt. Ein gerissener, übler Bursche, der sich als der ägyptische Gott Anubis ausgab, hatte eine hoch geborene Verehrerin der Isis verleitet, in den Tempel zu kommen und mit ihm ins Bett zu gehen, wenn ich mir auch nicht vorstellen kann, wie, um alles in der Welt, ihm diese Täuschung gelang.

Die Frau ist mir bis heute als das dümmste Wesen in ganz Rom in Erinnerung geblieben. Aber vielleicht steckte auch mehr dahinter.

Auf jeden Fall fand das Ganze im Tempel statt.

Und anschließend trat dieser Mann, dieser angebliche Anubis, vor die tugendhafte Dame hin und sagte ihr ohne Umschweife ins Gesicht, dass er sie besessen habe! Sie rannte zeternd zu ihrem Ehemann. Der Skandal war vom Allerfeinsten!

Ich war schon seit Jahren nicht mehr in diesem Tempel gewesen, und ich war froh darüber.

Doch was der Kaiser daraufhin tat, war entsetzlicher, als ich mir je hätte träumen lassen.

Er ließ die gesamte Tempelanlage dem Erdboden gleichmachen. Alle Gläubigen wurden aus Rom verbannt, einige sogar hingerichtet. Und unsere Priester, männliche wie weibliche, wurden gekreuzigt, man hängte sie an das Holz, wie der alte römische Ausdruck dafür war, damit sie langsam und qualvoll unter den Augen aller starben.

Mein Vater kam zu mir in mein Schlafzimmer; er trat vor den kleinen Isis-Schrein, nahm die Statue heraus und zerschmetterte sie auf dem Marmorboden. Dann bückte er sich, hob die größeren Stücke auf und zerbrach sie einzeln, bis nichts als Staub von ihr übrig blieb.

Ich nickte.

Ich erwartete, dass er mich wegen meiner früheren Gewohnheiten tadeln würde. Was geschehen war, hatte in mir Trauer und Entsetzen ausgelöst. Auch andere aus dem Orient stammende Kulte wurden neuerdings verfolgt. Der Kaiser war auf dem besten Weg, verschiedenen Tempeln im ganzen Reich das Recht als Heiligtum abzusprechen.

»Der Mann will gar nicht römischer Kaiser sein«, sagte mein

Vater. »Grausamkeit und Verluste haben ihn verbogen. Er ist stur und langweilig, und er hat schreckliche Angst um sein Leben! Jemand, der keinen Wert darauf legt, Kaiser zu sein, kann die Herrschaft nicht ausüben. Nicht in dieser Zeit.«

»Vielleicht tritt er ja zurück«, murmelte ich trübsinnig. »Er hat den jungen General Germanicus Julius Caesar adoptiert, was ja wohl heißt, dass Germanicus auch sein Nachfolger sein soll, oder?«

»Und was hat es damals den Thronerben des Augustus eingebracht, dass sie adoptiert waren?«, fragte mein Vater.

»Was meinst du damit?«, wollte ich wissen.

»Streng mal deinen Kopf an«, antwortete er. »Wir können nicht weiter so tun, als wären wir eine Republik. Wir müssen das Amt des Kaisers und die Grenzen seiner Macht definieren! Wir müssen eine Form der Nachfolge entwerfen, die nicht immer auf Mord hinausläuft.«

Ich versuchte ihn zu beruhigen.

»Vater, lass uns aus Rom fortgehen. Lass uns in unser Haus in der Toskana ziehen, es ist dort doch immer so schön, Vater.«

»Genau das können wir nicht, Lydia!«, sagte er. »Ich muss hier bleiben. Ich muss loyal zu meinem Kaiser stehen. Wegen der Familie bleibt mir nichts anderes übrig. Ich muss im Senat erscheinen.«

Innerhalb weniger Monate schickte Tiberius seinen jungen, gut aussehenden Neffen Germanicus Julius Caesar in die östlichen Provinzen, um ihn aus dem Blickfeld der römischen Öffentlichkeit zu verbannen. Wie ich schon erwähnt habe, hielten die Leute mit ihren Ansichten nicht hinter dem Berg.

Germanicus wurde als Tiberius' Nachfolger angesehen! Aber Tiberius' Eifersucht auf ihn war zu groß, als dass er auf das Volk gehört hätte, das Germanicus wegen seiner siegreich erfochtenen Schlachten zujubelte. Er wollte den Mann weit weg von Rom sehen.

Und deshalb ging dieser so charmante, verführerische junge Heerführer in den Osten, nach Syrien; er entschwand den liebevollen Blicken des römischen Volkes, dem Herzen des Imperiums, wo die Großstadtmassen das Schicksal der Welt bestimmen konnten.

Früher oder später würde es eine weitere Kampagne im Norden des Reiches geben, so glaubten wir alle. Germanicus hatte den germanischen Stämmen beim letzten Mal schwere Niederlagen bereitet.

Das beschrieben mir meine Brüder lebhaft beim Abendessen.

Sie erzählten, wie sie zurückgekehrt seien, um für das grausige Massaker Rache zu üben, das der Feldherr Varus und seine Truppen im Teutoburger Wald angerichtet hatten. Sie könnten die Aufgabe endgültig erledigen, wenn sie noch einmal einberufen werden sollten, und meine Brüder würden in den Kampf ziehen. Sie entsprachen genau dem Typ des altmodischen Patriziers, der in den Kampf ziehen würde!

Inzwischen gingen Gerüchte um, dass die *delatores*, die berüchtigten Spione der Prätorianergarde, ein Drittel des Besitzes der Leute einsackten, die sie denunzierten. Das fand ich grässlich. Mein Vater schüttelte traurig den Kopf und sagte: »Das begann schon unter Augustus.«

»Ja, Vater«, sagte ich, »aber damals verstand man unter Verrat das, was jemand tat, nicht das, was er sagte.«

»Was ein Grund mehr ist, gar nichts zu sagen.« Er lehnte sich müde zurück. »Lydia, sing etwas für mich. Nimm die Lyra und denk dir eines deiner komischen Heldengedichte aus. Das hast du schon so lange nicht mehr getan.«

»Ich bin viel zu alt dazu«, sagte ich in Erinnerung an die albernen, unzüchtigen Parodien, die ich früher so schnell und locker aus den Versen Homers zusammenbastelte, dass alle darüber staunten. Doch ich stürzte mich auf die Idee. Diese Nacht ist mir noch so deutlich in Erinnerung, dass ich mich im Augenblick gar nicht von meiner Erzählung losreißen kann, obwohl mir klar ist, welches Leid ich dabei bekennen und erforschen muss.

Was bedeutet Schreiben? David, du wirst diese Frage immer wieder hier finden, weil ich mit jeder Seite mehr verstehe: Ich erkenne die mir bisher verborgen gebliebenen Vorbilder, die mich dazu gebracht haben, zu träumen anstatt zu leben.

In jener Nacht dachte ich mir ein wirklich komisches Epos aus, das meinen Vater zum Lachen brachte. Er schlief auf seinem Ruhebett ein. Und dann sprach er wie in Trance: »Lydia, verbringe nicht dein ganzes Leben um meinetwillen allein. Heirate aus Liebe! Du darfst nicht aufgeben!«

Als ich mich zu ihm umdrehte, waren seine Atemzüge schon wieder ganz regelmäßig.

Zwei Wochen oder vielleicht auch einen Monat später fand unser gemeinsames Leben ein abruptes Ende.

Als ich eines Tages heimkehrte, fand ich das Haus leer bis auf zwei zu Tode erschrockene alte Sklaven – Männer, die eigentlich zum Haushalt meines Bruders Antonius gehörten –, sie ließen mich ein und verrammelten hastig die Tür hinter mir.

Ich schritt durch das weite Vestibül, durchs Peristyl und betrat das Speisezimmer. Dort bot sich mir ein erstaunlicher Anblick.

Vor mir stand mein Vater in vollständiger Rüstung, bewaffnet mit Schwert und Dolch, nur der Schild fehlte. Selbst seinen roten Umhang hatte er angelegt. Die Brustplatte seines Panzers war auf Hochglanz poliert.

Er starrte zu Boden, und das nicht ohne Grund. Der Boden war aufgerissen. Die alte Feuerstelle, die seit Generationen bestand, war ausgegraben worden. Das hier war der erste Raum des Hauses, das aus Roms frühesten Tagen stammte. Um diese Feuerstelle hatte sich einst die Familie versammelt, hatte gebetet und gespeist.

Ich hatte die Herdstelle nie gesehen. Wir hatten die Schreine mit unseren Hausgöttern, ja, aber das hier – dieses riesige Rund aus verkohlten Steinen! Selbst Asche war noch darin, unbedeckte Asche. Wie unheilvoll und heilig zugleich kam es mir vor.

»Was, im Namen der Götter, geht hier vor?«, fragte ich. »Wo sind die andern alle?«

»Sie sind fort«, antwortete mein Vater. »Ich habe die Sklaven freigelassen, ihnen ihre Habe mitgegeben und sie fortgeschickt. Ich habe nur noch auf dich gewartet. Du musst auf der Stelle fort von hier!«

»Nicht ohne dich!«

»Du wirst mir doch den Gehorsam nicht verweigern, Lydia.« Nie zuvor hatte ich einen solch flehenden und gleichzeitig würdevollen Ausdruck auf seinem Gesicht gesehen. »Draußen steht ein Wagen bereit, der dich zur Küste bringen wird, und ein jüdischer Kaufmann, ein sehr getreuer Freund von mir, wird dich per Schiff aus Italien fortbringen! Ich will, dass du gehst! Dein Vermögen ist schon an Bord des Schiffes. Deine Kleider. Alles. Ich traue diesen Männern. Aber nimm auf jeden Fall diesen Dolch mit dir.«

Er nahm einen Dolch von dem Tisch neben ihm und reichte ihn mir. »Du hast bei deinen Brüdern oft genug gesehen, wie man ihn benutzt«, sagte er dabei, »und nimm dies hier.« Er langte nach einem Beutel. »Darin ist Gold, die Währung, die in aller Welt Geltung hat. Steck es ein und geh.«

Einen Dolch trug ich sowieso immer bei mir, in einer Schlinge am Unterarm, aber ich konnte meinen Vater gerade in diesem Moment nicht damit schockieren, also schob ich seinen Dolch einfach in meinen Gürtel und nahm die Börse entgegen.

»Vater, ich habe keine Angst, zu dir zu halten! Wer hat sich gegen uns gewandt? Vater, du bist ein römischer Senator! Welchen Vergehens man dich auch anklagt, du hast Anspruch auf eine Verhandlung vor dem Senat.«

»Ach, meine teure, gescheite Tochter! Glaubst du denn, dass der berüchtigte Sejanus und seine *delatores* ihre Vorwürfe öffentlich machen? Seine Späher sind schon längst über deine Brüder nebst Ehefrauen und Kindern hergefallen. Das hier sind die Sklaven von Antonius. Er schickte sie, damit sie uns warnen, während er noch kämpfte und starb. Er musste zusehen, wie man seinen Sohn an der Wand zerschmetterte. Lydia, geh!«

Natürlich wusste ich, dass das ein römischer Brauch war – die ganze Familie auszulöschen, sowohl die Gemahlin als auch die Kinder des Verurteilten zu ermorden. Selbst das Gesetz schrieb es vor. Und bei Angelegenheiten wie dieser, wenn bekannt wurde, dass der Kaiser jemandem seine Gunst entzogen hatte, konnte jeder persönliche Feind den bestellten Mördern noch zuvorkommen.

Ich sagte: »Du kommst mit mir! Warum willst du denn hier bleiben?«

Und er antwortete: »Ich will als Römer in meinem Haus sterben. Und nun geh, wenn du mich liebst, meine Dichterin, meine Sängerin, meine Denkerin. Du, meine Lydia. Geh! Ich will, dass du mir gehorchst. Ich habe die letzte Stunde meines Lebens damit verbracht, alle Vorkehrungen für deine Rettung zu treffen! Küsse mich und gehorche.«

Ich lief zu ihm, küsste ihn auf die Lippen, und schon führten mich die beiden Sklaven durch den Garten.

Ich kannte meinen Vater. Ich konnte mich nicht gegen seinen letzten Wunsch auflehnen. Ich wusste, dass er, ganz nach alter römischer Sitte, sich wahrscheinlich das Leben nehmen würde, ehe die kaiserlichen Agenten noch die Eingangstür aufbrachen.

Als ich jedoch das Tor erreichte und die jüdischen Kaufleute mit ihrem Wagen dort stehen sah, konnte ich nicht einsteigen.

Was ich erlebte, war dies:

Mein Vater hatte sich an beiden Handgelenken die Pulsadern aufgeschnitten und schritt im Kreis um die alte Feuerstelle herum, während er das Blut auf den Boden rinnen ließ. Er hatte sich tatsächlich die Pulsadern aufgeschlitzt. Und während er seine Runden drehte, wurde er immer bleicher. In seinen Augen stand ein Ausdruck, den ich erst viel später verstand.

Dann hörte ich lautes Krachen. Die Eingangstür wurde eingeschlagen. Mein Vater blieb stehen. Und zwei der Prätorianer gingen auf ihn los, einer machte höhnische Bemerkungen: »Warum erledigst du dich nicht selbst, Maximus, und ersparst uns die Mühe. Mach schon.«

»Ihr könnt stolz auf euch sein!«, sagte mein Vater. »Feiglinge! Ihr bringt wohl gern ganze Familien um? Wie viel Geld bekommt ihr dafür? Habt ihr je in einer echten Schlacht gekämpft? Kommt her, sterbt gemeinsam mit mir!«

Er wandte ihnen den Rücken, drehte sich blitzschnell um und brachte die beiden, die sich auf ihn stürzen wollten, mit unvorhergesehenen Schwert- und Dolchstößen zu Fall. Er durchbohrte sie mehrmals.

Mein Vater schwankte, als würde er ohnmächtig. Er war kalkweiß. Immer noch strömte das Blut von seinen Handgelenken. Er verdrehte die Augen.

Irrwitzige Gedanken schossen mir durch den Kopf. Wir müssen ihn in den Wagen tragen! Doch ein Römer wie mein Vater hätte das niemals zugelassen.

Plötzlich ergriffen die Juden, ein junger und ein älterer, mich an den Armen und trugen mich fort.

»Ich habe geschworen, Euch zu retten«, sagte der Ältere. »Und Ihr werdet mich gegenüber meinem alten Freund nicht zum Wortbrüchigen machen.«

»Lasst mich los«, flüsterte ich, »ich will bis zum Ende bei ihm sein.«

Ich stieß sie, die mich mit höflicher Scheu behandelten, von mir, drehte mich um und sah von weitem die Leiche meines

Vaters neben der Feuerstelle liegen. Er hatte sich mit seinem Dolch den Todesstoß gegeben.

Ich schloss die Augen und presste mir die Hände auf den Mund, als die beiden mich in den Wagen warfen. Ich fiel zwischen weiche Kissen und Stoffballen und wurde hin und her geschleudert, während der Wagen ganz langsam die kurvige Straße des Palatins hinunterrollte.

Soldaten riefen uns fluchend zu, dass wir den Weg frei machen sollten.

Der ältere Jude sagte: »Ich bin fast taub, Herr, was habt Ihr gesagt?«

Das hatte die gewünschte Wirkung. Sie ritten an uns vorbei. Der Jude wusste genau, was er tat. Als der Trupp an uns vorbeipreschte, blieb er bei dem langsamen Schritttempo, das er eingeschlagen hatte.

Der Jüngere kam nach hinten zu mir in den Wagen und stellte sich vor: »Ich bin Jakob.« Dann fügte er hinzu: »Werft diese weißen Umhänge über, damit seht Ihr wie eine Frau aus dem Osten aus. Wenn man Euch am Stadttor befragen will, haltet Euch Euren Schleier vor das Gesicht, und tut so, als ob Ihr nichts verstündet.«

Wir passierten die Tore Roms erstaunlicherweise ohne Schwierigkeiten. Es hieß nur: »Heil, David und Jakob, hattet ihr eine gute Fahrt?«

Man brachte mich an Bord eines großen Handelsschiffes mit Galeerensklaven und Segeln – ein ganz gewöhnliches Schiff – und dann in ein karges, holzverkleidetes Kämmerchen.

»Mehr können wir Euch nicht bieten«, sagte Jakob. »Aber wir segeln sofort.« Er hatte lang herabhängende, wellige braune Haare und einen Bart. Seine gestreiften Gewänder reichten ihm bis auf die Füße.

»Im Dunkeln?«, fragte ich. »Ihr legt im Dunkeln ab?«

Das war ungewöhnlich.

Aber als wir ausliefen, als die Ruder ins Wasser tauchten und das Schiff den richtigen Abstand zur Küste gewonnen hatte und sich nach Süden bewegte, verstand ich das Vorgehen.

Die ganze wunderschöne Südwestküste Italiens war strahlend hell erleuchtet von den zahllosen palastartigen Villen. Und auf den Felsen standen Leuchttürme.

»Wir werden die Römische Republik nie wieder sehen«, sagte Jakob gequält, als wäre er selbst ein römischer Bürger – und ich glaube, das war er wirklich. »Aber wir haben den letzten Wunsch Eures Vaters erfüllt. Wir sind jetzt in Sicherheit.«

Der alte Mann kam zu mir. Er nannte seinen Namen: David.

Er entschuldigte sich wortreich dafür, dass es keine weibliche Bedienung für mich gab. Ich war die einzige Frau an Bord.

»Ach, bitte, verbannt solche Gedanken aus eurer Seele! Warum habt ihr dieses Risiko überhaupt auf euch genommen?«

»Wir haben jahrelang mit Eurem Vater Geschäfte gemacht«, erklärte David. »Vor einigen Jahren versenkten Piraten unsere Schiffe, doch Euer Vater übernahm unsere Schulden. Er setzte erneut Vertrauen in uns, und wir zahlten es ihm fünffach zurück. Er hat für Euch Reichtümer aufgehäuft. Sie sind alle hier zwischen den Waren, die wir mit uns führen, verstaut, als wäre es nichts.«

Ich zog mich in die Kabine zurück und sank auf das schmale Bett nieder. Der alte Mann reichte mir mit abgewandten Augen eine Decke.

Allmählich wurde mir etwas klar: Ich hatte fest damit gerechnet, dass sie mich betrügen würden.

Ich hatte keine Worte. Ich hatte keine Geste, keine Gefühlsregung in mir. Ich drehte den Kopf zur Wand. »Schlaft, Herrin«, sagte David.

Ein Albtraum suchte mich heim, ein Traum, wie ich ihn noch nie in meinem Leben gehabt hatte. Ich war in der Nähe eines Flusses. Mich verlangte danach, Blut zu trinken. Im hohen

Gras lauerte ich einem der Dorfbewohner auf, und als ich den armen Kerl erwischte, packte ich ihn bei den Schultern und senkte zwei Fangzähne in seinen Hals. Mein Mund füllte sich mit köstlichem Blut. Es war so süß und so berauschend, dass es sich nicht beschreiben ließ, selbst im Traum wusste ich das. Doch ich musste weiter. Der Mann war beinahe schon tot. Ich ließ ihn fallen. Andere, die gefährlicher waren, verfolgten mich. Und mein Leben war noch von einer weiteren schrecklichen Gefahr bedroht.

Ich kam zu den Ruinen eines Tempels, weit vom Marschland entfernt. Hier war Wüste – im Handumdrehen war ich vom Sumpf im Sand gelandet. Ich fürchtete mich. Der Morgen brach an. Ich musste mich verstecken. Ich wurde ja auch gejagt. Ich zehrte noch von dem köstlichen Blut, und ich betrat den Tempel. Das war kein Versteck! Ich lehnte mich mit dem ganzen Körper gegen die kalten Wände! Bilder waren darin eingeritzt. Aber es gab nicht die kleinste Kammer, um mich zu verbergen.

Ich musste die Hügel erreichen, ehe die Sonne aufging, doch ich wusste, das schaffte ich nicht. Ich bewegte mich geradewegs auf die Sonne zu!

Plötzlich stieg über der Hügelkuppe ein starkes, tödliches Licht auf. Es schmerzte unerträglich in den Augen. Sie brannten wie Feuer. »Meine Augen«, schrie ich und versuchte sie mit den Händen zu bedecken. Feuer hüllte mich ein. Ich schrie: »Amon Ra, ich verfluche dich!« Ich schrie einen weiteren Namen, von dem ich wusste, dass damit Isis gemeint war; aber dieser Name war es nicht, es war eine andere Bezeichnung für sie, die mir von den Lippen flog.

Ich wachte auf. Kerzengerade aufgerichtet und zitternd saß ich im Bett.

Der Traum war so deutlich gewesen wie eine Vision. Er weckte ein tiefes Echo in meinem Gedächtnis. Hatte ich schon einmal gelebt?

Ich ging hinaus auf das Schiffsdeck. Hier war alles in bester Ordnung. Man konnte immer noch deutlich die Küstenlinie mit ihren Leuchttürmen sehen, und das Schiff folgte weiter seinem Kurs. Ich starrte auf das Meer, und ich spürte das Verlangen nach Blut.

»Das kann doch nicht sein. Das ist ein böses Omen, ein Zerrbild meiner Trauer«, murmelte ich. Ich spürte das Feuer. Ich konnte den Geschmack des Blutes nicht verdrängen, wie natürlich, wie gut es mir vorgekommen war, wie geeignet für meinen Durst. Ich sah den verkrümmten Körper des Dörflers wieder vor mir auf der sumpfigen Erde liegen.

Das war grauenvoll; ich konnte dem, was ich gerade erlebt hatte, nicht entrinnen. Ich war erzürnt und fühlte mich fiebrig.

Jakob, der hoch gewachsene junge Hebräer, kam zu mir. Er hatte einen jungen Römer bei sich. Der hatte sich schon den ersten Bart rasiert, aber sonst wirkte er wie ein Kind mit seinem erhitzten, frischen Gesicht.

Ich fragte mich müde, ob ich mit fünfunddreißig schon so alt war, dass ich Jugend mit Schönheit gleichsetzte.

Er sagte unter Tränen: »Auch meine Familie wurde verraten. Meine Mutter sorgte dafür, dass ich entkommen konnte.«

»Wem verdanken wir dieses Verhängnis, das uns beide eint?«, fragte ich. Ich legte meine Hände um sein tränenfeuchtes Gesicht. Er hatte noch einen kindlich weichen Mund, aber die Bartstoppeln auf seinen Wangen kratzten. Seine Schultern waren breit und kräftig, er trug nur eine leichte, einfache Tunika. Warum fror er nicht hier draußen auf dem Wasser? Aber vielleicht war ihm ja kalt.

Er schüttelte den Kopf. Noch war er hübsch; später würde man ihn gut aussehend nennen; sein dunkles Haar kräuselte sich gefällig. Er schämte sich weder seiner Tränen, noch entschuldigte er sich dafür.

»Meine Mutter blieb nur noch am Leben, um mir alles erklären zu können. Sie lag keuchend im Todeskampf, bis ich kam. Als die *delatores* meinen Vater beschuldigten, gegen den Kaiser eine Verschwörung angezettelt zu haben, hat mein Vater gelacht. Er hat tatsächlich gelacht. Sie hatten ihm vorgeworfen, mit Germanicus unter einer Decke zu stecken! Meine Mutter wollte nicht eher sterben, bis sie mir das erzählt hatte. Sie sagte, das Einzige, was mein Vater getan habe, sei, dass er mit anderen Männern darüber gesprochen habe, dass er wieder unter Germanicus dienen werde, wenn Truppen in den Norden geschickt würden.«

Ich nickte matt. »Ich verstehe. Meine Brüder haben wahrscheinlich das Gleiche gesagt. Und Germanicus ist der Erbe des Kaisers und *Imperium Maius* des Ostens. Und doch gilt es als Verrat, darüber zu sprechen, dass man Rom unter einem blendenden Heerführer dienen will.«

Ich wandte mich zum Gehen. Dass ich ihn verstand, bedeutete keinen Trost für mich.

»Wir bringen euch zu Freunden, aber nicht in die gleiche Stadt«, sagte Jakob, »mehr sagen wir besser nicht.«

»Lass mich nicht allein«, bat der Jüngling, »nicht heute Nacht.«

»Gut«, sagte ich. Ich nahm ihn mit in meine Kabine und schloss die Tür, indem ich Jakob, der alles mit der Skrupelhaftigkeit eines Tugendwächters beobachtete, höflich zunickte.

»Was willst du?«, fragte ich.

Der Junge starrte mich an. Er schüttelte den Kopf. Er streckte die Hände aus, drängte sich an mich und küsste mich. Wir gaben uns wilden Küssen hin.

Ich nahm meinen Umhang ab und sank mit ihm auf das Bett. Er war ein ganzer Mann, Kindergesicht hin, Kindergesicht her.

Und als ich den Augenblick der Ekstase erlebte, was bei seiner fantastischen Vitalität nicht schwer war, schmeckte ich Blut. Ich war die Bluttrinkerin aus meinem Traum. Ich wurde ganz schlaff, doch das machte nichts. Er hatte alles, was er brauchte, um die Rituale in seiner Befriedigung gipfeln zu lassen.

»Du bist eine Göttin«, sagte er und richtete sich auf.

»Nein«, hauchte ich. Vor meinen Augen erstand der Traum. Ich hörte den Wind auf dem Sand. Ich roch den Fluss. »Ich bin ein Gott ... ein Gott, der Blut trinkt.«

Wir vollzogen die Rituale der Liebe, bis wir völlig erschöpft waren.

»Sei in Gegenwart unserer jüdischen Gastgeber vorsichtig, und benimm dich anständig«, ermahnte ich den Jungen. »Sie hätten hierfür niemals Verständnis.«

Er nickte. »Ich bete dich an.«

»Nicht nötig. Wie heißt du eigentlich?«

»Marcellus.«

»Schön, Marcellus, leg dich nun schlafen.«

Marcellus und ich amüsierten uns von da an Nacht für Nacht, bis endlich der berühmte Leuchtturm von Pharos in Sicht kam und wir wussten, dass wir in Ägypten angekommen waren.

Es war offensichtlich, dass Marcellus in Alexandria bleiben sollte. Er erklärte mir, dass seine Großmutter mütterlicherseits noch lebe; sie und ihre Familie waren Griechen.

»Erzähl mir besser nicht so viel, geh einfach«, sagte ich zu ihm. »Und sei klug und vorsichtig.«

Er flehte mich an, mit ihm zu kommen. Er sagte, er habe sich in mich verliebt, er wolle mich heiraten. Es sei ihm egal, wenn ich keine Kinder bekommen könnte. Es sei ihm egal, dass ich fünf-unddreißig sei. Ich lachte leise, mitleidig.

Jakob betrachtete die Szene mit gesenkten Augen. Und David wandte den Blick ab.

Eine ganze Menge Koffer folgten Marcellus in die Stadt.

»Nun«, wandte ich mich an Jakob, »wirst du mir nun sagen, wohin ihr mich bringt? Ich hätte vielleicht auch ein paar eigene Vorstellungen in dieser Sache, obwohl ich meine Zweifel habe, dass man den Plan meines Vaters noch verbessern könnte.«

Ich überlegte immer noch. Würden sie sich mir gegenüber ehrlich verhalten? Wie war es jetzt, nachdem sie erlebt hatten, dass ich mit diesem Jungen unzüchtige Spiele trieb? Sie waren schließlich sehr fromme Männer.

»Ihr seid auf dem Weg in eine sehr große Stadt«, antwortete Jakob. »Einen besseren Ort gibt es nicht. Euer Vater hat dort griechische Freunde!«

»Wie kann es dort besser sein als in Alexandria?«, wollte ich wissen.

»Oh, es ist bei weitem besser«, sagte Jakob. »Ich will mich nur mit meinem Vater besprechen, ehe ich Euch mehr sage.«

Wir waren schon wieder auf hoher See. Das Land rückte immer weiter in die Ferne. Ägypten. Die Dunkelheit brach herein.

»Habt keine Angst«, sagte Jakob, »Ihr seht aus, als wärt Ihr zu Tode erschrocken.«

»Ich habe keine Angst«, antwortete ich. »Es ist nur, dass ich nun in meinem Bett liegen muss und den Gedanken und Erinnerungen und Träumen nicht ausweichen kann.«

Ich sah ihn an, als er seinen Blick scheu abwandte. »Ich habe den Jungen in meinen Armen gehalten wie eine Mutter, Nacht für Nacht.«

Das war so ungefähr die größte Lüge, die ich je in meinem Leben ausgesprochen habe.

»Er war ein Kind in meinen Armen.« Schönes Kind! »Und nun fürchte ich mich vor den Albträumen. Du musst es mir sagen – welches ist unser Bestimmungsort? Wie sieht unsere Zukunft aus?«

3

A ntiochia«, sagte Jakob, »Antiochia am Orontes. Griechische
Freunde Eures Vaters erwarten Euch dort. Und sie sind
auch mit Germanicus befreundet. Vielleicht, mit der Zeit ...
aber sie werden zu Euch stehen. Ihr werdet einen vermögenden
Griechen aus guter Familie heiraten.«

Heiraten! Einen Griechen, einen provinziellen Griechen? Einen
Griechen aus Kleinasien! Ich unterdrückte ein Lachen und auf-
steigende Tränen. Das war das Letzte, was ich mir antun
würde. Der arme Kerl! Wenn er wirklich einer dieser griechischen Hinterwäldler war, würde er die Unterwerfung der Griechen durch Rom ein zweites Mal ertragen müssen. Ich zerbrach
mir den Kopf darüber, während wir weiter von Hafen zu Hafen
zogen.

Wir segelten weiter, von Stadt zu Stadt. Ich grübelte über all
dies nach.

Natürlich bewahrten mich widerwärtige Bagatellen wie diese
davor, dass ich meinem Gram und meinem Entsetzen über das
Geschehene vollkommen ausgeliefert war. Sorge dafür, dass
dein Gewand ordentlich gegürtet ist. Verscheuche den Anblick
deines Vaters, der tot, mit dem eigenen Dolch in der Brust, am
Boden liegt.

Was Antiochia anging, so war ich mit dem römischen Leben zu
sehr verwachsen gewesen, als dass ich viel über diese Stadt ge-
wusst oder gehört hätte. Wenn Tiberius seinen ›Erben‹ Ger-

manicus hier stationiert hatte, um ihn der Popularität, die er in Rom genoss, zu entziehen, dann, so dachte ich, musste Antiochia so ziemlich am Ende der zivilisierten Welt liegen.

Warum nur, im Namen der Götter, war ich nicht in Alexandria auf und davon gegangen?, fragte ich mich. Alexandria war die größte Stadt des Imperiums nach Rom. Es war eine junge Stadt; Alexander hatte sie gebaut, nach ihm war sie auch benannt, aber sie war eine herrliche Hafenstadt. Niemand würde in Alexandria wagen, den Tempel der Isis dem Erdboden gleichzumachen. Isis war eine ägyptische Göttin, die Gemahlin des mächtigen Osiris.

Aber was hatte das alles mit meiner Angelegenheit zu tun? Ich musste wohl insgeheim schon die ganze Zeit etwas im Schilde geführt haben, doch bewusst ließ ich keinen Plan zu, der meine Integrität als edle Römerin beflecken konnte.

Ich dankte meinen hebräischen Wächtern für diese Mitteilung und dafür, dass sie sie sogar vor dem jungen Römer Marcellus, den sie ebenfalls vor den Mördern des Kaisers gerettet hatten, geheim gehalten hatten. Dann bat ich sie, mir offen auf einige Fragen im Zusammenhang mit meinen Brüdern zu antworten.

»Der Angriff kam für sie alle überraschend. Die *delatores*, diese Spitzel der Prätorianer, sind so rasch und geschickt. Und Euer Vater hatte so viele Söhne. Euer ältester Bruder, der gab zwei seiner Sklaven den Befehl, über die Mauern seines Anwesens zu klettern und Euren Vater zu warnen.«

Antonius. Ich hoffe, du hast ihr Blut vergossen! Ich bin sicher, du hast bis zu deinem letzten Atemzug gekämpft. Und meine Nichte, meine kleine Nichte Flora, ist sie schreiend vor ihnen geflohen, oder verfuhren sie barmherzig? Die Prätorianer und Barmherzigkeit! Schon allein der Gedanke war töricht.

Ich äußerte mich nicht laut. Ich seufzte nur.

Wenn diese beiden jüdischen Kaufleute mich ansahen, sahen sie schließlich den Körper und das Gesicht einer Frau; natürlich würden meine Beschützer auch glauben, mein Geist wäre weiblich. Die Diskrepanz zwischen meiner körperlichen Erscheinung und meiner inneren Einstellung hatte mich schon mein ganzes Leben lang beunruhigt. Warum sollte ich nun David und Jakob damit beunruhigen? Auf nach Antiochia.

Aber ich hatte nicht die Absicht, in einer altmodischen griechischen Familie zu leben, wenn es denn solche noch in dem griechischen Teil Antiochias geben sollte, also in einer Familie, in der die Frauen von den Männern streng getrennt lebten, den ganzen Tag webten, nie ausgingen und keinerlei Anteil an der Welt nahmen.

Meine Kinderfrauen hatten mir alle Fertigkeiten beigebracht, die sich für eine Frau schickten, und so beherrschte ich alles, was mit Garn oder Wolle oder Webstuhl zu tun hatte, wie jede andere Frau, aber ich wusste recht gut, was die »alten griechischen Sitten« gewesen waren, und ich erinnerte mich noch vage an die Mutter meines Vaters, die starb, als ich noch sehr jung war – eine tugendhafte römische Matrone, die immerzu Wolle spann. Das stand dann auch in ihrer Grabinschrift, und ein ebensolches Epitaph hatte auch meine Mutter bekommen: »Sie hütete das Haus. Sie spann Wolle.«

Das war der Nachruf auf meine Mutter! Genau die gleichen langweiligen Worte!

Nun, von mir würde das keiner sagen können.

(Wie witzig, dass ich jetzt, Tausende von Jahren danach, darüber nachdenke, dass es für mich keine Grabinschrift gibt.)

Was ich in meiner totalen Ablehnung übersah, war die Tatsache, dass die römische Welt riesig groß war und dass sich ihr östlicher Teil drastisch von den nördlichen barbarischen Ländern unterschied, in denen meine Brüder gekämpft hatten.

Das gesamte Kleinasien, dem wir nun entgegensegelten, war vor Hunderten von Jahren von Alexander von Mazedonien erobert worden. Wie du weißt, war Alexander ein Schüler des

Aristoteles. Er hatte die griechische Kultur überall verbreiten wollen. Und in Kleinasien trafen die griechischen Vorstellungen und Stile nicht nur auf Landstädtchen oder Bauern, sondern auf antike Hochkulturen, wie das syrische Reich, die nicht nur gewillt waren, die neuen Ideen, die Anmut und Schönheit der griechischen Aufklärung zu empfangen, sondern gleichfalls bereit waren, das alles mit ihrer eigenen jahrhundertealten Literatur, Religion, Lebensweise und Mode in Einklang zu bringen.

Antiochia hatte ein General Alexanders gegründet, der versuchte, die Schönheit der griechischen Städte hier noch zu übertreffen, und zwar mit herrlichen Tempeln, Verwaltungsgebäuden und Bibliotheken mit Büchern in griechischer Sprache und mit Schulen, in denen griechische Philosophie gelehrt wurde. Eine hellenistische Regierung wurde eingesetzt – recht aufgeklärt im Vergleich zu dem alten östlichen Despotismus; und dennoch waren unterschwellig das Wissen und die Sitten und vielleicht auch die Weisheit des geheimnisvollen Ostens gegenwärtig.

Die Römer hatten Antiochia schon früh erobert, da es ein großes Handelszentrum darstellte. Und als solches war es einzigartig, wie Jakob mir zeigte, indem er mit einem angefeuchteten Finger eine grobe Karte auf den hölzernen Tisch malte. Antiochia war ein Hafen des großen Mittelmeers, denn es lag nur zwanzig Meilen oberhalb der Mündung des Orontes.

Dabei grenzte sein östlicher Teil unmittelbar an die Wüste: Alle alten Karawanenstraßen führten nach Antiochia, hierher kamen Kaufleute mit ihren Kamelen, die fantastische Waren aus legendären Ländern mit sich führten – aus Ländern, bei denen es sich nach heutiger Kenntnis um Indien und China gehandelt haben musste. Sie brachten Seide, Teppiche und Juwelen, die nie die Märkte von Rom erreichten.

Zahllose andere Händler kamen nach Antiochia und verschwanden wieder. Gepflegte Straßen verbanden die Stadt im

Osten mit dem Euphrat und dem Reich der Parther, und im Süden ging es nach Damaskus und Judäa, und im Norden lagen natürlich all die von Alexander gegründeten Städte, die unter der römischen Herrschaft zu voller Blüte gekommen waren.

Den römischen Soldaten gefiel es hier, denn das Leben war angenehm und bot viele Anregungen. Und Antiochia seinerseits mochte die Römer, denn die schützten seine Handelsrouten und die Karawanen und sorgten für Frieden im Hafen.

»Ihr findet dort weite Plätze, Arkaden, Tempel, alles, wonach Euch der Sinn steht, und dazu Märkte, wie Ihr sie Euch nicht vorstellen könnt. Römer sieht man überall. Ich bete zu dem Allerhöchsten, dass Euch niemand aus Euren eigenen Kreisen erkennt! Für diese Gefahr vorzusorgen, blieb Eurem Vater keine Zeit mehr.«

Ich tat das mit einer Handbewegung ab.

»Gibt es auch Lehrer dort und Buchmärkte?«

»Von überall her. Man findet sogar Bücher, die niemand entziffern kann. Und Griechisch wird von allen Leuten gesprochen. Ihr müsst schon aufs Land gehen, um auf irgendeinen armen Bauern zu treffen, der kein Griechisch versteht. Latein ist jetzt Umgangssprache geworden.

Die Philosophen reden ununterbrochen; sie sprechen über Plato und Pythagoras, Namen, die mir nicht viel sagen; sie sprechen über chaldäische Zauberei aus Babylon. Natürlich gibt es für jeden erdenklichen Gott einen Tempel.«

Er sprach nachdenklich weiter:

»Die Hebräer? Ich persönlich glaube, sie sind zu weltlich – sie wollen kurze Tuniken tragen und ihre Mußestunden mit den Griechen verbringen und die öffentlichen Bäder besuchen. Sie interessieren sich viel zu stark für die griechische Philosophie. Dieses ganze Denken, das die Griechen pflegen, durchdringt jeden Bereich. Das ist nicht gut. Aber eine griechische Stadt stellt eine verlockende Welt dar.«

Er hob den Blick. Sein Vater beobachtete uns, und wir saßen an diesem Tisch auf Deck zu dicht beisammen.

Er informierte mich hastig über andere Dinge:

Germanicus Julius Caesar, Erbe des kaiserlichen Thrones, von Tiberius offiziell als Sohn angenommen, war in Antiochia das *Imperium Maius* zuerkannt worden. Das bedeutete, er kontrollierte dieses ganze Gebiet. Und Gnaeus Calpurnius Piso war Gouverneur von Syrien.

Ich versicherte ihm, dass die beiden weder mich selbst kannten noch meine altmodische Familie, noch unser stilles, altes Haus auf dem Palatin, das sich zwischen so viele andere luxuriöse neue Villen quetschte.

»Aber es ist alles so wie in Rom!«, widersprach Jakob. »Ihr werdet sehen. Und Ihr bringt Geld mit! Und, vergebt mir die Worte, aber Ihr seid trotz Eures Alters immer noch schön; Eure Haut ist frisch, und Ihr bewegt Euch wie ein junges Mädchen.«

Ich seufzte und dankte Jakob. Es wurde Zeit, dass er sich von mir entfernte, sonst würde sein Vater uns die Leviten lesen.

Ich schaute auf das stetige Wogen des blauen Meeres.

Im Geheimen war ich dankbar, dass sich meine Familie von den Festen und Banketten im kaiserlichen Palast fern gehalten hatte, doch dann verursachte mir diese Dankbarkeit Schuldgefühle, denn mir war bewusst, dass gerade diese Zurückgezogenheit unserem Untergang den Weg bereitet haben musste.

Ich hatte Germanicus auf seinem Triumphzug durch Rom gesehen, einen großartigen jungen Mann, in vielem Alexander ähnlich, und ich wusste von meinem Vater und meinen Brüdern, dass Tiberius, dem die Beliebtheit seines offiziell eingesetzten Erben ein Dorn im Auge war, ihn schließlich in den Nahen Osten geschickt hatte, um ihn von den römischen Massen wegzubringen.

Und der Gouverneur Piso? Ich hatte ihn nie zu Gesicht bekommen. Es ging das Gerücht, er wäre in den Osten abkommandiert worden, um Germanicus zu schikanieren. Ach, was für eine Verschwendung von Geist und Talent.

Jakob kam zu mir zurück.

»Also, Ihr geht ungenannt und unerkannt in diese große Stadt«, sagte er. »Und Ihr habt dort Beschützer mit Charakter, die auch von Germanicus sehr geschätzt werden. Er ist jung, und durch ihn erhält die Stadt Dynamik und Lebensfreude.«

»Und Piso?«, fragte ich.

»Er ist bei allen verhasst. Besonders bei den Soldaten, und Ihr wisst, was das in einer römischen Provinz bedeutet.«

Man kann von der Reling eines Schiffes unendlich lange auf die Schaumkronen der wogenden See schauen.

In jener Nacht hatte ich meinen zweiten Bluttraum. Er glich fast aufs Haar dem ersten. Mich dürstete nach Blut. Und Feinde waren hinter mir her, Feinde, die wussten, dass ich ein Dämon war und vernichtet werden musste. Ich rannte. Meine eigene Gattung hatte mich im Stich gelassen, mich schutzlos dem Aberglauben der Leute ausgeliefert. Dann sah ich die Wüste und wusste, dass ich sterben würde. Ich wachte auf, senkrecht im Bett sitzend, einen Schrei auf den Lippen, doch ich presste schnell die Hände auf den Mund, damit niemand etwas hörte.

Was mich so schrecklich verstörte, war dieses Dürsten nach Blut. Wenn ich wach war, konnte ich mir so etwas nicht einmal vorstellen, doch in den Träumen war ich das Ungeheuer, das die Römer Lamia nannten. So schien es wenigstens. Das Blut war süß, das Blut war alles für mich. Hatte der alte Grieche Pythagoras Recht? Gab es die Seelenwanderung von einem Körper zum anderen? Dann hatte meine Seele in dem früheren Leben in einem Ungeheuer gewohnt.

Wenn ich während des Tages von Zeit zu Zeit die Augen schloss, fand ich mich jedes Mal gefährlich nahe am Rande dieses Traumes, als wäre er eine Falle in meinem Geist, die nur darauf lauerte, über meinem Bewusstsein zuzuschnappen.

Doch in den Nächten überkam es mich am stärksten. *Du hast mir schon früher gedient!* Was konnte das bedeuten? *Komm zu mir.*

Blutdurst. Ich schloss die Augen, rollte mich im Bett zusammen und betete: »Mutter Isis, reinige meinen Geist von diesem Blutwahn.«

Dann suchte ich mein Heil in der guten, alten, normalen Erotik. Jakob ins Bett kriegen! Kein Glück. Wie sollte ich wissen, dass von allen Männern die Juden zu allen Zeiten am schwersten zu verführen waren.

Man machte es mir sehr charmant und taktvoll klar.

Dann zog ich die Sklaven in Betracht. Ausgeschlossen. Als Erste schieden die angeketteten Galeerensklaven aus; es gab unter ihnen keinen großen »Ben Hur«, der nur darauf wartete, von mir gerettet zu werden. Sie waren der kriminelle Bodensatz der mittellosen Straftäter, und da sie nach römischer Art ans Schiff gekettet waren, würden sie ertrinken, wenn das Schiff unterging. Davon abgesehen starben sie, wie alle Galeerensklaven, an der Eintönigkeit und durch die Peitsche. Es bot sich einem kein hübscher Anblick, wenn man in den Schiffsbauch einer Galeere hinunterstieg und sah, wie diese Männer den Rücken beugten.

Doch ich betrachtete das mit ebenso kaltem Blick, wie heute ein Amerikaner die farbigen Fernsehbilder der hungernden afrikanischen Babys betrachtet: kleine schwarze Skelette mit riesigen Köpfen, die nach Wasser schreien. Kurznachrichten, Werbepause, Klangfetzen, CNN schaltet nun um nach Palästina: Steine fliegen, Gummigeschosse. Blut im Fernsehen.

Die restliche Besatzung des Schiffes bestand aus langweiligen Seeleuten und zwei alten, frommen jüdischen Kaufleuten, die mich anstarrten, als wäre ich eine Hure oder Schlimmeres, und die jedes Mal den Kopf abwandten, wenn ich in meiner langen Tunika und mit meinen langen, offenen Haaren an Deck kam.

Ein richtiges Ärgernis muss ich für sie gewesen sein! Aber wie töricht verhielt ich mich in Wirklichkeit, dass ich in dieser Betäubung lebte, und wie angenehm war die Reise – und nur, weil der eigentliche Schmerz und Zorn noch nicht von mir Besitz ergriffen hatten. Es war alles zu schnell gegangen.

Ich weidete mich an dem letzten Bild, das ich von meinem Vater hatte, als er sich dieser Häscher des Tiberius entledigte, dieser schäbigen gedungenen Mörder, die ein feiger, unentschlossener Kaiser geschickt hatte. Und das Übrige – ich verbannte es aus meinem Kopf, indem ich die Haltung eines abgehärteten Römers beziehungsweise einer ebensolchen Römerin vortäuschte.

Ein irischer Dichter der Moderne, W. B. Yeats, beschreibt diese offizielle römische Haltung gegenüber dem Scheitern und der Tragödie am besten.

> *Gleichgültige Blicke gönne nur dem Leben*
> *und dem Tod.*
> *Dann zieh vorüber, Reiter!*

Kein Römer hat je gelebt, der diesem Satz nicht zugestimmt hätte.

Das war auch meine Haltung – als einzige Überlebende eines alten Geschlechts, die von ihrem Vater den Befehl erhalten hatte »zu leben«.

Ich wagte nicht, zu lange über das Schicksal meiner Brüder, ihrer reizenden Gemahlinnen und kleinen Kinder zu grübeln. Ich konnte mir die Ermordung dieser Kinder nicht vorstellen – kleine Jungen vom Breitschwert durchbohrt oder Säuglinge an der Wand zerschmettert. Ach, Rom, du und deine mörderische alte Weisheit. Vergiss ja nicht, die Nachkommenschaft zu töten. Tod dem ganzen Stamm!

Und wenn ich nachts allein lag, fand ich mich aufs Neue im Mittelpunkt grässlicher, blutrünstiger Träume. Sie schienen

Bruchstücke eines verlorenen Lebens, eines verlorenen Landes zu sein. Tief widerhallende, vibrierende Klänge von Musik beherrschten diese Träume, als schlüge jemand einen Gong, während andere neben ihm weich bespannte Pauken feierlich ertönen ließen. In einem Dunstschleier sah ich eine Unmenge flacher, fremdartiger Malereien an den Wänden. Geschminkte Augen um mich herum. Ich trank Blut! Ich trank es von einem kleinen zitternden Menschenwesen, das vor mir kniete, als wäre ich Mutter Isis.

Ich wachte auf und griff sofort nach dem großen Wasserkrug neben meinem Bett und trank ihn ganz leer. Ich trank das Wasser, um diesen Durst, den ich in meinem Traum verspürt hatte, zu bekämpfen und zu löschen. Mir wurde fast übel vom Wassertrinken.

Ich zermarterte mir das Hirn. Hatte ich je als Kind solche Träume gehabt?

Nein. Und doch hatten diese Träume die Intensität der Erinnerung! An die Initiationsriten in dem verhängnisvollen Tempel der Isis, als sie noch Brauch waren. Ich war berauscht gewesen, und triefend vom Blut eines Stiers, hatte ich in wilden Kreisen getanzt. In meinem Kopf war damals nur Raum für die Litaneien der Isis. Uns wurde die Wiedergeburt versprochen! »Bewahrt Schweigen, bewahrt Schweigen ...« Wie konnte man von diesen Initiationsriten erzählen, wenn man so benebelt war, dass man sich kaum an sie zu erinnern vermochte?

Isis schenkte mir nun Erinnerungen an die liebliche Musik der Lyras, Flöten und Tambourins, an den hohen magischen Klang der metallenen Saiten des Sistrums, das die große Mutter selbst in der Hand hielt. Nur verschwommen erinnerte ich mich an jenen Tanz in Nacktheit und Blut, an jene Nacht des Aufstiegs zu den Sternen, als ich die Lebenszyklen in ihrem ganzen Ausmaß erlebte und für eine kurze Weile vollkommen verstand, dass der Mond sich immer wieder wandelte und die

Sonne in ständigem Wechsel unterging und aufging. Umarmungen von anderen Frauen. Weiche Wangen, Küsse und Körper, die sich im Gleichklang wiegten. »Leben, Tod, Wiedergeburt – das sind keine Wunder«, sagte die Priesterin. »Sie zu verstehen und anzunehmen, das ist das Wunder. Lasst dieses Wunder in eurer Brust erstehen.«

Sicher hatten wir kein Blut getrunken! Und der Stier – das war ein nur für die Initiation bestimmtes Opfer. Wir brachten sonst keine hilflosen Tiere zu den mit Blumen beladenen Altären, nein, unsere Segensreiche Mutter verlangte das nicht von uns.

Hier nun, allein auf dem Meer, lag ich wach, um den Blutträumen zu entgehen.

Wenn mich die Erschöpfung überwältigte, kam zusammen mit dem Schlaf ein Traum, als hätte er nur darauf gewartet, dass mir die Augen zufielen.

Ich lag in einem goldenen Gemach. Ich trank Blut, Blut von der Kehle eines Gottes, so schien es mir, und Chöre sangen oder psalmodierten – es war ein dumpfer, sich wiederholender Klang, der die Bezeichnung Musik nicht ganz verdiente –, und als ich von dem Blut genug hatte, hob dieser Gott oder was er sonst war, dieses seidenhäutige, stolze Wesen, mich empor und legte mich auf einen Altar.

Deutlich spürte ich den kalten Marmor unter mir. Ich merkte, dass ich keine Kleider trug. Ich empfand keine Scham. Von irgendwoher, aus weiter Ferne, hallte das Weinen einer Frau durch die großen Hallen. Ich war voll mit Blut. Die Sänger näherten sich mit kleinen tönernen Öllampen. Dunkle Gesichter umgaben mich, dunkel genug, um aus fernen Ländern, aus Äthiopien oder Indien, stammen zu können. Oder Ägypten. Schau nur! Mit Schminke umrandete Augen! Ich sah auf meine Hände und Arme. Sie waren dunkel. Aber ich war diese Person, die auf dem Altar lag, und ich sage jetzt Person, weil mir hier in diesem Traum plötzlich die ungetrübte Erkenntnis zuteil wurde, dass ich, wie ich da lag, ein Mann war. Schmerz überfiel mich. Der Gott sagte: »Das ist nur der Übergang. Du wirst nun von uns allen trinken, nur ein wenig Blut.«

Erst als ich erwachte, verwirrte mich die kurze Umwandlung in das männliche Geschlecht ebenso wie alles andere. Ich war durchdrungen von einem tiefen Verständnis für die ägyptische Kunst, für die Geheimnisse Ägyptens – wie ich sie in den goldenen Statuen erlebte, die auf dem Markt zum Verkauf standen, oder wenn bei einem Gastmahl ägyptische Tänzer auftraten, beweglichen Standbildern gleich mit ihren schwarz umrandeten Augen und den schwarzen, aus vielen Zöpfchen bestehenden Perücken, und in ihrer geheimnisvollen Sprache miteinander flüsterten. Was hatten sie von unserer Isis im römischen Gewand gehalten?

Ein Geheimnis quälte mich; etwas griff meine Vernunft an. Genau das, was die römischen Kaiser an den ägyptischen und orientalischen Kulten so gefürchtet hatten, schlug nun über mir zusammen: Mysterium und Emotion, die den Anspruch erhoben, der Vernunft und dem Gesetz überlegen zu sein.

Meine Isis war eigentlich eine römische Gottheit gewesen, eine universale Göttin, unser aller Mutter, deren Verehrung sich in einer griechisch und römisch geprägten Welt ausbreitete, lange bevor sie die Stadt Rom selbst erreichte. Unsere Priester waren Griechen und Römer, arme Männer. Und auch wir, die Gemeinde, waren Griechen und Römer.

Etwas rührte sich auf dem Grund meines Gedächtnisses. Es sagte: »Erinnere dich.« Eine kleine, verzweifelte Stimme in meinem Kopf drängte mich, mich um meiner selbst willen »zu erinnern«.

Aber das Erinnern führte nur zu verworrenen Gedanken. Dann fiel plötzlich ein Schleier zwischen die Realität – das war meine Kabine, war das Wogen der See – und eine im Zwielicht liegende, Furcht einflößende Welt, aus Tempeln bestehend und eingehüllt in Worte, die Zauberkraft besaßen! Lange, schmale, wunderbar gebräunte Gesichter. Eine Stimme hauchte: »Hüte dich vor den Priestern des Ra; sie lügen!«

Ein Schauer überlief mich. Ich schloss die Augen. Die königliche Mutter war gefesselt und an ihren Thron gekettet! Sie weinte! Es war also ihr Weinen gewesen! Unerträglich. »Du siehst doch, sie hat vergessen, wie man herrscht. Tu, was wir sagen!«

Ich schüttelte mich, um vollends wach zu werden. Ich wollte verstehen und wollte zugleich nicht verstehen. Die Königin in ihren grauenvollen Fesseln weinte. Ich konnte sie nicht deutlich erkennen. Alles war im Fluss. Es herrschte Betriebsamkeit. »Der König ist bei Osiris, musst du wissen. Sieh nur seinen starren Blick. Jeden Einzelnen, dessen Blut du trinkst, übergibst du Osiris; jeder Einzelne wird Osiris.«

»Aber warum hat die Königin geweint?«

Nein, das war alles Wahnsinn. Ich konnte nicht zulassen, dass diese Verwirrung die Oberhand über mich gewann. Ich konnte mich nicht in vollem Bewusstsein von der Vernunft abwenden und in diese Fantasien oder Erinnerungen abgleiten, in der Annahme, dass sie in der Wahrheit wurzelten.

Sie waren bestimmt widersinnig, ein verzerrter Ausdruck von Trauer und Schuld, Schuld deswegen, weil ich mich nicht auf die alte Feuerstelle gestürzt und mir den Dolch in die Brust gestoßen hatte.

Ich versuchte mir die beruhigende Stimme meines Vaters ins Gedächtnis zurückzurufen, mit der er mir einst erklärt hatte, dass das Blut der Gladiatoren den Durst der toten Seelen, der Manen, stille.

»Nun, manche sagen, die Toten tränken Blut«, hörte ich meinen Vater aus längst vergangener Zeit bei einem Tischgespräch sagen. »Darum fürchten wir alle diese unglückseligen Tage so sehr, an denen die Toten angeblich wieder auf Erden wandeln können. Ich persönlich glaube, dass das Unsinn ist. Wir sollten unsere Ahnen ehren ...«

»Wo sind die Toten denn, Vater?«, fragte mein Bruder Lucius. Wer aber hatte sich auf der anderen Seite des Tisches zu Wort gemeldet und Lukrez zitiert, mit einem traurigen weiblichen Stimmchen, das nichtsdestoweniger alle anwesenden Männer zum Schweigen brachte? Lydia:

> Was erdgebunden, kehr' zurück zur Erd',
> Doch was vom Himmel kam, heb' wieder sich
> Empor und folg' dem Ruf in heil'ge Höhen,
> Der Tod zerstört nicht die Materie,
> Er löst nur der Bestandteile Verknüpfung.

»Nein«, hatte mein Vater ganz sanft geantwortet. »Zitiere lieber Ovid: ›Die Geister verlangen nur wenig; sie schätzen Frömmigkeit höher als eine kostbare Gabe.‹« Er trank von seinem Wein. »Die Geister sind in der Unterwelt, dort können sie uns nicht schaden.«

Mein ältester Bruder, Antonius, hatte gesagt: »Die Toten sind nichts und nirgends.«

Daraufhin hatte mein Vater seinen Kelch erhoben. »Auf Rom«, sagte er, und nun zitierte er selbst Lukrez: »Nur allzu häufig nährt die Religion Verbrechen und Gottlosigkeit.«

Schulterzucken und Seufzen ringsum. Die römische Haltung. Selbst die Priester und Priesterinnen der Isis hätten mit Lukrez übereingestimmt, als er schrieb:

> All' unsere Ängste, unsres Geistes Schwermut,
> Das Licht der Sonne soll sie nicht zerstreu'n
> Und auch nicht ihrer hellen Pfeile Strahl,
> Nur Einsicht in das Wesen der Natur
> Und ein Konzept methodischer Betrachtung.

Betrunken? Betäubt von Drogen? Stierblut? Methodisch? Nun, das lief alles auf dasselbe hinaus. Erkenne! Drehe und wende die Dichtung, wie du willst. Und der Phallus des Osiris ist für immer lebendig im Nil, und das Wasser des Nils befruchtet die Mutter Ägypten in Ewigkeit, so bringt der Tod Leben hervor, mit dem Segen der Mutter Isis. Nur ein spezielles System und gewissermaßen eine systematische Betrachtungsweise.

Das Schiff segelte weiter.

Noch acht weitere Tage siechte ich in dieser Qual dahin, lag häufig im Dunkeln wach und schlief tagsüber, um den Träumen zu entgehen.

Plötzlich, eines frühen Morgens, hämmerte Jakob an meine Tür.

Wir fuhren den Orontes hinauf und hatten nur noch die halbe Wegstrecke bis zur Stadt.

Zwanzig Meilen vor Antiochia. Ich richtete mein Haar, so gut ich konnte (noch nie hatte ich das ohne eine Sklavin getan), steckte es zu einem Knoten im Nacken zusammen, dann verdeckte ich meine römischen Gewänder mit einem großen schwarzen Umhang und bereitete mich darauf vor, von Bord zu gehen – eine Frau aus dem Orient, mit verhülltem Gesicht, unter dem Schutz hebräischer Männer.

Als die Stadt in Sicht kam – als der riesige Hafen uns grüßte und uns dann mit all seinen Masten, seinem Lärm, den Gerüchen und Rufen umfing –, lief ich aufs Deck und ließ meine Blicke über diese Stadt gleiten. Sie war einfach umwerfend.

»Seht Ihr!«, sagte Jakob.

Man brachte mich in einer Sänfte von Bord und trug mich eilig durch die sich an den Kais hinziehenden Märkte, dann über einen großen offenen Platz, der von Menschen wimmelte. Ringsum sah ich Tempel, Säulengänge, Buchhandlungen, sogar die hohen Mauern eines Amphitheaters – alles, womit ich in Rom hätte rechnen können. Nein, dies war kein Provinznest.

Die jungen Männer standen Schlange vor den Barbierläden, um sich den Bart scheren und ihre Stirn mit den unvermeidlichen schicken Löckchen schmücken zu lassen, die Tiberius mit seiner Frisur in Mode gebracht hatte. Überall gab es Weinschenken. Auf dem Sklavenmarkt herrschte dichtes Gewühl. Ich konnte einen Blick in einige Straßenzüge werfen, die bestimmten Handwerken vorbehalten waren – die Straße der Zeltmacher, die Straße der Silberschmiede.

Und dort, mitten im Zentrum Antiochias, stand in seiner ganzen Pracht der Tempel der Isis.

Meine Göttin Isis! Und ihre Anhänger kamen und gingen ungehindert und in großer Zahl. Einige sehr würdig aussehende Priester in weißem Leinen standen an den Portalen! Der Tempel glich einem Bienenhaus.

Ich dachte: Hier kann ich mich vor jeglichem Ehemann verstecken.

Allmählich machte sich eine große Unruhe auf dem Forum, dem Mittelpunkt der Stadt, bemerkbar. Ich hörte, wie Jakob befahl, die breite Marktstraße zu verlassen und Seitengassen zu benutzen. Die Träger rannten jetzt. Jakob ließ die Vorhänge der Sänfte hinab und versperrte mir damit die Sicht.

Neueste Nachrichten wurden hier in Latein, Griechisch und Chaldäisch ausgerufen: Mord, Mord, Gift, Verrat.

Ich spähte durch die Vorhänge.

Leute jammerten und verfluchten den Römer Gnaeus Calpurnius Piso, verfluchten ihn und seine Gemahlin Placina. Warum? Ich mochte beide nicht besonders, aber was hatte das alles zu bedeuten?

Jakob trieb die Träger aufs Neue zur Eile an.

Überstürzt hasteten wir durch die Tore in das Vestibül eines größeren Hauses, das sich in Bauweise und Atmosphäre kaum von meinem eigenen in Rom unterschied, nur viel kleiner war. Ich fand hier die gleiche luxuriöse Ausstattung vor und das

Peristyl im Hintergrund. Weinende Sklaven standen in Grüppchen zusammen.

Die Sänfte wurde sofort abgesetzt, und ich stieg aus, sehr betroffen darüber, dass man mich nicht am Tor angehalten hatte, um mir, wie es sich schickte, die Füße zu waschen. Und meine Frisur war auch verrutscht, die Haare hingen in Wellen herab.

Aber niemand kümmerte sich um mich. Ich drehte mich im Kreis, bestaunte die orientalischen Vorhänge und Draperien über den Türbögen und die Vögel, die ringsum in ihren kleinen Käfigen saßen und sangen. Gewebte Teppiche bedeckten den Boden, teils in mehreren Lagen übereinander.

Zwei Frauen, eindeutig Damen des Hauses, kamen auf mich zu.

»Was ist hier los?«, fragte ich.

Die beiden wirkten mit ihren goldbestickten Kleidern und den unzähligen Armbändern genauso elegant wie jede reiche Frau in Rom.

»Ich flehe Euch an«, sagte die eine. »Um Eurer selbst willen, geht! Steigt wieder in Eure Sänfte!«

Dabei versuchten sie, mich in das verhängte Gelass zurückzuschieben. Ich wollte nicht. Ich wurde wütend.

»Ich weiß nicht einmal, wo ich bin«, sagte ich. »Und ich weiß nicht, wer Ihr seid! Und hört auf, mich herumzuschubsen!«

Der Herr des Hauses oder einer, der wie ein solcher auftrat, eilte auf uns zu, Tränen rannen ihm über die Wangen, sein kurzes graues Haar stand zu Berge – zerwühlt, als wäre er in Trauer. Er hatte seine lange Tunika zerrissen und Schmutz auf seinem Gesicht verschmiert! Er war alt, mit gebeugtem Rücken, sein massiger Kopf schien nur aus Haut und Runzeln zu bestehen.

»Dein Vater war in jungen Jahren ein Kollege von mir«, sagte er zu mir; er sprach Latein. Er griff nach meinen Armen.

»Ich habe in eurem Haus gespeist, als du noch ein Säugling

warst. Ich habe dich gesehen, als du noch auf allen vieren ge-krabbelt bist.«

»Und weiter?«, warf ich schnell ein.

»Dein Vater und ich haben zusammen in Athen studiert, wir schliefen unter einem Dach.«

Die Frauen standen von Panik ergriffen da, die Hände auf den Mund gepresst.

»Dein Vater und ich, wir waren mit Tiberius auf seinem ersten Feldzug. Wir haben gegen diese schauerlichen Barbaren ge-kämpft.«

»Sehr tapfer«, sagte ich.

Mein schwarzer Umhang rutschte herab und enthüllte meine unordentlichen langen Haare und das einfache Kleid. Niemand störte sich daran.

»Germanicus hat in diesem Haus gespeist, weil dein Vater mich erwähnt hatte!«

»Ach je, ich verstehe«, sagte ich.

Eine der Frauen bedeutete mir mit einer Bewegung, ich solle in die Sänfte steigen. Wo war Jakob geblieben? Der alte Mann wollte mich nicht loslassen.

»Ich stand mit deinem Vater und Augustus zusammen, als die Nachricht kam, dass der Heerführer Varus und all seine Män-ner bei dem Massaker im Teutoburger Wald gefallen waren. Meine Söhne haben mit deinen Brüdern in Germanicus' Legio-nen gekämpft, als er es diesen nordischen Stämmen heim-zahlte! Ach, ihr Götter!«

»Ja, großartig, wirklich«, sagte ich ernst.

»Steigt in Eure Sänfte und geht«, sagte eine der Frauen.

Der alte Mann klammerte sich an mich.

»Wir haben gegen diesen Wahnsinnigen, den Fürsten Armi-nius, gekämpft!«, sagte er. »Wir hätten siegen können! Dein Bruder Antonius war auch nicht dafür, aufzugeben und zu-rückzukehren, nicht wahr?«

»Ich ... nein ...«

»Schafft sie endlich von hier weg!«, schrie ein junger Patrizier, der ebenfalls geweint hatte. Er trat auf mich zu und schob mich gegen die Sänfte.

»Zurück, du Trottel!«, herrschte ich ihn an. Ich schlug ihm ins Gesicht.

Währenddessen hatte Jakob mit den Sklaven gesprochen, um zu erfahren, was eigentlich los war.

Er tauchte neben mir auf, als der grauhaarige Grieche mich schluchzend auf die Wangen küsste. Jakob nahm die Sache in die Hand und geleitete mich in die Sänfte.

»Germanicus ist soeben ermordet worden«, flüsterte er mir ins Ohr. »Seine Anhänger sind alle davon überzeugt, dass Kaiser Tiberius den Gouverneur Piso dazu angestiftet hat. Man hat Gift benutzt. Die Neuigkeit breitet sich in der Stadt wie eine Feuersbrunst aus.«

»Tiberius, du Schwachkopf!«, flüsterte ich vor mich hin und verdrehte die Augen. »Ein feiger Schritt nach dem anderen!«

Ich ließ mich in die Dunkelheit zurückfallen. Die Sänfte wurde aufgehoben.

Jakob fuhr fort: »Gnaeus Calpurnius Piso hat hier natürlich Verbündete. Jeder kämpft jetzt gegen jeden, will Punkte machen. Chaos. Diese griechische Familie hier kam mit Germanicus nach Ägypten. Es sind schon Unruhen ausgebrochen. Wir verschwinden!«

»Lebe wohl, mein Freund«, rief ich dem Alten zu, als ich von dem Haus weggetragen wurde. Aber ich glaube nicht, dass er mich gehört hat. Er war auf die Knie gesunken. Er verfluchte Tiberius. Er drohte laut mit Selbstmord und verlangte nach seinem Dolch.

Dann waren wir wieder draußen und hasteten durch die Straßen.

Ich lag halb hingesunken in der Sänfte und brütete im Dunkeln dumpf vor mich hin. Germanicus tot. Von Tiberius vergiftet!

Ich wusste, dass dieser letzte Ausflug des Germanicus nach Ägypten Tiberius sehr erzürnt hatte. Ägypten konnte man mit keiner anderen Provinz vergleichen. Kein Senator durfte dorthin gehen, weil Rom so abhängig von seinen Getreidelieferungen war. Aber Germanicus war gegangen, »nur um die Überreste des Altertums zu sehen«, so hatten seine Freunde in Rom in der Öffentlichkeit erzählt.

»Eine bloße Ausrede!«, dachte ich verzweifelt. »Wo blieb die Gerichtsverhandlung? Das Urteil? Gift!!«

Meine Träger schlängelten sich im Eilschritt durch jammernde, schluchzende Menschentrauben. »Germanicus, Germanicus! Gib uns unseren herrlichen Germanicus zurück!«

Antiochia war dem Irrsinn verfallen.

Schließlich fanden wir uns in einer kleinen, engen Gasse wieder, kaum mehr als ein Laubengang – du weißt, was ich meine, denn ein ganzes Netz davon wurde in den Ruinen von Pompeji freigelegt. Man roch den Männerurin in den Krügen an den Straßenecken. Essensgerüche drangen aus den hohen Rauchfängen der Häuser. Meine Träger rannten stolpernd über grobes Kopfsteinpflaster.

Einmal wurden wir alle zur Seite gedrängt, als ein Wagen mit lautem Getöse durch die enge Gasse fegte und dabei offenbar mit seinen Rädern in den vorgegebenen Fahrspuren blieb.

Ich hatte mir den Kopf angestoßen und war wütend und erschrocken. Aber Jakob sagte: »Lydia, wir sind doch bei Euch.«

Ich verkroch mich völlig in dem schwarzen Umhang, so dass ich nur noch mit einem Auge ein Streifchen Licht durch die Vorhänge auf beiden Seiten sehen konnte. Eine Hand hatte ich an meinem Dolch.

Dann wurde die Sänfte abgesetzt. Wir waren in einem kühlen Innenraum. Ich hörte, wie David, Jakobs Vater, sich mit jemandem auseinander setzte. Ich konnte kein Hebräisch, aber ich war mir nicht einmal sicher, ob er Hebräisch sprach.

Schließlich übernahm Jakob die Verhandlungen, er sprach Griechisch, und nun merkte ich, dass sie dabei waren, ein mir gemäßes Haus zu erwerben, mit allem Drum und Dran, feinstes Mobiliar inbegriffen, das eine reiche, allein lebende Witwe vor kurzem hinterlassen hatte; nur die Sklaven waren leider schon verkauft worden. Also keine Sklaven! Es war ein schnelles Geschäft, alles bar auf die Hand!

Zum Schluss hörte ich Jakobs Stimme: »Du solltest mir besser die Wahrheit sagen, verdammt.«

Als die Sänfte wieder aufgehoben wurde, winkte ich ihn zu mir heran. »Ich verdanke euch nun zum zweiten Mal mein Leben. Diese griechische Familie, die mich aufnehmen sollte, ist sie wirklich in Gefahr?«

»Natürlich«, antwortete er. »Wenn Unruhen ausbrechen, wen kümmert es? Sie kamen mit Germanicus nach Ägypten. Das wissen Pisos Leute! Aus dem geringsten Anlass wird einer über den anderen herfallen, wird morden und plündern. Seht nur, da brennt es!« Er befahl den Männern, schneller zu laufen.

»Gut!«, sagte ich. »Sprich mich nie wieder mit meinem wirklichen Namen an. Benutze von nun an diesen Namen: Ich heiße Pandora. Ich bin eine Griechin aus Rom. Ich habe euch für die Reise hierher bezahlt.«

»Ihr habt kapiert, meine liebe Pandora«, antwortete er mir. »Ihr seid eine starke Frau! Die Dokumente für Euer neues Haus tragen einen erfundenen Namen, der nicht ganz so reizvoll klingt. Aber es geht daraus hervor, dass Ihr Witwe seid und unabhängig und das römische Bürgerrecht besitzt. Der Vertrag wird uns gegen bares Gold ausgehändigt, was wir selbstverständlich erst bezahlen, wenn wir tatsächlich in dem Haus sind. Und wenn in der Urkunde nicht genau diese Formulierung erscheint, die für Euch Sicherheit bedeutet, dann erwürge ich den Kerl!«

»Du bist wirklich sehr schlau, Jakob«, sagte ich erschöpft.

Die ruckelnde Reise in der dunklen Sänfte schien kein Ende zu nehmen, bis wir schließlich doch anhielten. Ich hörte, wie sich ein metallener Schlüssel im Schloss drehte, dann wurden wir in das geräumige Vestibül des Hauses gebracht.

Anstatt aus Rücksicht auf meine Wächter zu warten, kletterte ich hastig aus dieser elenden, schwarz verhüllten Gefängniszelle, warf meinen Umhang von mir und holte tief Luft.

Wir standen in der großen Eingangshalle eines eleganten Hauses, das sehr einladend wirkte und dessen Ausstattung viel Geschick bewies.

Selbst in diesem Augenblick, da mir verschiedene Gedanken durch den Kopf schossen, fiel mir der Brunnen mit dem Wasser speienden Löwenkopf nahe dem Tor auf, durch das wir gerade gekommen waren, und ich badete meine Füße in der Kühle des Wassers.

Der Empfangsraum, oder das Atrium, war riesig, und dahinter konnte ich in den Speiseraum mit seinen reich verzierten Ruhebetten sehen, der sich am anderen Ende eines geräumigen, umfriedeten Gartens – des Peristyls – erstreckte.

Es war nicht mit meinem gediegenen, alten, behäbigen Elternhaus auf dem Palatin zu vergleichen, das im Laufe vieler Generationen immer neue Gänge und Räume bekommen hatte, die bis in die ausgedehnten Gärten vorstießen.

Es war auch ein wenig zu aufgeputzt. Aber es war prächtig. Alle Wände waren frisch bemalt, in einem eher orientalischen Stil, schien mir – mehr mit Kringeln und Schlangenlinien. Aber wie konnte ich darüber urteilen? Ich hätte vor Erleichterung in Ohnmacht sinken können. Würde man mich hier wirklich in Frieden lassen?

Da stand ein Schreibpult im Atrium und gleich daneben Bücher! An den Portiken, die den Garten flankierten, bemerkte ich viele Türen, und als ich nach oben schaute, sah ich dort die in die Giebel eingelassenen Fenster eines zweiten Stockwerks. Luxus! Sicherheit!

Die Mosaikböden waren alt; ich kannte den Stil, die festlichen Gestalten des Saturnalienumzugs. Sie kamen offenbar aus Italien.

Wenig echter Marmor, verputzte Säulen, aber viele gut ausgeführte Wandmalereien mit den herkömmlichen munteren Nymphen.

Ich trat auf das weiche, feuchte Gras des Peristyls hinaus und hob den Blick zum blauen Himmel.

Ich hatte eigentlich nur Atem schöpfen wollen, doch nun kam die Stunde der Wahrheit hinsichtlich meiner Besitztümer. Ich war zu benommen, um zu fragen, was mir alles gehörte. Und wie sich herausstellte, war das auch gar nicht nötig.

Jakob und David machten zuerst eine Bestandsaufnahme des Mobiliars, das sie für mich erworben hatten, und ich stand nur da und starrte sie ungläubig an, weil sie geduldig auch das kleinste Teilchen aufzählten.

Und als sie jeden Raum für gut befunden hatten, ebenso ein Schlafzimmer, das rechts von der Halle abging, und einen kleinen, offenen Garten irgendwo weiter links, jenseits der Küche, gingen sie ins obere Stockwerk, fanden dort alles in Ordnung und luden schließlich meinen eigenen Besitz aus. Eine Truhe folgte der anderen.

Zu meinem Entsetzen zog Jakobs Vater, David, dann auch noch ein Pergament hervor und begann tatsächlich, eine Liste all der Dinge zu verlesen, die mir gehörten, von den Haarnadeln über die Tinte bis zum Gold.

Jakob hatte er unterdessen zu Besorgungen fortgeschickt!

Ich erkannte die hastigen Schriftzüge meines Vaters auf der Inventarliste, die David leise herunterbetete.

»Persönliche Toilettenartikel«, so fasste er einen Abschnitt dieser Bestandsaufnahme zusammen. »Kleidung, eine, zwei, drei

Truhen – in das größte Schlafzimmer damit, los! Bestecke in die Küche! Bücher hier?«

»Ja, bitte.« Ich war zu verblüfft über seine Redlichkeit und Genauigkeit, um mehr sagen zu können.

»Oh, so viele Bücher!«

»Ja, aber zählt sie nicht!«, sagte ich.

»Das geht gar nicht, versteht Ihr, diese empfindlichen …«

»Ja, ich weiß. Macht weiter.«

»Ihr möchtet Eure Elfenbein- und Ebenholzregale hier im Vorderzimmer stehen lassen?«

»Ja, großartig.«

Ich ließ mich auf den Boden fallen, doch zwei hilfreiche asiatische Sklaven zogen mich sogleich wieder hoch und setzten mich auf einen herrlich weich gepolsterten römischen Stuhl mit gekreuzten Beinen. Sie reichten mir einen Becher frischen, reinen Wassers. Ich trank ihn leer, dachte an Blut. Schloss die Augen.

»Tinte, Schreibmaterial hier auf das Pult?«, fragte der alte Mann mich.

»Wie du willst«, seufzte ich.

»Jetzt aber alle raus hier«, sagte der alte Mann, verteilte schnell und großzügig Münzen an die asiatischen Sklaven, die sich mit ganzem Oberkörper verneigten und rückwärts aus dem Raum drängten, wobei sie fast übereinander stolperten.

Ich versuchte ein paar angemessene Dankesworte zu formulieren, als eine neue Gruppe Sklaven hereinstürzte – fast stießen sie mit der abziehenden Mannschaft zusammen. Sie trugen Körbe mit allem Essbaren, das ein Markt hergab: Dazu gehörten mindestens neun verschiedene Sorten Brot, Krüge mit Öl, Melonen, grünes Gemüse und viel Geräuchertes, das sich tagelang halten würde – Fisch, Fleisch und getrocknetes exotisches Seegetier, das wie Pergament aussah.

»Alles sofort in die Küche, bis auf einen Teller mit Oliven, Käse und Brot für die Herrin! Stellt ihn dort auf den Tisch zu ihrer Linken. Holt den Wein der Herrin, den ihr Vater mitgeschickt hat!«

Nicht zu glauben. Der Wein meines Vaters!

Dann wurden alle unter großzügiger Verteilung weiterer Münzen fortgeschickt, und der alte Mann begab sich wieder an seine Inventarliste.

»Jakob, komm her, zähl das Gold hier, während ich dir alles von der Liste vorlese! Besteck, Münzen, noch mal Münzen, Juwelen von außergewöhnlichem Wert? Münzen, Goldbarren. Ja ...«

Und so ging es weiter, sie wurden dabei immer schneller.

Wo hatte mein Vater bloß das ganze Gold versteckt gehalten? Ich konnte es mir einfach nicht vorstellen.

Was sollte ich nur damit machen? Würden sie mir das wirklich überlassen? Sie waren ehrliche Männer, aber andererseits – es machte ein riesiges Vermögen aus.

»Ihr müsst warten, bis alle das Haus verlassen haben«, sagte David, »und dann versteckt das Gold an verschiedenen Stellen im Haus. Ihr werdet schon passende Verstecke finden. Wir können das nicht für Euch tun, sonst wüssten wir ja, wo es ist. Eure Juwelen? Einige lasse ich hier, damit Ihr sie ebenfalls versteckt, denn sie sind zu wertvoll, als dass Ihr sie schon in den ersten Tagen hier dem Volk vorführen solltet.« Er öffnete eine Schatulle mit Edelsteinen. »Seht Ihr diesen Rubin? Er ist ganz einmalig. Schaut Euch nur die Größe an. Der könnte Euch für den Rest Eures Lebens ernähren, wenn Ihr ihn, und wäre es nur zur Hälfte seines Wertes, an einen redlichen Händler verkaufen würdet. Jeder Stein in dieser Schachtel ist außergewöhnlich. Ich verstehe etwas von Edelsteinen. Diese hier sind handverlesen, vom Feinsten. Hier, diese Perlen! Vollkommen.« Er legte den Rubin und die Perlen wieder in die Schatulle zurück und schloss den Deckel.

»Ja«, sagte ich schwach.

»Perlen, nochmals Gold, Silber, Besteck …«, murmelte er. »Es ist alles da! Wir sollten gründlicher sein, aber …«

»Ach, nein, ihr habt schon wahre Wunder vollbracht«, erklärte ich.

Ich starrte das Brot und den Weinbecher an. Meines Vaters Weinflasche. Meines Vaters Amphoren in diesem Raum.

»Pandora«, wandte sich Jakob sehr ernst zu mir. »Hier habe ich die Übertragungsurkunde für dieses Haus in der Hand. Und noch ein Dokument, in dem Eure offizielle Ankunft in diesem Hafen dokumentiert wird; es ist auf Euren neuen Namen ausgestellt, Julia Soundso von Soundso. Pandora, wir müssen nun fort.«

Der alte Mann schüttelte den Kopf und biss sich auf die Lippen.

»Wir müssen weitersegeln, nach Ephesus, Kind«, fügte er hinzu. »Ich schäme mich, weil ich Euch verlassen muss, aber der Hafen wird schon bald blockiert sein!«

»Es brennen schon Schiffe im Hafen«, murmelte Jakob. »Auf dem Forum haben sie das Standbild des Tiberius niedergerissen.«

»Die Übergabe ist vollzogen«, sagte der Alte zu mir. »Der Mann, der das Haus verkauft hat, hat Euch nie gesehen und kennt Euren richtigen Namen nicht, und hier gibt es keinerlei Hinweise mehr darauf. Die Sklaven, die Euch hierher brachten, gehörten ihm auch nicht.«

»Ihr habt wirklich Wunder für mich gewirkt«, sagte ich.

»Ihr seid jetzt auf Euch selbst angewiesen, meine schöne römische Prinzessin«, sagte Jakob. »Es tut mir in der Seele weh, Euch so zurücklassen zu müssen.«

»Es geht nicht anders«, fügte der Alte hinzu.

»Ihr solltet drei Tage nicht ausgehen«, empfahl Jakob, dabei näherte er sich mir, als wollte er entgegen allen Regeln zum Abschied meine Wangen küssen. »Hier sind genügend Legionen stationiert, sie könnten den Aufruhr ersticken; aber ich schätze, anstatt römische Bürger abzuschlachten, werden sie einfach abwarten, bis das Feuer von allein in sich zusammenfällt. Und denkt nicht mehr an diese griechischen Freunde. In ihrem Haus herrscht schon das Inferno.«

Sie wandten sich zum Gehen.

»Seid ihr für eure Mühen gut entlohnt worden?«, fragte ich.

»Wenn nicht, dann nehmt freimütig von dem Gold hier. Ich bestehe darauf!«

»So etwas dürft Ihr nicht einmal denken«, erwiderte der alte Mann. »Um Euer Gewissen zu beruhigen, solltet Ihr dies wissen: Euer Vater setzte zwei Mal auf mich, nachdem Piraten meine Schiffe in der Adria gekapert hatten. Euer Vater hat sein Geld in mich investiert, und ich habe Profit genug für uns beide gemacht. Und jene griechische Familie schuldete Eurem Vater Geld. Macht Euch um diese Dinge keine Gedanken mehr. Aber wir müssen jetzt fort!«

»Gott sei mit Euch, Pandora«, sagte Jakob.

Edelsteine. Wo waren die Edelsteine? Ich sprang auf und öffnete die Schatulle. Da waren Hunderte, makellos, blendend klar und hervorragend geschliffen. Ich erkannte ihren Wert, ihre Reinheit und die Sorgfalt des Schliffs. Ich nahm den großen, eiförmigen Rubin, den David mir gezeigt hatte, und noch einen zweiten, ähnlichen und streckte sie den Männern entgegen.

Sie hoben abwehrend die Hände.

»Oh, ihr müsst sie nehmen«, beschwor ich sie. »Erweist mir diese Ehre. Bestätigt mir damit, dass ich eine freie Römerin bin und dass ich überleben werde, wie mein Vater mir befahl! Es wird mir Mut machen! Nehmt das von mir an.«

David schüttelte unnachgiebig den Kopf, doch Jakob nahm den Rubin.

»Hier, Pandora, die Schlüssel. Folgt uns bis zum Tor an der

Straße, und schließt es hinter uns ab, und dann auch die Türen zum Vestibül. Habt keine Angst. Es gibt überall Lampen im Haus. Und genug Öl –«

»Geht!«, sagte ich zu ihnen, als sie über die Schwelle schritten. Ich verschloss das Tor, klammerte mich an die Gitterstäbe und sah sie an. »Wenn ihr nicht rauskommt, wenn ihr mich braucht, dann kommt zurück.«

»Wir haben unsere Leute hier«, beruhigte mich Jakob. »Von ganzem Herzen Dank für den herrlichen Rubin, Pandora. Ihr werdet durchkommen. Geht ins Haus zurück, verriegelt die Türen.«

Ich schaffte es zwar bis zu dem Stuhl, aber nicht, mich niederzusetzen. Stattdessen sackte ich davor zusammen und betete: »*Lares familiares* … Ihr Hausgeister, ich muss euren Altar finden. Heißt mich willkommen, bitte, ich will niemandem Böses. Ich will euren Altar mit Blumen überhäufen und das Feuer für euch entfachen. Habt Nachsicht. Lasst mich … ruhen.«

Doch ich saß untätig und mit kraftlosen Händen im Schock auf dem Boden, stundenlang, während das Tageslicht verblasste. Während das fremde kleine Haus allmählich dunkel wurde.

Ein Bluttraum begann, aber ich wollte ihn nicht. Nicht diesen fremdartigen Tempel! Nicht den Altar, nein! Nicht das Blut! Ich verbannte alles und stellte mir stattdessen vor, ich wäre zu Hause.

Ich war ein kleines Mädchen. Träum davon, befahl ich mir, wie du den Erzählungen deines großen Bruders Antonius lauschst, er spricht von dem Krieg im Norden, als sie die verrückten Germanen zurückgetrieben haben! Er hatte Germanicus so geliebt. Genau wie meine anderen Brüder auch. Lucius, der Jüngste, er war von Natur aus sehr labil. Es brach mir das Herz, mir vorstellen zu müssen, dass er die Soldaten, die ihn niederschlugen, weinend um Gnade gebeten hat.

Das Imperium war die Welt. Alles, was jenseits davon lag, war

Chaos, Elend, Kampf und Unfriede. Ich war ein Soldat. Ich konnte kämpfen. Ich träumte, ich legte meine Rüstung an. Mein Bruder sagte: »Ich bin so erleichtert festzustellen, dass du ein Mann bist. Ich habe es mir schon immer gedacht.«

Ich wachte nicht vor dem nächsten Morgen auf.

Und dann lernte ich Trauer und Schmerz kennen wie nie je zuvor.

Notabene: weil mir der ganze Widersinn des Schicksals, des Glücks und der Natur deutlicher bewusst wurde, als ein Mensch ertragen kann. Und vielleicht gibt ja diese Beschreibung, so kurz sie auch ist, einem anderen Menschen Trost. Das Schlimmste braucht seine Zeit, um zu kommen, dann aber auch, um wieder zu vergehen.

Die Wahrheit ist, man kann niemanden darauf vorbereiten noch durch die Sprache Verständnis dafür vermitteln. Man muss es erlebt haben. Und das wünsche ich niemandem auf der ganzen Welt.

Ich war allein. Ich lief in dem kleinen Haus von Zimmer zu Zimmer, schlug mit den Fäusten gegen die Wände, weinte mit zusammengebissenen Zähnen und drehte und wand mich. Die Mutter Isis gab es nicht.

Auch Götter gab es nicht. Die Philosophen waren Dummköpfe! Die Dichter sprachen Lügen.

Ich schluchzte und zerrte an meinen Haaren; ich zerriss wie selbstverständlich meine Kleidung, als wäre das ein neuer Brauch. Ich stieß Tische und Stühle um.

Manchmal spürte ich eine große Heiterkeit, eine Befreiung von allen Falschheiten und Konventionen, allen Verhältnissen, die Körper oder Seele in Fesseln legen können! Und dann breitete sich die Ehrfurcht gebietende Aura dieser Freiheit um mich aus, als existierte das Haus nicht, als kennte die Dunkelheit keine Mauern.

Drei Tage und Nächte verbrachte ich in dieser Seelenqual.

Ich vergaß zu essen. Ich vergaß zu trinken.

Nicht ein einziges Mal zündete ich ein Licht an. Der Mond, der fast voll war, spendete genügend Helligkeit in diesem bedeutungslosen Labyrinth kleiner, ausgemalter Kammern.

Der Schlaf schien mich für immer verlassen zu haben.

Mein Herz raste. Die Glieder verkrampften sich, dann erschlafften sie, nur um sich wieder zu verkrampfen.

Manchmal streckte ich mich vorn im Hof auf der feuchten, guten Erde aus – an meines Vaters statt, weil niemand seinen toten Körper, ehe er begraben wurde, auf die feuchte, gute Erde gebettet hatte, wie es gleich nach seinem Tod hätte getan werden müssen.

Mir wurde plötzlich klar, warum diese Schande – dass sein von Wunden übersäter Körper nicht auf dem Erdboden niedergelegt worden war – so schwer wiegend war. Ich erfasste die Bedeutung dieser Unterlassung, wie noch kaum jemand die Bedeutung von irgendetwas erkannt hat. Es war von äußerster Wichtigkeit, weil es überhaupt nicht zählte!

Lebe, Lydia.

Ich betrachtete die kleinen Laubbäume des Gartens. Ich empfand eine merkwürdige Dankbarkeit dafür, dass ich meine menschlichen Augen in dieser Dunkelheit auf Erden lange genug geöffnet hatte, um solche Dinge sehen zu können.

Ich rezitierte Lukrez:

> *Was vom Himmel kam,*
> *hebt wieder sich empor.*

Wahnsinn!

Wie ich es erzählt habe, so war es leider: Ich irrte umher, kroch auf allen vieren, weinte und schrie drei Tage und Nächte.

4

*E*ines Morgens, als die Sonne durch das offene Dach flutete, sah ich mir schließlich die Gegenstände in meiner Umgebung genauer an und stellte fest, dass ich weder wusste, was sie darstellten, noch, wozu sie gut waren. Ihre alltäglichen Namen fielen mir nicht ein. Ihr Sinn hatte sich mir entzogen. Ich wusste nicht, wo ich mich befand.

Ich rappelte mich auf und erkannte, dass mein Blick auf dem Lararium ruhte, dem Schrein der Hausgötter.

Natürlich, dies hier war das Speisezimmer, und das da waren die Ruhebetten, und dort drüben stand das eheliche Bett in seiner ganzen Pracht!

Das Lararium war ein hoher, dreiseitiger Schrein, wie ein Miniaturtempel mit drei Giebeln, und in ihm standen die kleinen Figurinen der Hausgötter. Niemand in dieser weltlich gesinnten Stadt hatte sich die Mühe gemacht, sie zusammen mit der verstorbenen Frau fortzubringen.

Die Blumen waren verwelkt. Das Feuer war einfach ausgebrannt. Niemand hatte es mit Wein gelöscht, wie es sich gehört hätte.

Auf Händen und Knien kroch ich in meinem zerrissenen Gewand durch den Garten des Peristyls und sammelte Blumen für die Hausgötter. Ich fand Brennholz und entzündete das heilige Feuer aufs Neue.

Ich starrte den Schrein an. Stundenlang war mein starrer Blick darauf gerichtet. Mir schien, als könnte ich mich nie wieder bewegen.

Die Nacht brach herein. »Nicht schlafen«, flüsterte ich. »Wache die Nacht durch! Sie warten im Dunkeln auf dich, diese Ägypter! Der Mond, sieh nur, der Mond ist fast voll, es fehlt vielleicht nur noch eine Nacht bis zum Vollmond.«

Doch die schlimmsten Qualen lagen hinter mir, und ich war erschöpft, und der Schlaf kam und umfing mich. Er kam, als wollte er sagen: »Sorge dich nicht mehr.«

Der Traum tauchte auf.

Ich sah Männer in vergoldeten Gewändern. »Man wird dich nun in das Allerheiligste bringen.« Aber was war dort? Ich wollte es nicht sehen. »Unsere Mutter, unsere geliebte, schmerzensreiche Mutter«, sagte der Priester. Die Malereien an den Wänden zeigten reihenweise Ägypter im Profil und Worte, die aus Bildern bestanden. Myrre schwelte hier.

»Komm«, sagten die, die mich führten. »Alle Unreinheit ist von dir abgefallen, und du wirst teilhaben an der heiligen Quelle.«

Ich hörte eine Frau weinen und klagen. Ich spähte in den großen Raum, ehe ich ihn betrat. Da saßen sie, der König und die Königin, auf ihrem Thron: Der König blickte still und starr vor sich hin wie in meinem letzten Traum, und die Königin wehrte sich gegen ihre goldenen Fesseln. Sie trug die Krone von Ober- und Unterägypten. Und ein gefälteltes Leinengewand. Ihre Zöpfe waren keine Perücke, sondern ihre eigenen Haare. Sie weinte, und ihre weißen Wangen zeigten rote Flecken. Auch ihr Halsschmuck und ihre Brüste waren rot befleckt. Sie sah beschmutzt und erniedrigt aus.

»Meine Mutter, meine Göttin«, sagte ich. »Das ist verabscheuungswürdig.«

Ich zwang mich aufzuwachen.

Ich setzte mich auf und legte meine Hand auf den Schrein und sah zu den Spinnweben in den Bäumen des Gartens, die durch die Strahlen der aufsteigenden Sonne sichtbar wurden. Ich glaubte Stimmen in der alten ägyptischen Sprache flüstern zu hören.

Das wollte ich nicht zulassen! Ich würde nicht verrückt werden! Genug! Der einzige Mann, den ich je geliebt hatte, mein Vater, hatte zu mir gesagt: »Lebe!«

Es wurde Zeit zu handeln. Aufzustehen und in Schwung zu kommen. Plötzlich war ich voller Kraft und Zielstrebigkeit.

Die langen Nächte meiner Trauer und meiner Tränen waren der Initiation im Isis-Tempel vergleichbar: Der Tod war das Rauschgift gewesen, Einsicht hatte die Wandlung gebracht.

Es war nun vorbei, die sinnlose Welt war erträglich und brauchte nicht erklärt zu werden. Und es würde auch nie wieder nötig sein: Wie töricht war ich doch gewesen, dass ich das je geglaubt hatte.

Die schwierige Lage, in der ich mich befand, verlangte nach Taten.

Ich goss Wein in einen Becher und ging damit zum Eingangstor.

Die Stadt schien ruhig zu sein. Menschen gingen vorbei, wandten ihre Augen ab von der halb bekleideten, zerlumpten Frau im Vestibül.

Schließlich ein Arbeiter, der sich unter seiner Last Ziegeln vorbeischleppte. Ich streckte ihm den Wein entgegen und sprach ihn an: »Ich war drei Tage lang krank. Was hört man über den Tod des Germanicus? Was geht in der Stadt vor sich?«

Der Mann war so dankbar für den Wein. Die Arbeit hatte ihn altern lassen. Seine Arme waren mager. Seine Hände zitterten.

»Herrin, ich danke Euch«, sagte er. Als könnte er nicht aufhören, trank er den Becher in einem Zug leer. »Unser Germanicus wurde auf dem Marktplatz öffentlich aufgebahrt, damit ihn alle sehen konnten. Wie schön er aussah! Manche haben ihn mit dem großen Alexander verglichen. Die Leute waren sich nicht sicher. Ist er nun vergiftet worden oder nicht? Einige meinten Ja, andere Nein.

Seine Soldaten hatten ihn geliebt. Gouverneur Piso ist, den Göttern sei Dank, fort und wagt sich auch nicht wieder hierher. Germanicus' Gattin, die edle Agrippina, trägt seine Asche in einer Urne an ihrem Busen. Sie hat sich per Schiff nach Rom aufgemacht, verlangt nach dem gerechten Lohn für Germanicus.«

Er reichte mir den Becher. »Ich danke untertänigst.«

»Die Stadt ist wieder normal?«

»O ja, was könnte diese großartige Handelsstadt aufhalten?«, erklärte er. »Die Geschäfte gehen wie immer. Die getreuen Soldaten des Germanicus sorgen für Frieden, warten darauf, dass Recht geschieht. Sie wollen den Mordbuben Piso nicht zurückkehren lassen, und Sentius sammelt alle um sich, die unter Germanicus gedient haben. Die Stadt ist glücklich. Man hat für Germanicus eine Flamme entzündet. Wenn es Krieg gibt, dann nicht hier. Macht Euch keine Sorgen.«

»Danke, du hast mir wunderbar geholfen.«

Ich nahm den Becher, verriegelte das Tor, schloss auch die Tür hinter mir und legte los.

Ein Stück Brot in der Hand, an dem ich knabberte, um wieder zu Kräften zu kommen, und laut die lebensklugen Worte des Lukrez vor mich hin murmelnd, machte ich einen Rundgang durch das Haus. Ich fand ein großes, luxuriöses Bad auf der rechten Seite des Innenhofs. Von Licht durchflutet. Aus Muscheln, die in den Händen steinerner Nymphen ruhten, ergoss sich ein stetiger Strom Wasser in ein gipsernes Becken. Das Wasser hatte gerade die richtige Temperatur, es musste nicht erwärmt werden.

Im Schlafzimmer fand ich meine Kleider.

Römische Gewänder waren einfach, wie du weißt, lange Tuniken, von denen man zwei oder drei übereinander trug, dazu ein Überwurf, die Stola, für draußen und schließlich die Palla, ein großer Umhang, der bis zu den Knöcheln ging und unter der Brust gegürtet wurde.

Ich wählte zwei spinnwebfeine Seidentuniken, die ich übereinander drapierte, und dann eine leuchtend rote Stola, die mich von Kopf bis Fuß einhüllte. Noch nie in meinem ganzen Leben hatte ich meine Sandalen eigenhändig anziehen müssen. Das war urkomisch und lästig!

All meine Toilettenartikel waren auf Tischen mit glänzenden Metallspiegeln verteilt. Welch ein Durcheinander!

Ich setzte mich auf einen der vergoldeten Stühle, zog den Spiegel nah heran und versuchte mit der Schminke zu arbeiten, wie es meine Sklavinnen immer getan hatten.

Es gelang mir, meine Brauen dunkel zu färben, aber mein Widerwille gegen die geschminkten ägyptischen Augen hielt mich von weiterem ab. Ich trug Rouge auf die Lippen auf und stäubte mir weißen Puder ins Gesicht, doch das war's dann. Ich machte gar nicht erst den Versuch, mir die Arme zu pudern, wie man es in Rom normalerweise gemacht hätte.

Ich wusste nicht, wie ich aussah. Nun musste ich noch das verflixte Haar flechten, und ich schaffte es und steckte die Zöpfe im Nacken zu einem großen Knoten zusammen. Ich glaube, mein Verbrauch an Haarnadeln hätte für zwanzig Frauen ausgereicht. Ich zupfte noch ein paar lose Löckchen auf Stirn und Wangen und betrachtete mich dann im Spiegel. Ich sah eine römische Frau mit in der Mitte gescheiteltem Haar, geschwärzten Brauen und rosigen Lippen, sittsam und annehmbar, fand ich.

Das Unangenehmste dabei war, diese ganzen Stoffbahnen zusammenzuraffen. Ich versuchte, alles auf eine Länge zu bekommen, die Seidenstola glatt zu streichen, und gürtete sie dann eng unter dem Busen. Also wirklich, all dieses Falten und Raffen und Befestigen! Ich hatte immer Sklavinnen um mich gehabt. Als ich endlich mit zwei Untertuniken und der langen, hübschen roten

Stola ausgestattet war, schnappte ich mir noch eine seidene Palla, eine sehr weite mit Fransen und goldenen Verzierungen.

Ich legte Ringe und Armbänder an. Doch ich wollte so viel wie möglich unter der Palla verstecken. Ich konnte mich erinnern, dass mein Vater an jedem Tag seines Lebens darüber geflucht hatte, dass er die Toga tragen musste, das offizielle Obergewand des adligen römischen Mannes. Nun, bei den Frauen trugen nur Prostituierte Togen. Wenigstens musste ich mich damit nicht auch noch herumschlagen.

Dann machte ich mich direkt auf den Weg zum Sklavenmarkt.

Es stimmte, was Jakob über die Bevölkerung der Stadt gesagt hatte. Man sah Menschen aus aller Herren Länder. Viele Frauen waren zu zweit, gingen Arm in Arm.

Locker fallende griechische Mäntel fielen hier nicht weiter auf, ebenso wenig die langen, exotisch wirkenden Gewänder der Phönizier oder Babylonier, gleich, ob Männer oder Frauen sie trugen. Lange Haare bei Männern waren genauso üblich wie wallende Bärte. Manche Frauen liefen in Tuniken herum, die kaum länger waren als die der Männer. Andere wieder waren vollständig verschleiert, so dass nur die Augen unverhüllt waren, und wurden auf ihren Gängen von Wächtern und Dienerschaft begleitet.

Die Straßen waren sauberer als in Rom, die Abflussrinnen in der Straßenmitte waren breiter und beförderten den Unrat von dort aus wesentlich schneller zu seinem Bestimmungsort.

Lange noch bevor ich das Forum – den zentralen Marktplatz – erreichte, war ich schon an drei Portalen vorbeigekommen, in denen reiche Kurtisanen standen und unter spöttischen Bemerkungen die Preise mit reichen jungen Griechen und Römern aushandelten.

Als ich vorbeiging, sagte gerade eine zu einem hübschen jungen Mann: »Du willst mich in deinem Bett? Du träumst wohl! Du kannst jedes meiner Mädchen haben, wie ich schon sagte.

Aber wenn du mich willst, gehst du jetzt besser heim und verkaufst alles, was du besitzt!«

An den Straßenecken standen wohlhabende Römer in ihren weit geschnittenen Togen vor den Weinstuben. Als ich schnell an ihnen vorbeieilte, respektierten sie meine rasch niedergeschlagenen Augen mit einem einfachen Nicken.

Ich betete, dass mich keiner erkennen möge! Es war allerdings sehr unwahrscheinlich, so weit von Rom entfernt, außerdem hatte ich so lange im Hause meines Vaters gelebt, der mich vor Banketten und Gelagen, ja selbst vor den feierlichen Zusammenkünften glücklich bewahrt hatte.

Antiochias Forum war viel größer, als ich es von meinem ersten kurzen Blick her in Erinnerung hatte. Als ich den riesigen, sonnenüberfluteten Platz vor mir sah, die Säulengänge, Tempel und imposanten Gebäude, die ihn von allen Seiten umgaben, konnte ich nur staunen.

In dem mit Sonnensegeln überdeckten Marktteil gab es alles zu kaufen: Hier bildeten Silberschmiede eine Gruppe, die Weber hatten ihren eigenen Standort, eine Reihe gehörte den Seidenhändlern, und zu meiner Rechten sah ich in eine Seitenstraße, die dem Verkauf von Sklaven vorbehalten war – das heißt der besseren Sklaven, die sich vielleicht nie einer Versteigerung aussetzen mussten.

In der Ferne sah ich die hohen Masten der Schiffe. Ich konnte den Fluss riechen. Dort stand der Tempel des Augustus mit seinen lodernden Feuern, davor die uniformierten Legionäre in lässiger Habachtstellung.

Ich war erhitzt und unruhig, weil meine Palla ständig rutschte, tatsächlich drohte das ganze Seidenzeug zu verrutschen, und es gab so viele Weinschenken, auf deren offenen Terrassen Frauen in kleinen Grüppchen saßen und plauderten. Ich hätte mich sicher unauffällig neben jemanden setzen können, um auch einen Schluck zu trinken.

Aber zuerst musste ich dafür sorgen, dass mein Haushalt komplett wurde. Ich brauchte loyale Sklaven.

In Rom war ich natürlich nie auf einen Sklavenmarkt gegangen, so etwas hätte ich nie tun müssen. Außerdem hatten wir so viele Sklavenfamilien auf unseren Gütern in Rom und in der Toskana, dass wir so gut wie nie einen neuen Sklaven kaufen mussten. Im Gegenteil, mein Vater hatte die Angewohnheit, von seinen Freunden auch noch die altersschwachen und weisen Sklaven zu übernehmen, und wir zogen ihn häufig mit seiner »Akademie« auf, die nichts anderes tat, als im Sklavengarten über die Geschichte zu debattieren.

Doch nun musste ich die weltgewandte Frau spielen. Ich begutachtete jeden erstklassigen, für den Haushalt geeigneten Sklaven, der da zur Schau gestellt war; schon bald entschied ich mich für ein Schwesternpaar: sehr jung und sehr in Angst und Sorge, dass sie um die Mittagszeit versteigert würden, um dann in einem Bordell zu landen. Ich ließ ein paar Hocker bringen, und wir setzten uns zusammen.

Ich unterhielt mich mit ihnen.

Sie kamen aus einem kleinen, aber vornehmen Haus in Tyrus; sie waren als Sklaven geboren. Griechisch und Latein konnten sie gut, und auch Aramäisch sprachen sie. In ihrer Anmut glichen sie zwei Engeln.

Ihre Hände waren makellos. Sie besaßen alle erforderlichen Fähigkeiten. Sie konnten Haare frisieren, Gesichter schminken, Essen kochen. Sie rasselten Rezepte für diverse orientalische Gerichte herunter, von denen ich noch nie gehört hatte; sie kannten die verschiedensten Pomaden und Rougetöne. Die eine errötete vor Ehrfurcht, als sie zu mir sagte: »Herrin, ich kann Euer Gesicht zurechtmachen, blitzschnell und perfekt.«

Ich wusste, was das hieß, hatte ich diese Angelegenheit doch ziemlich verpfuscht.

Ich wusste aber auch, dass sie, da sie aus einem kleinen Haushalt kamen, bei weitem flexibler waren als unsere Sklaven zu Hause.

Ich kaufte sie beide, ein Geschenk der Götter für sie. Von dem Händler forderte ich zwei saubere Tuniken von anständiger Länge und erhielt sie auch, sie waren aus blauem, wenn auch nicht erstklassigem Leinen. Dann fand ich einen fliegenden Händler mit einem Arm voller Umhänge und kaufte beiden Schwestern eine blaue Palla. Das machte sie vollends glücklich, denn sie waren anständige Mädchen und wollten nicht mit unbedecktem Kopf gehen.

Ich vertraute ihnen sofort. Sie wären für mich gestorben.

Mir kam gar nicht in den Sinn, dass sie fast vor Hunger vergingen, während ich noch nach weiteren Sklaven Ausschau hielt, bis ich hörte, wie ein niederträchtiger Händler einem aufsässigen, gebildeten Griechen drohte, er werde ihm nichts zu essen geben, ehe er ihn nicht verkauft habe.

»Oh, Schreck«, sagte ich, »ihr beiden habt vermutlich Hunger. Geht in die Garküche auf dem Forum. Seht mal die Straße hinunter, da, wo die Bänke und Tische aufgestellt sind.«

»Allein?«, fragten sie entsetzt.

»Hört zu, Mädchen, ich habe keine Zeit, euch wie Vögel aus der Hand zu füttern. Schaut keinem Mann ins Gesicht, esst und trinkt, was ihr wollt.« Ich gab ihnen eine anscheinend erschreckend hohe Summe Geldes. »Und bleibt in der Garküche, bis ich euch hole. Wenn euch ein Mann anspricht, tut so, als hättet ihr große Angst, senkt den Kopf und gebt ihm, so gut ihr könnt, zu verstehen, dass ihr seine Sprache nicht beherrscht. Wenn es allzu schlimm kommt, flüchtet euch in den Isis-Tempel.«

Sie rannten die schmale Straße hinunter, ihrem Festmahl entgegen; dabei bauschten sich ihre Mäntel in der leichten Brise wie Ballons, in einem so schönen Blau, dass ich es heute noch vor mir sehe, wie es in der dichten, schwitzenden Menschenmenge unter dem Gewirr von Sonnensegeln gleich einem Stück Himmel aufblitzte. Mia und Pia. Nicht schwer zu merken, aber ich konnte die beiden nicht auseinander halten.

Erstaunt vernahm ich ein leises, verächtliches Lachen. Es kam von dem griechischen Sklaven, dem sein Besitzer gerade den Hungertod angedroht hatte.

Er sagte zu dem Händler: »Na gut, lasst mich verhungern. Und was wirst du dann zu verkaufen haben? Einen kranken, dahinsiechenden Mann an Stelle eines großen, außergewöhnlichen Gelehrten.«

»Großer, außergewöhnlicher Gelehrter!«

Ich drehte mich um und betrachtete den Mann. Er saß auf einem Hocker und machte keine Anstalten, meinetwegen aufzustehen. Er trug nichts als ein schmuddeliges Lendentuch, was auf die Dummheit des Händlers schließen ließ; aber immerhin enthüllte diese Nachlässigkeit, dass der Sklave ein ausnehmend gut gebauter Mann war, mit einem schönen Gesicht, mandelförmigen grünen Augen, weichem braunem Haar und einem sarkastischen Zug um den hübschen Mund. Der Mann mochte dreißig sein, vielleicht etwas jünger. Er war seinem Alter entsprechend gut in Form, hatte kräftige Muskeln, wie die Griechen es schätzten.

Sein Haar war schmutzig und ungleichmäßig geschnitten, um seinen Hals hing an einem Strick eine kleine Tafel, die primitivste, die mir je vorgekommen war; sie war mit winzigen, zusammengedrängten Buchstaben in lateinischer Sprache bedeckt.

Während ich wieder die Palla hochzog, trat ich, leicht belustigt über seinen kühnen Blick, nahe an diese prächtige nackte Brust heran, um zu lesen, was da alles stand.

Es schien, als hätte er jede philosophische Richtung, jede Sprache und jede Rechenart lehren können; er konnte singen, kannte jeden Dichter, konnte ganze Gastmähler arrangieren, hatte Geduld mit Kindern, war im Gefolge seines römischen

Herrn als Soldat auf dem Balkan gewesen und konnte als bewaffnete Wache auftreten; er war gehorsam und tugendhaft und hatte sein ganzes bisheriges Leben in ein und demselben Haus in Athen verbracht.

Ich las diese Aufzählung mit leichtem Spott. Das bemerkte er und warf mir einen frechen Blick zu. Herausfordernd verschränkte er die Arme direkt unter diesem beschrifteten Schildchen und lehnte sich mit dem Rücken an die Wand.

Plötzlich entdeckte ich auch, warum der Händler, der sich in der Nähe zu schaffen machte, den Griechen nicht zum Aufstehen gezwungen hatte. Der Mann hatte nur ein gesundes Bein. Das linke Bein bestand vom Knie an abwärts aus sorgfältig geschnitztem Elfenbein, perfekt mit einem angearbeiteten Fuß nebst Sandale. Richtige Zehen. Natürlich waren Bein und Fuß aus drei aneinander gefügten Elfenbeinstücken zusammengesetzt, die jeweils mit Verzierungen geschmückt waren, und einzelne Teile des Fußes, wie die Fußnägel und die Riemen der Sandale, waren wunderbar geschnitzt.

Ich hatte noch nie ein derartiges künstliches Körperglied gesehen: eine solch liebevolle handwerkliche Arbeit, die den bloßen Versuch, die Natur nachzuahmen, weit übertraf.

»Wie hast du dein Bein verloren?«, fragte ich ihn auf Griechisch. Ich zeigte auf das Bein. Keine Antwort.

Ich versuchte es noch einmal mit Latein. Immer noch keine Resonanz.

Der Sklavenhändler erhob sich in seiner Bedrängnis auf die Zehenspitzen und rang die Hände.

»Meine Dame, er kann Buchführung, er kann jedes Geschäft leiten, er hat eine hervorragende Handschrift und kann genau rechnen.«

Hmmm. Kein Wort darüber, dass er auch Kinder unterrichten kann? Ich sah wohl nicht wie eine Ehefrau und Mutter aus. Nicht gut.

Der Grieche grinste höhnisch und wandte seinen Blick ab. Halblaut sagte er in scharf artikuliertem Latein vor sich hin, dass ich, wenn ich Geld für ihn ausgäbe, es für einen toten Mann verschwendete. Seine Stimme klang weich und angenehm, wenn auch müde und verächtlich, seine Aussprache war ungekünstelt und kultiviert.

Ich warf alle Geduld über Bord und sprach in schnellem Griechisch auf ihn ein.

»Nun kannst du was von mir lernen, du arroganter athenischer Dummkopf!«, sagte ich mit gerötetem Gesicht, wütend, weil mich sowohl ein Sklave als auch ein Sklavenhändler derart verkannten. »Wenn du überhaupt Griechisch und Latein schreiben kannst, wenn du tatsächlich Aristoteles und Euklid studiert hast, deren Namen übrigens falsch geschrieben sind, wenn du tatsächlich in Athen studiert hast und die Kämpfe auf dem Balkan miterlebt hast, wenn auch nur die Hälfte deines Romans wahr ist, warum willst du dann nicht zu einer Frau gehören, die intelligenter ist, als du je eine getroffen hast, eine, die dich mit Würde und Respekt behandeln wird, als Gegenleistung für Loyalität? Was weißt du von Aristoteles und Plato, das ich nicht wüsste? Ich habe in meinem ganzen Leben noch keinen Sklaven geschlagen. Du ignorierst die einzige Herrin, bei der dir deine Loyalität jeden erdenklichen Lohn einbringen würde. Diese Tafel da enthält einen Haufen Lügen, ist es nicht so?«

Der Sklave war verdutzt, jedoch nicht verärgert. Er beugte sich vor und versuchte mich besser einzuschätzen, ohne es zu deutlich zu zeigen. Der Händler bedeutete ihm mit wilden Gesten, dass er endlich aufstehen solle. Als er das tat, überragte er mich mit seiner staunenswerten Größe. Seine Beine waren kräftig und gesund, wenn man von dem elfenbeinernen Unterschenkel absah.

»Wie wär's, wenn du mir sagtest, was du wirklich alles kannst?«, schlug ich vor, ins Lateinische überwechselnd.

Ich wandte mich an den Händler. »Gib mir einen Stift, ich will das verbessern, die falsch geschriebenen Namen meine ich. Jede Chance, die dieser Mann hat, Lehrer zu werden, wird durch diese Fehler zunichte gemacht. Mit dieser Schreibweise steht er ja wie ein Dummkopf da.«

»Auf der Tafel war nicht genug Platz, um ordentlich zu schreiben!«, erklärte der Sklave plötzlich leise in einem perfekten Latein, das seine Wut durchklingen ließ. Er neigte sich zu mir, als müsste ich Verständnis dafür haben.

»Schaut Euch dieses winzige Stück Holz an, wenn Ihr so scharfsinnig seid! Seht Ihr die Ignoranz dieses Händlers? Sein bisschen Verstand reicht nicht aus, um zu erkennen, dass er in mir einen Edelstein hat; er glaubt, ich wäre nur ein Stückchen farbiges Glas! Das ist erbärmlich. Ich habe hier so viele Gemeinplätze untergebracht, wie ich nur konnte.«

Ich lachte. Er hatte mich eingewickelt und meine Neugier erregt. Ich konnte gar nicht aufhören zu lachen. Das war zu komisch! Der Sklavenhändler war verwirrt. Sollte er den Sklaven strafen und seinen Wert damit herabsetzen? Oder besser uns beiden das Aushandeln überlassen?

Der Sklave fragte in dem gleichen vertraulichen Flüsterton, nur in griechischer Sprache: »Was sollte ich denn tun? Jedem Vorübergehenden zuschreien: ›Hier sitzt ein großartiger Lehrer, ein großer Philosoph!‹?« Er beruhigte sich etwas, nachdem er seinem Zorn freien Lauf gelassen hatte. »Die Namen meiner Großväter sind auf der Akropolis in Athen eingeritzt«, fügte er hinzu.

Der Händler war ratlos.

Aber ich war ganz eindeutig entzückt und interessiert. Wieder rutschte mir meine Palla herab, ich zerrte sie mit einem ungeduldigen Ruck hoch. Diese Kleider! Hatte mir denn nie jemand erklärt, dass Seide von Seide abgleitet?

»Und was ist mit Ovid?«, fragte ich und holte tief Luft. Mir standen vor Lachen fast die Tränen in den Augen. »Du erwähnst hier Ovids Namen? Ovid. Ist Ovid hier populär? Niemand in Rom würde das in der Öffentlichkeit wagen, das kann ich dir sagen. Ich weiß nicht einmal, ob Ovid noch lebt, weißt du; es ist eine Schande. Ovid lehrte mich das Küssen, als ich im Alter von zehn Jahren die *Amores* las. Hast du die *Amores* je gelesen?«

Sein gesamtes Verhalten änderte sich. Er wurde milder gestimmt, und mir schien, als erwachte die Hoffnung in ihm, Hoffnung, dass ich eine gute Herrin für ihn sein könnte. Aber er konnte sich noch nicht dazu durchringen, es auch zu glauben.

Der Händler lauerte darauf, dass man ihm wenigstens eine Andeutung machte, wie er tätig werden könnte. Offensichtlich vermochte er unserem Wortwechsel nicht zu folgen.

»Hör zu, du anmaßender, einbeiniger Sklave«, sagte ich. »Wenn ich glaubte, dass du mir wenigstens abends aus Ovid vorlesen könntest, würde ich dich auf der Stelle kaufen. Aber diese Tafel hier stellt dich als Mischung aus einem glorifizierten Sokrates und Alexander dem Großen dar. In welchem Krieg auf dem Balkan hast du Waffen getragen? Wieso fielst du in die Hände dieses primitiven Krämers, anstatt sofort von einer vornehmen Familie übernommen zu werden? Wie könnte jemand deinen Behauptungen Glauben schenken? Wenn der blinde Homer in seinen Gesängen derart Unerhörtes verkündet hätte, wären die Leute aufgestanden und hätten die Schenke verlassen.«

Ärger und Frustration stiegen in ihm auf.

Der Händler streckte warnend die Hand aus, als wollte er ihn in die Schranken weisen.

»Was, beim Hades, geschah mit deinem Bein?«, fragte ich. »Wie hast du es verloren? Wer hat dir diese fantastische Prothese gemacht?«

Der Sklave senkte seine Stimme zu einem zornigen, aber wortgewandten Flüstern und erklärte langsam und geduldig:

»Es passierte auf einer Eberjagd mit meinem römischen Herrn. Er hat mir das Leben gerettet. Wir waren oft auf der Jagd. Es war auf dem Pentelikon, dem Berg ...«

»Ich weiß, wo der Pentelikon ist, danke!«, sagte ich.

Seine Mimik war bezaubernd. Aber er war völlig durcheinander. Er leckte sich über die ausgedörrten Lippen und sagte: »Lasst den Händler Pergament und Tinte holen.« Er sprach wunderschön Latein, so schön, wie man es von einem Schauspieler oder Redner kennt, aber ohne jede Anstrengung.

»Ich will Euch Ovids *Amores* aus dem Gedächtnis aufschreiben«, sagte er sanft bittend, mit zusammengebissenen Zähnen, was keine geringe Kunst ist. »Und dann schreibe ich Euch Xenophons ›Geschichte der Perser‹ ab, wenn Ihr Zeit dafür habt, natürlich in Griechisch! Mein Herr behandelte mich wie einen Sohn; ich habe mit ihm zusammen gekämpft, mit ihm studiert, mit ihm gelernt. Ich schrieb seine Briefe für ihn. Seine Bildung machte ich zu meiner Bildung, weil er es so wollte.«

»Ah«, seufzte ich stolz und erleichtert.

Er wirkte jetzt ganz wie ein Edelmann; obwohl er erzürnt war und sich in unmöglichen Verhältnissen befand, besaß er Würde und redete mit einem Feuer, dass seine Seele dadurch gestärkt wurde.

»Und im Bett? Bist du da auch so gut?«, fragte ich. Ich weiß nicht, welche Wut oder Verzweiflung mir diese Frage eingab.

Er war aufrichtig erschrocken. Ein gutes Zeichen. Seine Augen weiteten sich. Er runzelte die Stirn.

In der Zwischenzeit war der Sklavenhändler mit Tisch, Hocker, Pergament und Tinte wieder aufgetaucht und stellte alles auf das heiße Kopfsteinpflaster.

»Hier, schreib«, befahl er dem Sklaven. »Schreib Briefe für diese Dame. Addiere etwas. Sonst bringe ich dich um und verkaufe dein Bein.«

Wieder musste ich unwillkürlich lachen. Ich sah den Sklaven

an, der immer noch diesen leicht betäubten Ausdruck trug. Er wich meinen Augen aus und warf stattdessen dem Händler einen geringschätzigen Blick zu.

»Sind die Sklavinnen vor dir sicher?«, fragte ich von oben herab. »Liebst du Knaben?«

»Ich bin vollkommen vertrauenswürdig!«, sagte der Sklave. »Ich bin nicht fähig, Verbrechen zu begehen, für welchen Herrn auch immer.«

»Und was, wenn ich dich in meinem Bett haben möchte? Ich bin die Hausherrin, zwei Mal verwitwet und nur mir selbst verantwortlich, und ich bin Römerin.«

Sein Gesicht verdüsterte sich. Ich konnte mir die Gefühle, die sich dort spiegelten, nicht erklären – Trauer, Unentschlossenheit, Verwirrung und äußerste Bestürzung wechselten sich auf seinen Zügen ab.

»Nun?«, fragte ich.

»Lasst es mich so sagen, Herrin. Ihr hättet viel mehr Vergnügen, wenn ich Euch die Verse Ovids rezitierte, als wenn ich versuchte, sie selbst in die Tat umzusetzen.«

»Du liebst also Knaben«, sagte ich mit einem Nicken.

»Ich bin als Sklave geboren, Herrin, ich habe mich an Knaben gewöhnt. Ich kenne nichts anderes. Und ich brauche nichts anderes.« Er war scharlachrot geworden und hatte die Augen niedergeschlagen.

Ach, diese entzückende athenische Sittsamkeit.

Ich bedeutete ihm, sich zu setzen.

Er tat das mit einer erstaunlichen Leichtigkeit und Anmut, wenn man die Umstände wie Hitze, Schmutz, die Menschenmenge, den zerbrechlichen Hocker und den wackligen Tisch berücksichtigte.

Er nahm den Stift und schrieb schnell in makellosem Griechisch:

»Habe ich törichterweise diese hohe, gebildete und außerordentlich geduldige Dame beleidigt? Habe ich mich durch Voreiligkeit selbst ins Verderben gestürzt?« Er schrieb in Latein weiter: »Spricht Lukrez wahr, wenn er sagt, dass man den Tod nicht fürchten muss?« Er überlegte einen Moment, ging dann wieder zu Griechisch über: »Sind Vergil und Horaz wirklich unseren großen Dichtern ebenbürtig? Glauben die Römer das wirklich, oder hoffen sie nur, dass es so ist, obwohl sie doch wissen, dass ihre großen Leistungen sich in anderen Künsten zeigen?«

Ich las dies alles nachdenklich, mit zustimmendem Lächeln. Ich hatte mich in ihn verliebt. Ich betrachtete seine schmale Nase, das tiefe Grübchen in seinem Kinn, und schließlich blickte ich in seine grünen Augen, die zu mir aufsahen.

»Wie bist du hierher geraten? An einen Sklavenhändler in Antiochia?«, fragte ich. »Du bist in Athen aufgewachsen, wie du gesagt hast.«

Er wollte aufstehen, um zu antworten. Ich drückte ihn auf seinen Sitz zurück.

»Ich kann dazu nichts sagen«, antwortete er, »nur, dass mein Herr mich sehr geliebt hat, dass er im Kreise seiner Familie in seinem Bett starb und dass ich nun hier bin.«

»Warum hat er nicht in seinem Testament verfügt, dass du freigelassen wirst?«

»Das tat er, Herrin, und mit entsprechenden Mitteln.«

»Was geschah dann?«

»Ich kann dir nicht mehr sagen.«

»Warum nicht? Wer hat dich verkauft und warum?«

»Herrin«, sagte er, »bitte, achtet meine Treue zu einem Haus, dem ich mein ganzes Leben lang gedient habe. Ich kann nicht mehr sagen. Wenn ich in Euren Diensten stehe, werde ich Euch ebenso treu ergeben sein. Euer Haus wird mein Haus sein und mir heilig. Was in Euren vier Wänden vor sich geht, wird in Euren vier Wänden bleiben. Ich rede von dem Anstand und der Güte meines Herrn, weil es sich so gehört. Mehr möchte ich nicht sagen.«

Hohe Moral der alten Griechen.

»Los, schreib weiter, mach schon!«, mischte sich der Händler ein.

»Sei still«, befahl ich ihm. »Er hat schon genug geschrieben.«

Der noble Sklave, dieser hinreißend schöne, einbeinige Mann, war in Traurigkeit versunken, seine Blicke schweiften zum Forum in der Ferne, zu dem hektischen Hin und Her der Passanten an der Straßenmündung.

»Was sollte ich als freier Mann tun?«, sagte er dann und schaute zu mir auf in einer Haltung äußerster teilnahmsloser Einsamkeit. »Tag für Tag bei einem Buchhändler Bücher abschreiben für einen Hungerlohn? Briefe schreiben für ein paar Münzen? Mein Herr setzte sein Leben aufs Spiel, um mich vor dem Eber zu retten. Ich diente im Kampf um Illyrien unter Tiberius, der dort mit etwa fünfzehn Legionen jede Revolte niederschlug. Ich hieb einem Mann den Kopf ab, um meinen Herrn zu retten. Was bin ich jetzt?«

Ich empfand tiefen Schmerz.

»Was bin ich jetzt?«, wiederholte er.

»Wenn ich frei wäre, würde ich von der Hand in den Mund leben, und wenn ich in irgendeinem dreckigen Loch übernachtete, müsste ich fürchten, dass man mir im Schlaf meine Elfenbeinprothese abtrennte und raubte.«

Ich atmete schwer und presste die Hand auf den Mund.

Seine Augen füllten sich mit Tränen, als er mich ansah, und seine Stimme wurde noch leiser, blieb aber immer noch klar und deutlich: »Oh, ich könnte dort unter den Bogengängen Philosophie lehren, wisst Ihr, über Diogenes schwafeln und so tun, als ginge ich gern in Lumpen wie seine Anhänger heutzutage. Was für ein Rummel wird da gemacht, habt Ihr es bemerkt? Ich habe in meinem ganzen Leben noch nie so viele Philosophen gesehen wie in dieser Stadt. Wenn Ihr nach Hause geht, müsst Ihr einen Blick darauf werfen. Wisst Ihr, was man tun muss, um hier Philosophie zu lehren? Man muss lügen. Man muss den jungen Leuten so rasant wie möglich sinnlose Worte entgegenschleudern und den Grübler spielen, wenn man keine Antwort weiß, und man muss sich irgendeinen Blödsinn ausdenken und ihn den alten Stoikern zuschreiben.«

Er brach ab und versuchte sich wieder zu fassen.

Sein Anblick brachte mich fast zum Weinen.

»Aber Ihr seht, ich bin nicht geschickt im Lügen«, sagte er. »Das ist mir auch bei Euch zum Verhängnis geworden, edle Dame.«

Ich fühlte mich wie zerschlagen, meine eigenen Wunden waren wieder aufgebrochen. Die Energie, die mich aus meiner Klausur getrieben hatte, schwand dahin. Aber sicherlich bemerkte er meine Tränen.

Er wandte den Blick wieder dem Forum zu.

»Ich träume von einem ehrbaren Herrn – oder einer solchen Herrin – aus einem ehrbaren Haus. Kann ein Sklave dadurch, dass er sich Gedanken über die Ehre macht, selbst Ehre gewinnen? Das Gesetz sagt Nein. So muss jeder Sklave, der aufgerufen ist, vor Gericht auszusagen, gefoltert werden, da er keine Ehre hat! Doch die Vernunft sagt etwas anderes. Ich habe Tapferkeit und Ehre gelernt, und ich kann beides lehren. Und so ist alles, was hier auf dieser Tafel steht, wahr. Ich hatte weder Zeit noch Gelegenheit, den prahlerischen Stil zu mäßigen.«

Er neigte den Kopf und sah wieder zum Forum hinüber, als läge dort die verlorene Welt. Dann richtete er sich entschlossen wieder auf. Abermals versuchte er aufzustehen.

»Nein, bleib sitzen«, sagte ich.

»Herrin«, sagte er, »wenn Ihr meine Dienste für ein Haus mit schlechtem Ruf benötigt, muss ich Euch sagen … wenn dort junge Mädchen, wie Ihr sie gerade erworben habt, gequält und missbraucht werden, wenn Ihr von mir verlangt, dass ich ihre Reize auf den Straßen ausrufen soll, so werde ich es nicht tun.

Es erscheint mir ebenso unehrenhaft wie Stehlen oder Lügen. Wozu braucht Ihr mich?«

Er hielt seine Tränen zurück, sie standen nur noch zwischen ihm und seinem Blick auf die Welt um ihn herum. Sein Gesicht drückte Gelassenheit aus.

»Sehe ich wie eine Hure aus?«, fragte ich geschockt. »Ihr Götter, ich habe meine besten Gewänder angelegt. Ich tue mein Bestes, um in diesem Seidenstaat ungeheuer respekteinflößend auszusehen! Siehst du Grausamkeit in meinen Augen? Glaubst du nicht, dass vielleicht gerade die gemäßigte Seele das Leid überwindet? Man braucht nicht nur auf dem Schlachtfeld Mut.«

»Nein, Herrin, nein!«, stimmte er zu. Es tat ihm so Leid.

»Warum wirfst du mir dann solche Beleidigungen an den Kopf?«, fragte ich ihn, zutiefst verletzt. »Und noch etwas, ich stimme mit dem überein, was du da geschrieben hast; unsere römischen Dichter reichen an die griechischen nicht heran. Ich habe keine Ahnung, wie die Zukunft unseres Imperiums aussehen wird, und das belastet mich ebenso wie früher meinen Vater und meinen Großvater! Warum? Ich weiß es nicht!« Ich wandte mich ab, als wollte ich fortgehen, wenn ich auch nicht die Absicht hatte! Aber er war mit seinen Beleidigungen einfach zu weit gegangen.

Er beugte sich über den Tisch zu mir.

»Herrin«, flüsterte er, sogar noch leiser und beflissener. »Vergebt mir meine unbesonnenen Worte. Ihr seid ein einziger Widerspruch. Euer Gesicht ist übermäßig geschminkt, und ich glaube, Euer Lippenrot ist verschmiert. Ihr habt Rouge an den Zähnen. Eure Arme sind nicht gepudert. Ihr tragt drei Seidengewänder übereinander, und dennoch kann ich hindurchsehen! Eure Haare fallen Euch in zwei Zöpfen nach Art der Barbarinnen auf die Schultern, und daraus rieseln Unmengen von kleinen silbernen und goldenen Haarnadeln. Schaut mal, wie die Nadeln herunterfallen. Herrin, Ihr werdet Euch noch daran verletzen. Und Eure Palla, eher etwas für den Abend, ist zu Boden gerutscht. Eure Kleidersäume schleifen im Schmutz.«

Ohne seinen Redefluss zu unterbrechen, bückte er sich flink und hob die Palla auf, und indem er mit einer ungelenken Bewegung seines Beines den Tisch umrundete, hielt er sie mir entgegen, um sie mir wieder um die Schultern zu legen.

»Ihr redet mit atemberaubender Schnelligkeit und macht überaus spöttische Bemerkungen«, fuhr er fort, »doch Ihr tragt einen riesengroßen Dolch im Gürtel. Der sollte sich eigentlich, unter der Palla verborgen, an Eurem Unterarm befinden. Und Euer Geldbeutel! Ihr nehmt Gold daraus, um für die Mädchen zu zahlen. Der Beutel ist riesig und leichtsinnigerweise für jeden sichtbar. Und Eure Hände, Eure Hände sind wunderschön, so edel wie Euer Latein und Euer Griechisch, aber in ihren Linien ist Schmutz eingegraben, als hättet Ihr damit in der Erde gewühlt.«

Ich lächelte. Meine Tränen waren versiegt.

»Du beobachtest gut«, sagte ich heiter. Ich war entzückt. »Warum musste ich dich so tief verletzen, ehe ich deine Seele fand? Warum können wir uns nicht einfach einander offenbaren? Ich brauche einen durchsetzungsfähigen Haushofmeister, einen Beschützer, der Waffen führen, mein Haus verwalten und es schützen kann, denn ich stehe allein. – Kann man wirklich durch diese Seide hindurchsehen?«

Er nickte. »Also nun, da die Palla über Euren Schultern liegt und ... den Dolch und den Gürtel verbirgt –« Er errötete. Als ich ihn anlächelte und versuchte, meine Ruhe wiederzugewinnen und die drohende Finsternis zu verscheuchen – die mich all meines Selbstvertrauens berauben würde, meiner Zuversicht, jeder Aufgabe gewachsen zu sein –, redete er weiter.

»Herrin, wir lernen, unsere Seelen zu verhüllen, weil wir von anderen hintergangen werden. Doch Euch würde ich meine Seele anvertrauen! Ich weiß es, wenn Ihr nur noch einmal Euer

Urteil überdenken würdet! Ich kann Euch schützen, ich kann Euer Haus verwalten. Ich werde auch die jungen Mädchen nicht belästigen. Aber trotz der Schlachten, die ich in Illyrien geschlagen habe, denkt daran, ich habe nur noch ein Bein. Nach drei Jahren ununterbrochener blutiger Kämpfe kam ich heim und verlor das Bein durch einen wilden Eber – und das nur, weil ein schlecht geschmiedeter Speer zerbrach, als ich ihn in den Eber rammte.«

»Wie heißt du?«, fragte ich.

»Flavius«, antwortete er. Das war ein römischer Name.

»Flavius«, wiederholte ich.

»Herrin, die Palla rutscht Euch schon wieder vom Kopf. Und diese Haarnadeln, sie sind spitz, sie sind überall, Ihr werdet Euch daran verletzen.«

»Macht nichts«, sagte ich, erlaubte ihm aber, mich wieder anständig zu verhüllen, als wäre er Pygmalion und ich seine Galatea. Er fasste nur mit den Fingerspitzen zu, aber der Umhang war ohnehin schon befleckt.

»Diese Mädchen«, sagte ich, »die du bei mir gesehen hast, sie sind mein Gesinde, zumindest seit einer halben Stunde. Du musst ihnen ein wohlwollender Vorgesetzter sein. Aber wenn du unter meinem Dach je im Bett einer Frau liegst, sollte das besser mein Bett sein. Ich bin aus Fleisch und Blut!«

Er nickte, da es ihm die Sprache verschlagen hatte.

Ich schnürte meinen Geldbeutel auf und entnahm ihm die Summe, die ich zu zahlen gedachte, ein vernünftiger Preis in Rom, fand ich, denn dort prahlten die Sklaven ständig damit, wie viel sie gekostet hätten. Ich zählte das Gold hin, ohne auf seine Prägung zu achten, ich schätzte den Wert nur.

Der Sklave sah mir mit wachsender Faszination zu, dann musterte er den Händler scharf.

Das kriecherische, erbarmungslose Scheusal von Sklavenhändler blähte sich auf wie eine Kröte und behauptete, sein unbezahlbarer griechischer Gelehrter stehe für eine hohe Summe zur Versteigerung an. Diverse reiche Bürger hätten schon ihr Interesse angemeldet. Eine ganze Schulklasse solle ihn innerhalb der nächsten Stunde auf die Probe stellen. Römische Offiziere hätten schon ihre Haushofmeister geschickt, um ihn unter die Lupe zu nehmen.

»Dazu fehlt mir das Stehvermögen«, sagte ich und griff noch einmal in meinen Geldbeutel.

Sogleich streckte mein neuer Sklave Flavius die Hand aus, um mir sanft Einhalt zu gebieten.

Er funkelte den Händler an, und in seinem Blick waren Autorität und furchtlose Verachtung gepaart.

»Für einen Mann mit nur einem Bein!«, stieß er zwischen den Zähnen hervor. »Dieb! Du forderst das von meiner Herrin, hier in Antiochia, wo es so viele Sklaven gibt, dass die Schiffe sie weiter nach Rom mitnehmen müssen, weil das die einzige Möglichkeit ist, die Verluste zu decken?«

Ich war sehr beeindruckt. Alles war so gut verlaufen. Das Dunkel lichtete sich um mich, und in diesem Augenblick schien selbst der Sonnenwärme eine göttliche Bedeutung innezuwohnen.

»Du betrügst meine Herrin, und du weißt es! Du bist der Abschaum der Erde!«, fuhr er fort. »Herrin, werden wir je wieder bei diesem Schurken Sklaven erwerben? Ich rate dir, nein!«

Der Händler zeigte ein albernes Grinsen, eine scheußliche Grimasse aus Feigheit und Stumpfsinn, verbeugte sich tief und gab mir ein Drittel von der Summe zurück, die ich ihm gezahlt hatte.

Ich konnte mir kaum einen neuen Heiterkeitsausbruch verkneifen. Wieder musste ich meine Palla vom Boden auflesen. Flavius hob sie für mich auf. Dieses Mal knotete ich sie vor der Brust ordentlich zusammen.

Ich betrachtete das Gold, das ich zurückbekommen hatte,

häufte es zusammen, übergab es Flavius, und dann gingen wir fort.

Als wir in das dichte Gewühl im Zentrum des Forums eingetaucht waren, lachte ich über diese ganze Geschichte und konnte gar nicht wieder aufhören.

»Also, Flavius, du beschützt mich schon, sparst mir Geld und berätst mich ausgezeichnet. Wenn es mehr Männer wie dich in Rom gäbe, sähe die Welt vielleicht besser aus.«

Seine Kehle war wie zugeschnürt, er konnte kaum sprechen. Mit Mühe brachte er flüsternd heraus:

»Herrin, mit Leib und Seele bin ich Euch für immer zu Diensten.«

Ich stellte mich auf die Zehenspitzen und küsste ihn auf die Wange. Mir wurden seine Blöße und das schmutzige Lendentuch bewusst, dass das alles eine Schande war, die er ertrug ohne ein Anzeichen von Protest.

»Hier«, ich reichte ihm einige Münzen. »Bring die Mädchen nach Hause, zeig ihnen, was sie zu tun haben. Anschließend gehst du zu den Bädern. Sorge dafür, dass du rein wirst, so rein, wie es sich für einen Römer schickt. Nimm dir einen Knaben, wenn du willst. Oder auch zwei. Dann kaufe dir schöne Kleider, keine Sklavenkittel, merk dir das, sondern Kleider, wie du sie für einen reichen jungen Römer kaufen würdest!«

»Herrin, bitte, verbergt diesen Geldbeutel!«, sagte er, als er die Münzen entgegennahm. »Und wie ist der Name meiner Herrin? Was soll ich sagen, wenn man mich fragt, zu wem ich von nun an gehöre?«

»Zu Pandora von Athen«, antwortete ich. »Obwohl du mich über den gegenwärtigen Zustand meines Geburtsortes in Kenntnis setzen musst, denn in Wirklichkeit bin ich ja noch nie dort gewesen. Aber ein griechischer Name dient meinen Zwecken am besten. Nun geh. Sieh mal, die Mädchen beobachten uns schon!«

Eine Menge Leute beobachteten uns. Oh, diese rote Seide! Und Flavius war ein so toll aussehender Mann!

Ich küsste ihn abermals und, berechnender Teufel, der ich bin, flüsterte ihm ins Ohr: »Ich brauche dich, Flavius.«

Er sah in Ehrfurcht auf mich nieder. »Herrin, ich gehöre Euch auf ewig«, flüsterte er.

»Bist du sicher, dass du mit mir im Bett nicht kannst?«

»Ach, glaubt mir, ich habe es schon versucht!«, gestand er und errötete wieder.

Ich ballte die Faust und boxte gegen seinen muskulösen Oberarm. »Nun gut!«, sagte ich.

Die Mädchen hatten sich auf mein Zeichen hin schon erhoben. Sie wussten, dass ich ihn zu ihnen schickte.

Ich übergab ihm die Schlüssel, erklärte ihm den Weg zu meinem Haus, beschrieb ihm das Tor in allen Einzelheiten und den alten Brunnen mit dem bronzenen Löwen direkt hinter dem Tor.

»Und Ihr, Herrin?«, fragte er. »Ihr wollt ohne Begleitung durch die Menge gehen? Herrin, Euer Geldbeutel ist groß! Er ist bis zum Rand mit Gold gefüllt.«

»Warte, bis du erst das Gold in meinem Haus siehst«, sagte ich. »Sorge dafür, dass du der Einzige bist, der die Schubkästen und Truhen öffnen kann, und bring alles in passenden Verstecken unter. Ersetze die Möbelstücke, die ich in meiner … meiner Verlassenheit zerschlagen habe. In den oberen Stockwerken lagert noch so manches.«

»Gold im Haus!« Er war aufgeschreckt. »Truhen voller Gold!«

»Nun komm, mach dir keine Sorgen um mich!«, beruhigte ich ihn. »Ich weiß jetzt, wo ich Hilfe finden kann. Und wenn du mich hintergehst, wenn du meine Erbschaft stiehlst und ich bei der Rückkehr mein Haus verwüstet vorfinde, dann habe ich es vermutlich nicht besser verdient. Bedecke die goldgefüllten Truhen mit Teppichen. Im Haus liegen haufenweise kleine persische Brücken. Sieh nur im oberen Stockwerk nach. Und hüte den Schrein!«

»Ich werde alles tun, was du verlangst, und noch mehr.«

»Das habe ich gehofft. Ein Mann, der nicht lügen kann, kann auch nicht stehlen. Mir wird die Sonne hier unerträglich. Geh zu den Mädchen. Sie warten schon.«

Ich wandte mich zum Gehen.

Er hielt mich auf, indem er um mich herumlief und sich vor mich hinstellte.

»Herrin, es gibt da noch etwas, das ich Euch sagen muss.«

»Was denn?«, fragte ich mit drohender Miene. »Doch nicht etwa, dass du ein Eunuch bist! Eunuchen haben keine solche Arm- und Beinmuskulatur wie du!«

»Nein, das nicht«, sagte er. Dann wurde er plötzlich ganz ernst. »Ovid, Ihr erwähntet Ovid. Ovid ist tot. Er starb vor zwei Jahren in dieser unmöglichen Stadt Tomis am Schwarzen Meer. Es war ein elendes Exil, ein barbarischer Vorposten.«

»Niemand hat es mir gesagt. Empörend, dieses Schweigen!« Ich bedeckte mein Gesicht mit den Händen. Die Palla rutschte herunter. Er fing sie auf. Ich merkte es kaum. »Wie habe ich gebetet, Tiberius möge Ovid die Rückkehr nach Rom erlauben!« Ich redete mir ein, dass ich nicht die Zeit hätte, mich damit aufzuhalten. »Ovid. Jetzt ist keine Zeit, um ihn zu weinen …«

»Seine Bücher gibt es hier bestimmt in Massen«, sagte Flavius. »In Athen bekommt man sie jedenfalls ganz leicht.«

»Gut, vielleicht findest du Zeit, ein paar für mich zu besorgen. Also, ich gehe jetzt; Haarnadeln oder gelöster Zopf oder ein ständig rutschender Umhang, es kümmert mich nicht. Und schau nicht so besorgt. Wenn du das Haus verlässt, schließ die Mädchen einfach genauso ein wie das Gold.«

Als ich mich endlich umwandte, war er schon unterwegs zu den beiden Mädchen; er bewegte sich recht anmutig. Die Sonne huschte in hübschen Kringeln über seinen muskulösen

Rücken. Sein Haar war braun und lockig, fast wie mein eigenes. Er blieb einen Augenblick stehen, als ihn ein Händler mit einem Arm voll billiger Tuniken, Umhängen und Krimskrams anrempelte – höchstwahrscheinlich gestohlenes Gut, so schlecht gefärbt, dass die Farbe beim ersten Regen auslaufen würde, aber wer weiß? Bei dem kaufte er eilig eine Tunika und zog sie sich über den Kopf, außerdem erwarb er einen breiten roten Gurt, den er sich um die Taille legte.

Welch eine Verwandlung! Die Tunika bedeckte die Oberschenkel zur Hälfte. Sicherlich war es für ihn eine große Erleichterung, als er endlich etwas Sauberes anhatte. Ich hätte daran denken sollen, ehe ich ihn gehen ließ. Dumm von mir.

Ich bewunderte ihn. Nackt oder bekleidet, solche Schönheit und Würde konnte man nur ausstrahlen, wenn man einmal sehr geliebt worden war. Er war eingehüllt in diese ihm einst bewiesene Zuneigung, für die auch das elfenbeinerne Kunstbein ein Zeichen war.

So kurz unser Zusammentreffen auch war, es hatte für immer ein festes Band zwischen uns geschmiedet.

Er begrüßte die Mädchen. Die Arme um sie gelegt, führte er sie aus dem Gedränge.

Ich ging geradewegs zum Isis-Tempel, und damit machte ich wissentlich den ersten sicheren Schritt in eine Unsterblichkeit, die dem Diebesgut glich, in eine unverdiente, ruhmlose Übernatürlichkeit, ein ewig währendes und völlig sinnloses Verhängnis.

5

Kaum hatte ich das Tempelgelände betreten, umringten mich mehrere reiche Römerinnen und begrüßten mich herzlich. Sie waren alle sorgfältig geschminkt, mit weißem Puder auf Gesicht und Armen, korrekt nachgezogenen Augenbrauen und Lippenrot – all die Details, die ich am Morgen verpfuscht hatte.

Ich erklärte ihnen, dass ich, obwohl nicht unbemittelt, auf mich allein gestellt sei. Sie waren sofort bereit, mir auf jede nur erdenkliche Art zu helfen. Als sie hörten, dass ich tatsächlich in Rom initiiert worden war, erstarrten sie fast vor Ehrfurcht.

»Unserer Mutter Isis sei Dank, dass du nicht entdeckt und hingerichtet wurdest«, sagte eine der römischen Frauen.

»Geh doch und sprich mit der Priesterin«, empfahlen sie.

Viele von ihnen hatten an den geheimen Ritualen noch nicht teilgenommen, sondern warteten darauf, von der Göttin zu diesem bedeutenden Ereignis gerufen zu werden.

Hier waren auch noch viele andere Frauen, einige aus Ägypten, einige aus Babylonien, das konnte ich nur raten. Edelsteine und Seide waren bei ihnen an der Tagesordnung. Goldene Borten in modischen Mustern säumten ihre Umhänge; einige trugen schlichte Kleider.

Aber ich hatte den Eindruck, dass alle Griechisch sprachen.

Ich konnte mich nicht dazu durchringen, den Tempel zu betreten. Ich hob den Blick und sah im Geiste unsere Priester, die in Rom gekreuzigt worden waren.

»Der Gottheit sei Dank, dass man deine Identität nicht herausgefunden hat«, sagte eine der Frauen.

»Viele sind nach Alexandria geflohen«, sagte eine andere.

»Ich habe keinen Protest erhoben«, sagte ich bedrückt.

Darauf ertönte ein ganzer Chor voller Mitgefühl: »Wie solltest du denn, unter Tiberius? Glaube mir, jeder, der konnte, ist geflohen.«

»Belaste dich nicht mit Schuldgefühlen«, bat mich eine junge blauäugige Griechin, die sehr korrekt gekleidet war.

»Ich habe den Kult aufgegeben«, gestand ich.

Wieder trösteten mich sanfte Stimmen aus der Runde.

»Geh nun hinein«, sagte eine der Frauen, »und bitte darum, im innersten Heiligtum Unserer Mutter beten zu dürfen. Du bist eine Eingeweihte. Die meisten von uns sind es nicht.«

Ich nickte.

Dann stieg ich die Stufen zum Tempel hinauf und trat in das Innere. Ich blieb einen Augenblick stehen, um alles Weltliche von mir abzuschütteln, all die Bagatellen, über die ich gesprochen hatte. Mein Geist war auf die Göttin gerichtet und sehnte sich verzweifelt, an sie glauben zu können. Ich verabscheute meine Scheinheiligkeit, dass ich diesen Tempel und den Kult benutzte, doch dann schien mir das plötzlich nicht mehr von Bedeutung zu sein. Meine Verzweiflung in den drei Nächten war zu tief gegangen.

Welch ein Schock erwartete mich dort drinnen!

Der Tempel war viel älter als unser Tempel in Rom, und ägyptische Malereien bedeckten seine Wände. Ein Schauer durchfuhr mich. Die Säulen waren in ägyptischem Stil gebaut, nicht kanneliert, sondern glatt und rund und leuchtend orangefarben ragten sie empor, um an den Kapitellen in riesigen Lotusblüten zu enden. Der Geruch des Weihrauchs war überwältigend, und aus dem Allerheiligsten drang Musik. Ich erkannte die dünnen Töne der Lyra und der gezupften Saiten des Sistrums, und ich hörte den monotonen Gesang einer Litanei.

Aber das war ja eine durch und durch ägyptische Stätte, die mich ebenso fest einhüllte wie meine Blutträume. Ich wurde fast ohnmächtig.

Die Träume kamen wieder – das starke, lähmende Gefühl, in einem geheimen Heiligtum in Ägypten zu sein, wo meine Seele von einem anderen Körper aufgesaugt wurde!

Die Priesterin näherte sich mir. Auch das war ein Schock.

In Rom wäre ihr Gewand rein römisch gewesen, sie hätte bestenfalls einen kleinen exotischen Kopfputz getragen, vielleicht eine Art Haube, die bis auf die Schultern herabfiel.

Aber diese Frau hier trug ägyptische Gewänder aus gefälteltem Leinen im alten Stil, dazu einen herrlichen ägyptischen Kopfschmuck und eine Perücke, bestehend aus einer dichten Masse langer schwarzer Zöpfe, die ihr steif auf die Schultern fielen. Sie sah so fantastisch aus, wie vielleicht Kleopatra ausgesehen hat, was weiß ich.

Ich hatte immer nur Geschichten über Julius Caesars große Liebe zu Kleopatra gehört, dann über ihre Affäre mit Mark Anton und schließlich über Kleopatras Tod. Das war alles vor meiner Geburt.

Aber ich wusste, dass Kleopatras sagenhafter Einzug in Rom den römischen Sinn für Moral und Schicklichkeit sehr verletzt hatte. Mir war schon immer klar gewesen, dass die alten römischen Familien die Magie der Ägypter fürchteten. Bei dem kürzlich zur Bestrafung veranstalteten Gemetzel in Rom, das ich beschrieben habe, wurde ein großes Geschrei erhoben wegen der Zügellosigkeit und triebhaften Lust; doch unterschwellig war es dabei um die unausgesprochene Furcht vor dem Geheimnis und der Macht gegangen, die sich hinter den Tempelpforten verbargen.

Und nun, als ich diese Priesterin anblickte, ihre schwarz umrandeten Augen, fühlte ich diese Furcht auch in meiner Seele. Ich kannte sie. Natürlich schien die Frau direkt meinem Traum entsprungen zu sein; doch das war es nicht, was mich so alarmierte, denn was sind schließlich schon Träume? Es lag daran, dass dies eine Ägypterin war – ganz und gar fremdartig und für mich sehr undurchschaubar.

Meine Isis war griechisch-römisch gewesen. Selbst ihre Statue im römischen Heiligtum hatte ein wunderschön gerafftes griechisches Gewand getragen, und ihr Haar, im alten griechischen Stil frisiert, lag in weichen Wellen um ihr Gesicht. Sie hielt ihr Sistrum und eine Urne in den Händen. Sie war eine dem Römischen anverwandelte Gottheit gewesen.

Vielleicht war mit der Göttin Kybele in Rom das Gleiche geschehen. Rom vereinnahmte vieles und machte es römisch.

Nur wenige Jahrhunderte später sollte Rom – obwohl ich damals keine Ahnung davon hatte; wie wäre das auch möglich gewesen – die Anhänger des Jesu von Nazareth vereinnahmen und formen und aus seinen Christen die römisch-katholische Kirche bilden.

Ich nehme an, dass dir die moderne Redewendung »Bist du in Rom, verhalte dich wie ein Römer« vertraut ist.

Doch hier, in diesem rötlichen Dämmerschein, umgeben von flackernden Lichtern und einem moschusartigen Weihrauchduft, wie ich ihn in solcher Intensität nie zuvor erlebt hatte, ärgerte ich mich im Stillen über meine Zaghaftigkeit. Dann senkten sich die Träume wie zahllose Schleier, einer nach dem anderen, auf mich herab und hüllten mich ganz ein. Sogleich sah ich die schöne Königin: Sie weinte. Nein. Sie schrie. Rief um Hilfe.

»Fort von mir«, flüsterte ich in die mich umgebende Luft. »Hinweg von mir alles, was unrein und böse ist. Fort von mir, wenn ich das Haus meiner heiligen Mutter betrete.«

Die Priesterin nahm mich bei der Hand. Ich hörte Stimmen aus meinem Traum, die heftig stritten. Ich strengte meine Augen an, um die Tempelbesucher deutlich zu sehen, die zum Allerheiligsten strebten, um zu meditieren, Opfer darzubringen oder um etwas zu erbitten. Ich versuchte mir klar zu machen, dass ich mich in einer großen, geschäftigen Menge befand, kaum anders als in Rom.

Aber die Berührung der Priesterin schwächte mich. Ihre geschminkten Augen lösten Schrecken in mir aus. Ihr breiter Halsschmuck blendete meine Augen. Diese vielen Reihen flacher Steine.

Sie führte mich in ein für das Publikum nicht zugängliches Gelass des Tempels und bot mir eine üppig gepolsterte Liege an. Ich sank erschöpft darauf nieder. »Alles Böse weiche von mir«, hauchte ich. »Auch die Träume.«

Die Priesterin setzte sich neben mich und schloss mich in ihre seidenglatten Arme. Ich sah auf und blickte in eine Maske!

»Sprich zu mir, du Leidende«, sagte sie; ihr Latein hatte einen starken Akzent. »Sag mir alles, was ans Licht des Tages kommen muss.« Und ganz plötzlich – ich hatte keine Kontrolle darüber – schüttete ich meine ganze Geschichte vor ihr aus: die Vernichtung meiner gesamten Familie, meine Schuld, meine Seelenqualen.

»Wenn ich nun der Grund für den Untergang meiner Familie war – mein Glaubensbekenntnis im Tempel der Isis? Was, wenn Tiberius sich daran erinnert hat? Was habe ich getan? Die Priester wurden gekreuzigt, und ich habe tatenlos zugesehen. Was verlangt die Mutter Isis von mir? Ich möchte sterben.«

»Das verlangt sie bestimmt nicht«, sagte die Priesterin, ohne den Blick von mir zu wenden. Ihre Augen waren riesengroß, oder lag es nur an der Schminke? Nein, ich konnte das Weiße in ihren Augen erkennen, so glänzend und rein. Von ihren geschminkten Lippen flossen die Worte wie ein gleich bleibender Windhauch.

Ich geriet schon bald in einen tranceähnlichen Zustand jenseits aller Vernunft. Ich murmelte etwas über meine Initiation, alles, was ich durfte, die Einzelheiten, die ich einer Priesterin erzählen konnte, da ja all diese Vorgänge ein großes Geheimnis waren, weißt du, aber ich bestätigte ihr, dass ich in den Riten die Wiedergeburt vollzogen hatte.

Alle in mir verborgenen Schwächen wurden an die Oberfläche geschwemmt.

Schließlich offenbarte ich meine Schuldgefühle. Ich bekannte, dass ich den Isis-Kult schon länger nicht mehr ausgeübt und in den letzten Jahren nur noch an der öffentlichen Prozession teilgenommen hatte, bei der die Göttin zum Gestade des Meeres hinabgetragen wurde, um die Schiffe zu segnen. Isis, die Göttin der Schifffahrt. Ich hatte kein frommes Leben geführt.

Als die Isis-Priester gekreuzigt wurden, tat ich nichts und hatte mich nur hinter dem Rücken des Kaisers mit vielen anderen dagegen ausgesprochen. Zwischen mir und den Römern, die Tiberius für ein Ungeheuer hielten, gab es zwar eine Solidarität, aber wir erhoben unsere Stimmen nicht, um Isis zu verteidigen. Mein Vater hatte mir geboten zu schweigen. Ich gehorchte. Derselbe Vater hatte mir schließlich befohlen zu leben.

Ich drehte mich um und glitt von der Liege herunter und lag ausgestreckt auf dem Boden. Ich weiß nicht, warum. Ich presste meine Wange gegen die kalten Fliesen. Die Kälte an meinem Gesicht tat mir gut. Ich befand mich in einem Zustand des Wahnsinns, aber es war kein unkontrollierter Zustand. Ich lag und starrte vor mich hin.

Eines wusste ich: Ich wollte raus aus diesem Tempel. Er gefiel mir nicht. Nein, das hier war keine gute Idee gewesen.

Ich hasste mich plötzlich dafür, dass ich mich dieser Frau gegenüber so verletzlich gezeigt hatte, wie sie auch sein mochte, und die Atmosphäre der Blutträume wehte mich an.

Ich schlug die Augen auf. Die Priesterin beugte sich über mich. Ich sah die weinende Königin meiner Albträume. Ich wandte den Kopf ab und machte die Augen wieder zu.

»Beruhige dich«, sagte die Priesterin mit dieser auf Wirkung bedachten Stimme. »Du hast nichts Unrechtes getan«, fügte sie hinzu.

Dass eine solche Stimme aus diesem bemalten Antlitz, aus dieser Gestalt kommen konnte, schien mir absurd, und doch war sie ganz deutlich.

»Zuerst einmal«, sagte die Priesterin, »musst du einsehen, dass die Mutter Isis alles vergibt. Sie ist die Mutter der Gnade.« Dann fuhr sie fort: »Deiner Beschreibung nach bist du wesentlich gründlicher initiiert worden als die meisten anderen hier oder sonstwo. Du hast lange gefastet. Du hast in dem heiligen Blut des Stieres gebadet. Du musst auch den Zaubertrank genossen haben. Du hast geträumt und deine Wiedergeburt erlebt.«

»Ja«, stimmte ich zu und versuchte, die einst verspürte Ekstase, dieses unbezahlbare Geschenk des Glaubens, wieder zu beleben. »Ja. Ich sah die Sterne und wunderbare Blumenfelder, solche Felder ...«

Es hatte keinen Zweck. Diese Frau jagte mir Angst ein, und ich wollte hier weg. Ich wollte heim und alles Flavius beichten und es so weit kommen lassen, dass ich mich an seiner Schulter ausweinen konnte.

»Ich bin von Natur aus nicht fromm«, gestand ich. »Ich war jung. Ich mochte die unabhängigen Frauen, die dorthin kamen, die Frauen, die schliefen, mit wem sie wollten, die Huren Roms, die Frauen, die Freudenhäuser unterhielten, ich mochte Frauen, die sich ihre eigenen Gedanken machten und an dem interessiert waren, was im Imperium vor sich ging.«

»Du kannst dich auch hier an solcher Gesellschaft erfreuen«, sagte die Priesterin, ohne mit der Wimper zu zucken. »Und fürchte nicht, dass deine damaligen Verbindungen zum Tempel euren Untergang in Rom zur Folge hatten. Wir haben genügend Berichte, die besagen, dass die Edlen Roms von Tiberius nicht verfolgt wurden, als er den Tempel zerstören ließ. Es sind immer nur die Armen, die leiden: das Straßenmädchen und der einfache Weber, der Barbier und der Maurer. Keine adlige Familie wurde im Namen der Isis verfolgt. Das weißt du auch. Einige Frauen flohen nach Alexandria, weil sie den Kult nicht aufgeben mochten, doch sie waren niemals in Gefahr.«

Die Träume rückten näher. »Oh, du, Mutter des Gottes«, flüsterte ich.

Die Priesterin setzte ihre Rede fort.

»Du warst genau wie die Mutter Isis das Opfer einer Tragödie. Und genau wie die Mutter Isis musst auch du deine Kräfte sammeln und deinen Weg allein gehen, wie Isis es tat, als ihr Gemahl, Osiris, erschlagen wurde. Wer half ihr, als sie ganz Ägypten nach dem Körper ihres ermordeten Gatten absuchte? Sie ging ihren Weg ganz allein. Sie ist die höchste unter den Göttinnen. Als sie den Leichnam ihres Gemahls, Osiris, entdeckte und kein Zeugungsorgan mehr fand, mit dem sie hätte geschwängert werden können, entnahm sie den Samen unmittelbar seinem Geist. So kam es, dass der Gott Horus von einer Frau und einem Gott geboren wurde. Es lag in der Macht der Isis, den Geist von dem Toten zu trennen. Isis brachte auch den Gott Ra durch eine List dazu, seinen Namen preiszugeben.«

Das war genau die alte Sage.

Ich wandte meinen Blick von der Priesterin ab. Ich war einfach nicht im Stande, dieses bemalte Gesicht anzuschauen! Bestimmt spürte sie meinen Abscheu. Ich durfte sie nicht verletzen. Sie meinte es gut! Es war nicht ihre Schuld, dass sie mir wie ein Ungeheuer vorkam. Warum war ich nur hierher gekommen?

Ich war ganz benommen. Im Raum herrschte ein weiches goldenes Licht, das hauptsächlich durch die drei Portale fiel, die nach altägyptischer Art gebaut waren, an der Basis breiter als im oberen Teil, und ich brachte dieses Licht dazu, alles vor meinen Augen verschwimmen zu lassen. Ich bat das Licht darum.

Ich spürte die Hand der Priesterin. Welch seidige Wärme. So schön, ihre Berührung, ihre Sanftheit.

»Glaubst du das alles?« Ich flüsterte plötzlich.

Sie überhörte die Frage. Ihr maskenhaftes Gesicht war ein Bekenntnis ihres Glaubens.

»Du musst sein wie Mutter Isis. Verlasse dich auf niemanden. Auf dir ruht nicht die Last, einen verlorenen Gemahl oder Vater ersetzen zu müssen. Du bist frei. Empfange Männer in deinem Haus zum Liebesspiel, wenn es dir gefällt. Du gehörst niemandem als Mutter Isis. Denk daran, Isis ist die Göttin, die uns liebt, die Göttin, die vergibt, die Göttin mit dem unendlichen Verständnis, da sie selbst gelitten hat!«

»Gelitten!« Ich keuchte. Ich stöhnte – etwas sehr Ungewöhnliches, Seltenes in meinem Leben. Aber ich sah die weinende Königin aus meinen Albträumen, wie sie an ihren Thron gefesselt war.

»Hör mich an«, bat ich. »Ich will dir nun von meinen Träumen erzählen, und dann sage mir, warum sie auftreten.« Ich wusste, dass meine Stimme zornig klang, und es tat mir Leid. »Diese Träume entstehen nicht durch zu viel Wein oder durch gewisse andere Getränke oder nach langen Perioden der Schlaflosigkeit, die den Geist verbiegen.«

Dann stürzte ich mich in ein weiteres völlig unvorhergesehenes Geständnis.

Ich erzählte dieser Frau von den Blutträumen, diesen Träumen von einem längst vergangenen Ägypten – mit dem Altar, dem Tempel, der Wüste und der aufgehenden Sonne.

»Amon Ra!«, sagte ich. Das war der ägyptische Name für den Sonnengott, der meines Wissens noch nie über meine Lippen gekommen war. Nun sprach ich ihn aus. »Ja, Isis verleitete ihn, seinen Namen preiszugeben, er aber tötete mich, und ich wurde ihr Bluttrinker, hörst du, ein durstiger Gott.«

»Nein!«, sagte die Priesterin. Sie saß unbeweglich da.

Lange Zeit dachte sie nach. Ich hatte sie erschreckt, und das erschreckte mich meinerseits umso heftiger.

»Kannst du die alte Bilderschrift lesen?«, fragte sie.

»Nein«, antwortete ich.

Dann sagte sie entspannter und offener:

»Das sind sehr alte Sagen, die du da ansprichst, Sagen, die tief versunken sind in der Geschichte unseres Isis- und Osiris-Kults. Sie besagen, dass die beiden einstmals tatsächlich Blut als Weihgabe von ihren Opfern nahmen. Es gibt Schriften, in denen das steht. Doch niemand kann sie entziffern, außer einem …«

Ihre Stimme verlor sich.

»Und wer ist dieser eine?«, fragte ich. Ich erhob mich und stützte mich auf die Ellenbogen, dabei bemerkte ich, dass meine Haare sich wieder gelöst hatten. Gut. Ich mochte es, es fühlte sich jetzt so frei und rein an. Ich fuhr mir mit beiden Händen durch die Haare.

Was musste das für ein Gefühl sein, wie diese Priesterin unter der Schminke und Perücke lebendig begraben zu sein?

»Sag mir«, bat ich, »wer ist das, der diese alten Sagen lesen kann. Sag es mir!«

»Das sind böse Geschichten«, antwortete sie, »dass Isis und Osiris immer noch irgendwo körperlich vorhanden sind, dass sie selbst heute noch Blut trinken.« Sie machte eine abwehrende Geste des Ekels. »Aber das ist nicht unser Kult. Wir opfern keine Menschen hier. Ägypten war schon alt und weise, bevor Rom entstand.«

Wen versuchte sie da zu überzeugen? Mich?

»Ich habe nie solche Träume gehabt, in dieser Aufeinanderfolge, mit diesem Inhalt.«

Im Laufe ihrer Rede wurde sie immer aufgeregter.

»Unsrer Mutter Isis steht der Sinn nicht nach Blut. Sie hat den Tod besiegt und ihren Gatten Osiris als Herrscher über die Toten eingesetzt, doch für uns auf der Erde ist sie der Inbegriff des Lebens. Sie hat dir diese Träume nicht gesandt.«

»Wahrscheinlich nicht! Da stimme ich dir zu. Aber wer war es dann? Woher kommen sie? Warum verfolgten sie mich auf dem Meer? Wer ist die Person, die die alten Schriften lesen kann?«

Sie war erschüttert. Sie hatte mich losgelassen und starrte ins Leere, dabei nahmen ihre Augen auf Grund der schwarzen Umrandung eine trügerische Wildheit an.

»Vielleicht hat in deiner Kindheit ein alter ägyptischer Priester dir eine unserer Sagen erzählt. Du hast sie längst vergessen, und jetzt flammt sie in deinem gequälten Geist wieder auf. Sie nährt sich von einem Feuer, an dem sie kein Recht hat – am Tod deines Vaters.«

»Ja, gut, ich hoffe sehr, dass es so ist, aber ich kannte in Rom keinen Ägypter. Alle Priester in unserem Tempel waren Römer. Außerdem, welches Muster liegt den Träumen zu Grunde, wenn wir sie uns genauer ansehen und auslegen? Warum weint die Königin? Warum tötet die Sonne mich? Die Königin liegt in Fesseln. Sie ist eine Gefangene. Die Königin leidet Todesqualen!«

»Hör auf!« Die Priesterin schauderte. Dann legte sie die Arme um mich, als bräuchte sie mich. Ich fühlte das starre Haar ihrer Perücke und das steife Leinen und darunter das schnelle Klopfen ihres Herzens. »Nein«, sagte sie. »Du bist von einem Dämon besessen, und wir können diesen Dämon austreiben!

Vielleicht wurde diesem elenden Dämon der Weg geöffnet, als dein Vater an seinem eigenen Herd angegriffen wurde.«

»Glaubst du wirklich, dass das möglich ist?«, fragte ich.

»Hör zu«, sagte sie jetzt so beiläufig wie eine der Frauen draußen vor dem Tempel. »Ich möchte, dass du gebadet wirst und frische Kleider anlegst. Was das Geld betrifft, wie viel kannst du mir geben? Falls nichts, werden wir dich mit allem versorgen. Wir sind reich hier.«

»Ich habe eine ganze Menge. Es ist mir nicht wichtig.« Ich löste die Börse von meinem Gürtel.

»Ich werde veranlassen, dass du alles Nötige bekommst. Auch neue Kleider. Diese Seide ist zu durchsichtig.«

»Wem sagst du das?«, sagte ich.

»Deine Palla ist zerrissen. Dein Haar ist nicht frisiert.«

Ich schüttete ungefähr ein Dutzend Goldmünzen aus dem Beutel, mehr, als ich für Flavius gezahlt hatte.

Das schockierte sie, doch sie verbarg diese Regung schnell. Plötzlich sah sie mich durchdringend an, dabei brachte ihre geschminkte Maske einen lebendigen Ausdruck zu Stande, ein Stirnrunzeln. Ich dachte, sie bekäme gleich einen Sprung.

Dann glaubte ich, sie könnte anfangen zu weinen. Ich wurde langsam ein Experte darin, Leute zum Weinen zu bringen. Mia und Pia hatten geweint. Flavius hatte geweint. Jetzt würde sie gleich weinen. Die Königin in dem Traum weinte!

Ich lachte wie im Wahn, den Kopf zurückgeworfen, aber dann sah ich die Königin! Ich sah sie in einer fernen, verschwommenen Erinnerung, und ich hatte solche Reuegefühle, dass ich ebenfalls nahe daran war, zu weinen. Mein Spott war Blasphemie. Ich belog mich selbst damit.

»Nimm das Gold für den Tempel«, sagte ich. »Nimm es für neue Kleider, für alles, was ich brauche. Aber meine Opfergabe für die Göttin sollen Blumen sein, und Brot, warm aus dem Ofen, ein kleiner Laib.«

»Sehr gut«, sagte sie mit eifrigem Nicken. »Das ist es, was Isis möchte. Sie will kein Blut. Nein! Kein Blut!«

Sie begann mir aufzuhelfen.

Ich unterbrach sie. »In dem Traum, du weißt, dass sie da weint? Sie ist nicht glücklich über diese Bluttrinker, sie lehnt sich dagegen auf, sie hat Einwände. Sie selbst trinkt kein Blut.«

Die Priesterin war verwirrt, dann nickte sie jedoch. »Ja, das ist doch offensichtlich, nicht wahr?«

»Auch ich lehne mich auf und leide«, sagte ich.

»Ja, komm«, sagte sie und führte mich durch eine dickwandige, hohe Tür. Sie überließ mich den Händen der Tempelsklavinnen. Ich war erleichtert. Ich war erschöpft.

Man führte mich in das Bad, wo mich die Tempelmädchen einer zeremoniellen Reinigung unterzogen und mich dann sorgfältig kleideten.

Was für ein Genuss, dass alles so gemacht wurde, wie es rechtens war.

Einen Moment fragte ich mich verunsichert, ob sie mir nun weißes, gefälteltes Leinen und schwarze Zöpfe anlegen würden, aber sie machten alles nach römischem Stil.

Sie flochten mir das Haar so fest und ordentlich um den Kopf, dass die Frisur halten würde, nur um das Gesicht ließen sie einen Kranz kleiner Löckchen stehen.

Die Kleider, die man mir gab, waren neu, aus feinem Leinen. Die Säume waren mit Blumen bestickt. Diese Verzierung, so fein, so genau gearbeitet, erschien mir kostbarer als Gold.

Bestimmt aber erfreute sie mich mehr als Gold.

Ich fühlte mich so müde! Ich war so dankbar.

Dann machten die Mädchen mein Gesicht zurecht, wesentlich geschickter, als ich es gekonnt hätte, und eher auf ägyptische Art, und ich zuckte zurück, als ich mich im Spiegel sah. Es war zwar nicht so stark wie bei der Priesterin, doch hatten sie meine Augen auch schwarz umrandet.

»Wie könnte ich mich beklagen«, flüsterte ich.

Ich legte den Spiegel nieder. Man muss sich glücklicherweise nicht selbst sehen.

Als ich mich nun in die große Halle des Tempels begab, war ich wieder eine sittsame römische Frau, nur dass ich die ungewöhnliche Schminke des Orients trug. Ein ganz normaler Anblick in Antiochia.

Ich traf die Priesterin mit zwei anderen in der gleichen offiziellen Kleidung, daneben einen Priester, der ebenfalls die altägyptische Haartracht trug; allerdings hatte er keine Perücke, sondern nur eine gestreifte Haube auf. Seine Tunika war kurz und in Falten gelegt. Er drehte sich zu mir um und funkelte mich an, als ich näher kam.

Angst. Erdrückende Angst. Flieh von hier! Vergiss die Opfergabe; oder sie sollen sie an deiner statt darbringen. Geh nach Hause. Flavius wartet. Verschwinde hier!

Mir hatte es die Sprache verschlagen. Ich ließ zu, dass der Priester mich beiseite zog.

»Hör mir gut zu«, sagte er leise. »Ich werde dich nun in das Heiligtum bringen. Ich lasse dich zur Mutter sprechen. Aber wenn du wieder hinausgehst, musst du zu mir kommen! Geh nicht fort, ohne bei mir gewesen zu sein. Du musst mir versprechen, jeden Tag wiederzukommen, und wenn du weiter solche Träume hast, wirst du sie uns darlegen. Da ist jemand, dem sie beschrieben werden sollten, das heißt, wenn die Göttin sie nicht aus deinem Geist vertreibt.«

»Natürlich werde ich mit jedem sprechen, der mir helfen kann«, versprach ich. »Ich hasse diese Träume. Aber warum bist du so unruhig? Fürchtest du mich?«

Er schüttelte den Kopf. »Ich fürchte dich nicht, aber es gibt etwas, das ich dir vertraulich mitteilen muss. Ich muss mit dir sprechen, entweder heute oder morgen. Ich muss mit dir reden! Doch nun geh hinein zur Mutter, danach komm zu mir.«

Die anderen führten mich in das Gemach des Heiligtums; der Schrein war mit weißem Leinen verhängt. Meine Opfergaben lagen schon dort, ein aus süß duftenden weißen Blüten geflochtener Kranz und der ofenwarme Brotlaib. Ich kniete nieder. Unsichtbare Hände zogen die Vorhänge zurück, und ich fand mich allein in der Kammer, auf Knien vor der *Regina Coeli*, der Königin des Himmels.

Der nächste Schock:

Vor mir stand die altägyptische Statue der Isis, aus dunklem Basalt gehauen. Ihre Haartracht war lang, eng anliegend und hinter die Ohren gesteckt. Auf dem Kopf trug sie eine große, runde Scheibe zwischen zwei Hörnern. Ihre Brüste waren nackt. Auf ihrem Schoß saß der erwachsene Pharao, ihr Sohn Horus. Sie bot ihm ihre rechte Brust dar, um ihm ihre Milch zu geben.

Verzweiflung packte mich! Dieses Bildnis bedeutete mir nicht das Mindeste! Ich forschte darin nach der Wesenheit der Isis.

»Hast du mir die Träume geschickt, Mutter?«, flüsterte ich.

Ich breitete die Blumen aus. Ich brach das Brot.

Von der gleichmütigen uralten Statue drang kein Laut in die Stille.

Ich warf mich auf den Boden und streckte die Arme aus. Und in der Tiefe meiner Seele versuchte ich mir die Worte abzuringen: Ich nehme alles hin, ich glaube, ich bin dein, ich brauche dich; ich brauche dich!

Aber ich konnte nur weinen. Alles war für mich verloren. Nicht nur Rom und meine Familie, sondern sogar meine Isis. Diese Göttin hier verkörperte den Glauben einer anderen Nation, eines anderen Volkes.

Ganz allmählich überkam mich eine innere Ruhe.

So ist es nun eben, dachte ich. Der Kult meiner Mutter Isis lebt überall, im Norden und Süden, in Ost und West. Allein der Geist dieses Kultes verleiht Kraft. Ich muss nicht buchstäblich die Füße dieser Figur küssen. Darum geht es nicht.

Ich hob langsam den Kopf und hockte mich auf die Fersen. Und ich hatte eine wirkliche Erleuchtung. Ich kann sie nicht genau schildern. Ich nahm sie voll und ganz wahr, im Bruchteil einer Sekunde.

Mir kam die Erkenntnis, dass alle Dinge Symbole für anderes, alle Rituale nur Spiel eines anderen Geschehens waren! Ich erkannte, dass wir mit unserem praktischen menschlichen Geist diesen Dingen eine Seelentiefe verliehen, damit die Welt nicht ohne Sinn war.

Und dieses Standbild hier symbolisierte die Liebe. Liebe, stärker als Grausamkeit, stärker als Ungerechtigkeit. Liebe, stärker als Einsamkeit und Verdammung.

Das war das Einzige, was zählte. Ich hob meinen Blick zu dem Antlitz der Göttin, und nun erkannte ich sie! Ich betrachtete den kleinen Pharao, die dargebotene Brust.

»Ich bin dein!«, sagte ich emotionslos.

Ihre ausgeprägten urägyptischen Gesichtszüge waren kein Hindernis mehr für mein Herz. Ich betrachtete die rechte Hand, mit der sie ihre Brust hielt.

Liebe. Liebe verlangt Kraft von uns; sie verlangt Standhaftigkeit; sie verlangt, dass wir alles Fremde hinnehmen.

»Befreie mich von diesen Träumen, Himmlische Mutter«, sagte ich. »Oder enthülle mir ihren Sinn. Und den Pfad, dem ich folgen muss. Bitte.«

Dann murmelte ich in meiner Sprache eine alte Litanei:

> *Du bist die, die Himmel und Erde getrennt hat,*
> *Du steigst mit dem Hundsstern am Himmel auf,*
> *Du gibst Kraft den Gerechten,*
> *Du flößt den Kindern die Liebe zu ihren Eltern ein,*
> *Du gewährst Gnade all denen, die darum bitten.*

Ich glaubte an diese Worte, jedoch in einem sehr weltlichen Sinn. Ich glaubte daran, weil sich für mich in der Verehrung der Isis die edelsten Ideen sammelten, deren Männer und Frauen fähig waren. Das gab einer Göttin die Existenzberechtigung; das war der Geist, aus dem sie ihre Lebenskraft bezog.

Der verlorene Phallus des Osiris lebte im Nil. Und der Nil befruchtete die Felder. Oh, es war wunderbar.

Das Kunststück bestand darin, ihr Bild nicht von mir zu weisen, wie Lukrez vielleicht vorgeschlagen hätte, sondern zu erkennen, was es bedeutete. Und das Beste daraus in meine Seele aufzunehmen.

Und als ich nun auf die herrlichen weißen Blumen niedersah, dachte ich: »Durch deine Weisheit, Mutter, blühen sie.« Und damit meinte ich einfach, dass es so vieles auf der Welt gab, das man hegen, respektieren, bewahren musste, dass die Freude darüber selbst eine Pracht war – und sie, Isis, verkörperte diese Erkenntnisse, die zu tief gründeten, um Ideen genannt zu werden.

Ich liebte es – dieses Abbild des Guten, das Isis war.

Je länger ich ihr steinernes Antlitz betrachtete, desto mehr gewann ich den Eindruck, dass sie mich sehen konnte. Ein alter Trick. Je länger ich dort kniete, desto mehr schien es mir, als ob sie zu mir spräche. Ich wehrte mich nicht dagegen, in dem vollen Bewusstsein, dass es keine Bedeutung hatte. Die Träume waren weit fort. Sie kamen mir vor wie ein Rätsel, für das sich eine schwachsinnige Lösung finden würde.

Mit echter Inbrunst rutschte ich näher zu ihr hin und küsste ihre Füße.

Damit war mein Gottesdienst beendet.

Ich ging hinaus, erfrischt und hochgestimmt.

Ich würde diese Träume nicht mehr haben. Draußen herrschte immer noch Tageslicht. Ich war glücklich.

Im Hof des Tempels fand ich viele Freunde, und nachdem

ich mich mit ihnen unter die Olivenbäume gesetzt hatte, verschaffte ich mir von ihnen alle Informationen, die ich für das tägliche Leben hier brauchte, zum Beispiel wo man Zulieferer fand oder einen guten Haarkünstler und Ähnliches mehr. Wo man dieses oder jenes am besten kaufen konnte.

Mit anderen Worten, ich wurde von meinen neuen reichen Freunden dafür gerüstet, ein großes Haus zu führen, ohne es mit unerwünschten Sklaven voll stopfen zu müssen. Ich konnte es bei Flavius und den beiden Mädchen belassen. Ausgezeichnet. Alles andere konnte man mieten oder kaufen.

Schließlich lehnte ich mich zurück – sehr müde, den Kopf voller Namen und Orte, die ich mir merken musste, aufgeheitert durch die Scherze und Geschichten der Frauen und entzückt, dass sie das geliebte Griechisch so flüssig sprachen – und dachte: Jetzt kann ich nach Hause gehen.

Ich kann einen neuen Anfang machen.

Der Tempel war immer noch von Leben erfüllt. Ich sah zu den Portalen hinüber. Wo war der Priester? Nun, dann würde ich eben morgen zurückkommen. Ich wollte diese Träume im Augenblick nicht wieder aufleben lassen, so viel war sicher. Viele Leute kamen mit Blumen und Brot und kleinen Vögeln, die sie hier zu Ehren der Göttin freilassen wollten, Vögel, die ihre Flügel ausbreiten und durch das hohe Fenster des Allerheiligsten davonfliegen würden.

Wie warm es hier war! Und was für eine Blumenpracht die Mauer bedeckte! Ich hatte immer geglaubt, dass es nirgends schöner sein könnte als in der Toskana, aber vielleicht war es hier ja auch schön.

Ich verließ den Hof und begab mich über einige Stufen zum Forum.

Unter den Arkaden stand ein Mann, der einer Gruppe von Jünglingen das Ideal erklärte, das Diogenes vertreten hatte, nämlich, dass wir auf alles Fleischliche und seine Freuden verzichten sollten, um ein reines Leben, in Abkehr von den Sinnen, zu führen.

Das klang sehr nach dem, was Flavius zuvor beschrieben hatte. Aber dieser Mann hier meinte, was er sagte, und war sehr beschlagen. Er sprach von einer befreienden Resignation. Damit weckte er meine Fantasie. Denn das, glaubte ich, war mir dort in dem Tempel widerfahren, eine befreiende Resignation.

Die Jünglinge, die ihm lauschten, waren noch zu jung, um das zu begreifen. Doch ich hatte es begriffen. Mir gefiel der Mann. Er hatte schon graue Haare und trug eine schlichte, lange Tunika. Er ging also nicht demonstrativ in Lumpen.

Ich unterbrach seinen Vortrag. Mit entschuldigendem Lächeln brachte ich vor, dass Epikur der Meinung war, uns wären die Sinne nicht gegeben worden, wenn sie zu nichts gut wären. Stimmte das nicht? »Müssen wir uns selbst verleugnen? Schaut nur hinüber zum Hof des Isis-Tempels, seht Ihr die Blüten, die dort über die Mauer hängen? Ist das nicht etwas, was man genießen sollte? Seht nur das fantastische Rot der Blumen! Diese Blumen an sich genügen schon, um einen von seinen Sorgen abzulenken. Wer will behaupten, dass Augen weiser sind als Hände oder Lippen?«

Die Jünglinge drehten sich zu mir um. Mit einigen von ihnen begann ich zu diskutieren. Wie frisch und hübsch sie anzusehen waren. Unter ihnen gab es langhaarige Babylonier und sogar hochgeborene Hebräer, alle mit starkem Haarwuchs auf Brust und Armen, und es gab auch viele Römer, die hier in der Kolonie lebten und die ganz verblüfft waren über meine Ausführungen, dass in der Fleischeslust und im Wein die Wahrheit des Lebens zu finden sei.

»Die Blumen und der Wein, die Sterne am Himmel, die Küsse des Geliebten, dies alles ist zweifellos Teil der Natur«, sagte ich zu ihnen. Natürlich war ich im Moment Feuer und Flamme, denn ich war gerade aus dem Tempel gekommen, wo ich mich von meinen Ängsten befreit und all meine Zweifel zerstreut hatte. Im Augenblick fühlte ich mich unbesiegbar. Die Welt war neu geschaffen für mich.

Der Lehrer – sein Name war Marcellus – trat unter dem Bogengang hervor, um mich zu begrüßen.

»Ach, edle Dame, Ihr erstaunt mich«, sagte er. »Aber von wem habt Ihr das, was Ihr glaubt, wirklich gelernt? Von Lukrez? Oder aus der Erfahrung? Ihr seht doch sicher ein, dass man die Menschen nicht immer ermutigen darf, sich in den Sinnen zu verlieren!«

»Habe ich von verlieren gesprochen?«, fragte ich zurück. »Sich hingeben heißt nicht, sich zu verlieren. Es heißt, zu ehren. Ich spreche davon, besonnen zu leben; ich empfehle, auf die Weisheit unseres Körpers zu lauschen. Ich spreche von der elementaren Intelligenz der Freundlichkeit und des Genusses. Und wenn Ihr es denn wissen wollt, Lukrez lehrte mich bei weitem nicht so viel, wie man annehmen könnte. Ich fand ihn eigentlich immer zu trocken. Die ganze Herrlichkeit des Lebens zu erfassen, lernte ich von Dichtern wie Ovid.«

Die Schar der Jünglinge klatschte Beifall. »Ich lernte von Ovid!«, rief einer nach dem anderen.

»Nun, das ist schön, aber ihr dürft eure Manieren ebenso wenig vergessen wie eure Lektionen«, sagte ich streng.

Erneuter Beifall. Dann begannen die jungen Männer, mit Versen aus Ovids *Metamorphosen* um sich zu werfen.

»Das ist großartig«, sagte ich und fügte hinzu: »Wie viele seid ihr? Fünfzehn. Warum besucht ihr mich nicht in meinem Haus und speist mit mir zu Abend? In fünf Tagen, ihr alle. Die Zeit brauche ich für die Vorbereitungen. Ich besitze viele Bücher, die ich euch zeigen möchte. Ich verspreche euch, dass ich euch auch zeigen werde, was ein schönes Fest für die Seele bewirken kann.«

Meine Einladung wurde mit viel Vergnügen und Gelächter angenommen. Ich beschrieb ihnen die Lage meines Hauses.

»Ich bin Witwe. Mein Name ist Pandora. Ich lade euch in aller Züchtigkeit ein, das Festmahl wird für euch bereit sein. Erwartet jedoch keine Tanzmädchen oder -jungen, die werdet ihr unter meinem Dach nicht finden. Macht euch aber auf köstliche Speisen gefasst. Und auf Dichtung. Wer von euch kann die Verse Homers vorsingen? Wirklich singen? Wer von euch singt sie jetzt hier aus dem Gedächtnis, nur zum Vergnügen?«

Lachen, unbeschwerte Heiterkeit. Triumph. Mir schien, sie alle konnten das und begrüßten die Gelegenheit, es zu zeigen. Jemand deutete an, dass eine andere Römerin hier in Antiochia rasend eifersüchtig sein würde, wenn sie entdeckte, dass sie Konkurrenz bekommen hatte.

»Unsinn!«, sagte ein anderer. »An ihrer Tafel herrscht sowieso Gedränge. Herrin, darf ich Eure Hand küssen?«

»Ihr müsst mir sagen, wer sie ist«, bat ich. »Ich werde ihr meine Reverenz erweisen. Ich möchte sie kennen lernen, und vielleicht kann ich ja etwas von ihr lernen.«

Der Lehrer lächelte. Ich steckte ihm ein paar Münzen zu.

Es wurde allmählich dunkel. Ich seufzte. Da – die ersten auftauchenden Sterne der Abenddämmerung, die der Nachtschwärze vorausgeht.

Ich nahm die unschuldigen Küsse dieser Jünglinge entgegen und bekräftigte noch einmal, dass das Festmahl stattfinden werde.

Doch etwas hatte sich verändert. Mit der Schnelligkeit eines Lidschlags. Schwarz geschminkte Lider? Nur das nicht!

Vielleicht lag es ja nur an der hässlichen Blässe des Zwielichts.

Ein Schauer überlief mich. *Ich bin es, die dich ruft.* Wer hatte diese Worte gesagt? *Hüte dich, denn man könnte dich mir fortnehmen, und ich will das nicht zulassen.*

Ich war verstummt. Ich hielt die Hand des Lehrers freundschaftlich fest. Er dozierte über das Maßhalten im Leben. »Seht meine einfache Tunika«, sagte er. »Diese Jungen hier haben alle so viel Geld, dass sie sich damit zerstören könnten.« Die Jünglinge protestierten.

Ich nahm das alles nur schemenhaft wahr. Ich versuchte ihnen zuzuhören. Meine Blicke schweiften umher. Woher kam nur diese Stimme? Wer sprach diese Worte? Wer befahl mich zu sich, und wer sollte den Raub versuchen?

Dann entdeckte ich zu meiner stummen Verwunderung einen Mann, der seine Toga über den Kopf gezogen hatte und mich beobachtete. Ich erkannte ihn sofort an seiner Stirn und seinen Augen. Und als er sich nun langsam davonmachte, erkannte ich auch seinen Gang.

Das war mein Bruder, der jüngste, Lucius, der, den ich heimlich verachtete. Er musste es sein. Und was für eine Hinterhältigkeit, dass er sich in die Schatten zurückzog, um nicht bemerkt zu werden.

Ich erkannte alles an ihm. Lucius. Am Ende des langen Säulengangs wartete er.

Ich konnte mich nicht bewegen, und es wurde immer dunkler. Alle Händler waren schon fort; sie hatten ihre Stände nur tagsüber geöffnet. Vor den Tavernen wurden Laternen oder Fackeln aufgehängt. Ein einzelner Buchhändler hatte noch geöffnet und unter den Lampen eine große Auswahl an Schriften ausgestellt.

Lucius – mein verhasster jüngster Bruder – lief nicht auf mich zu, um mich mit Tränen in den Augen zu begrüßen, sondern schlüpfte in die Dunkelheit des Säulengangs. Warum? Ich fürchtete, ich kannte den Grund.

Währenddessen bettelten die jungen Männer, ich möge sie doch in eine nahe gelegene Weinschenke begleiten, einem hübschen Plätzchen. Sie stritten sich schon, wer von ihnen mich dort zum Essen einladen dürfe.

Überlege gut, Pandora! Diese entzückende kleine Einladung stellte meinen Wagemut und meine Freiheit auf eine harte Probe. Und ich sollte mit diesen Jungen nicht in eine gewöhnliche Taverne gehen! Doch im Handumdrehen würde ich hier allein sein!

Auf dem Forum wurde es still. Die Feuer loderten vor den Tempeln. Doch dazwischen gab es große Räume von Dunkelheit. Der Mann mit der Toga wartete.

»Nein, ich muss jetzt hier verschwinden«, sagte ich. Verzweifelt überlegte ich, wie ich an einen Fackelträger kommen könnte. Sollte ich es wagen, diese jungen Leute zu bitten, mich nach Hause zu begleiten? Ich sah, dass im Hintergrund ihre Sklaven auf sie warteten, einige zündeten schon ihre Fackeln oder Laternen an.

Aus dem Isis-Tempel tönte Gesang herüber.

Ich war es, die dich gerufen hat. Hüte dich ... vor mir und meiner Absicht!

»Das ist Wahnsinn«, murmelte ich vor mich hin, während ich den Jünglingen, die nun zu zweit oder dritt davongingen, zum Abschied zuwinkte. Ich zwang mich zu einem Lächeln, zu freundlichen Worten.

Dabei warf ich Lucius' Gestalt zornige Blicke zu. Er lungerte nun am Ende des Säulengangs herum, vor ein paar Türen, die schon zur Nacht geschlossen waren. Seine ganze Haltung wirkte heimlichtuerisch und feige.

Ganz plötzlich fühlte ich eine Hand auf meiner Schulter. Ich schob sie sofort weg, um klarzumachen, dass ich solche Vertraulichkeit nicht duldete, und dann bemerkte ich einen Mann, der mir ins Ohr flüsterte:

»Der Priester vom Tempel bittet Euch zurückzukommen, Herrin. Er muss Euch dringend sprechen. Er wollte nicht, dass Ihr fortgeht, ohne mit ihm zu reden.«

Ich drehte mich um und fand einen Priester neben mir, mit dem ägyptischen Kopfputz und makellos weißem Leinen; um den Hals trug er ein Medaillon der Göttin.

Oh, dem Himmel sei Dank.

Doch ehe ich noch meine Fassung wiedererlangen oder antworten konnte, trat ein anderer Mann, der sein künstliches Bein schwer aufsetzte, kühn neben mich. Zwei Fackelträger begleiteten ihn, so dass uns warmes Licht umfing.

»Wünscht meine Herrin mit dem Priester zu sprechen?«, fragte er.

Es war Flavius. Er hatte meine Anordnungen befolgt und trug nun die prächtige Kleidung eines hoch gestellten Römers, eine lange Tunika und einen losen Umhang. Als Sklave war ihm die Toga nicht erlaubt. Sein Haar war ordentlich geschnitten und sah genauso ansehnlich aus wie das eines freien Mannes. Er strahlte vor Sauberkeit und erschien ausgesprochen selbstsicher.

Marcellus, der Philosophielehrer, zögerte. »Edle Pandora, Ihr seid zu gütig; ich darf Euch versichern, dass diese Schenke, in der die Jungen verkehren, vielleicht einen neuen Aristoteles oder Plato hervorbringen wird, dennoch ist sie kein geeigneter Ort für Euch.«

»Ich weiß das«, beruhigte ich ihn. »Habt keine Sorge.«

Der Lehrer beäugte den Priester und auch den gut aussehenden Flavius misstrauisch. Ich legte meinen Arm um Flavius' Taille.

»Dies ist mein Haushofmeister, der Euch an dem Abend, an dem Ihr kommt, willkommen heißen wird. Habt Dank, dass ich Eure Lehren unterbrechen durfte. Ihr seid sehr freundlich.«

Das Gesicht des Gelehrten verhärtete sich. Er beugte sich zu mir. »Dort unter dem Portiko steht ein Mann; schaut jetzt nicht hin, aber Ihr braucht mehr Sklaven zu Eurem Schutz. Diese Stadt ist in zwei Lager geteilt und gefährlich.«

»Ja, dann seht Ihr ihn also auch. Und seine großartige Toga, das Zeichen seiner edlen Geburt!«

»Es wird dunkler«, warf Flavius ein. »Ich will noch ein paar Fackelträger mieten und eine Sänfte. Gleich dort drüben.«

Er dankte dem Lehrer, der sich widerstrebend zurückzog.

Der Priester! Er wartete immer noch. Flavius winkte zwei weiteren Fackelträgern, die langsam herantrotteten, um sich uns anzuschließen. Nun hatten wir reichlich Licht.

Ich wandte mich an den Priester. »Ich werde sofort zum Tempel kommen, doch zuerst muss ich mit dem Mann da hinten reden! Mit dem dort im Schatten.« Ich zeigte deutlich sichtbar mit dem Finger auf ihn. Ich war von Licht übergossen. Ich hätte ebenso gut auf einer Bühne stehen können.

Die ferne Gestalt krümmte sich und versuchte mit der Mauer zu verschmelzen.

»Warum?«, fragte Flavius mit etwa so viel Demut, wie sie ein römischer Senator besaß. »Mit dem Kerl ist etwas faul. Er lungert herum. Der Lehrer hatte Recht.«

»Ich weiß«, erwiderte ich. In meinen Ohren klang das schwache Echo eines Frauenlachens! Ihr Götter, ich musste wenigstens so lange bei Verstand bleiben, bis ich mein Haus erreicht hatte! Ich schaute zu Flavius. Er hatte das Lachen nicht gehört.

Es gab einen sicheren Weg, die Sache anzugehen. »Ihr Fackelträger da«, sprach ich die vier Männer an, »ihr kommt alle mit mir. Und du, Flavius, bleibst hier bei dem Priester und beobachtest, wie ich diesen Mann begrüße. Ich kenne ihn. Komm nur, wenn ich dich rufe.«

»Oh, mir gefällt das nicht«, sagte Flavius.

»Mir auch nicht«, fiel der Priester ein. »Im Tempel wartet man auf Euch, Herrin, und wir haben viele Wächter, die Euch nach Hause begleiten können.«

»Ich werde Euch nicht enttäuschen«, sagte ich und schritt Meter für Meter über den gepflasterten Platz direkt auf die in ihre Toga gewickelte Gestalt zu, während die Fackeln mich umloderten.

Der Mann mit der Toga fuhr heftig zusammen, dann entfernte er sich ein paar Schritte von der Mauer.

Ich blieb kurz vor dem Säulengang stehen.

Er sollte nur näher kommen. Ich würde mich nicht von der Stelle rühren. Die Flammen der vier Fackeln wehten in der Brise. Jeder im Umkreis konnte uns sehen. Wir bildeten den hellsten Fleck auf dem Forum.

Der Mann kam näher. Zuerst langsam, dann beschleunigte er seine Schritte. Das Licht fiel auf sein Gesicht. Es war wutverzerrt.

»Lucius«, flüsterte ich. »Ich sehe dich, aber ich kann nicht glauben, was ich sehe.«

»Ich auch nicht«, entgegnete er. »Was, beim Hades, treibst du hier?«, sagte er zu mir.

»Wie bitte?« Ich war zu verblüfft, um zu antworten.

»Unsere Familie ist in Rom in Ungnade gefallen, und du stellst dich hier mitten in Antiochia zur Schau! Sieh dich mal an! Bemalt und parfümiert und das Haar geölt! Du bist eine Hure!«

»Lucius«, rief ich. »Was, im Namen der Götter, denkst du dir? Unser Vater ist tot! Deine Brüder sind wahrscheinlich tot. Wie bist du entkommen? Warum freust du dich nicht, mich zu sehen? Warum nimmst du mich nicht mit in dein Haus?«

»Mich freuen, dich zu sehen?«, zischte er. »Wir sind hier untergetaucht, du Hexe!«

»Wie viele von euch? Wer? Was ist mit Antonius? Und was ist mit Flora geschehen?«

Er grinste höhnisch vor Wut.

»Sie wurden alle ermordet, Lydia, und wenn du dich nicht in einen sicheren Winkel verkriechst, wo dich kein umherreisender Römer finden kann, bist du auch bald tot. Ach, dass du hier auftauchen musstest mit deinen philosophischen Sprüchen! In den Schenken reden sie schon alle über dich! Und dann dieser Sklave mit seinem künstlichen Bein! Ich habe dich heute Mittag gesehen, du verfluchte, elende Nervensäge. Der Dämon soll dich holen, Lydia!«

Das war reiner, unverhüllter Hass.

Wieder hörte ich dieses echohafte Gelächter. Er hörte es natürlich nicht. Nur ich konnte es vernehmen.

»Deine Frau, wo ist sie? Ich will sie sehen! Du wirst mich zu ihr bringen!«

»Bestimmt nicht!«

»Lucius, ich bin deine Schwester. Ich will deine Frau sehen. Du hast Recht, ich habe mich töricht benommen. Ich habe das alles nicht richtig bedacht. Es liegen so viele Seemeilen zwischen Antiochia und Rom. Mir ist gar nicht eingefallen –«

»Das ist typisch, Lydia, du denkst nie vernünftig oder praktisch. Das hast du noch nie getan! Du bist eine richtige Träumerin und obendrein dumm.«

»Lucius, was soll ich tun?«

Er schaute nach links und rechts, taxierte die Fackelträger. Dann kniff er die Augen zusammen. Ich konnte seinen Hass spüren. Oh, Vater, dass du das nicht aus den himmlischen Gefilden oder aus der Unterwelt mit ansehen musst! Mein Bruder will meinen Tod!

»Ja«, sagte ich, »vier Fackelträger, und wir stehen mitten auf dem Forum. Nicht zu vergessen den Mann mit dem Kunstbein da drüben und den Priester«, flötete ich. »Und denk auch an die Soldaten draußen vor des Kaisers Tempel. Vergiss die nicht! Wie geht es deiner Frau? Ich muss sie sehen. Ich werde sie heimlich besuchen. Sie wird glücklich sein, dass ich lebe, ganz bestimmt, denn ich liebe sie wie eine Schwester. Ich werde mich auch nicht wieder öffentlich mit dir sehen lassen. Das war ein großer Fehler.«

»Ach, hör auf damit«, antwortete er. »Schwestern! Sie ist tot!« Abermals ließ er den Blick von rechts nach links schweifen. »Alle wurden sie massakriert. Verstehst du nicht? Geh weg.« Er trat ein paar Schritte zurück, doch ich folgte ihm, so dass der Lichtschein wieder auf ihn fiel.

»Aber wer ist denn bei dir? Wer ist mit dir geflohen? Wer lebt denn noch?«

»Priscilla«, sagte er, »und wir hatten verdammtes Glück, dass wir noch rechtzeitig weggekommen sind.«

»Was? Deine Geliebte? Du bist mit deiner Geliebten hierher gekommen? Und die Kinder, sie sind alle tot?«

»Ja, sicher, müssen sie ja. Wie hätten sie entkommen können? Hör zu, Lydia, ich gebe dir eine Nacht, um hier aus der Stadt und aus meiner Nähe zu verschwinden. Ich bin hier bequem untergebracht und werde dich hier nicht dulden. Verschwinde aus Antiochia. Auf dem Land- oder Seeweg, das ist mir egal, aber verschwinde!«

»Du hast deine Frau und deine Kinder sterben lassen. Und bist mit Priscilla geflüchtet?«

»Wie, beim Hades, bist du denn entkommen, du widerliche, läufige Hündin? Das erzähl mir mal! Du hattest ja keine Kinder, du, der berühmte unfruchtbare Bauch der Familie!« Er warf einen Blick auf die Fackelträger. »Verschwinde hier!«, schrie er.

»Bleib, wo du bist.« Ich legte die Hand auf meinen Dolch, dabei öffnete ich den Umhang, so dass er das aufblitzende Metall sehen musste.

Er wirkte wahrhaft überrascht, dann zeigte er ein gespenstisches, falsches Lächeln. Ekel erregend.

»Lydia, ich würde dir um nichts in der Welt etwas antun«, sagte er, als hätte ich ihn beleidigt. »Ich mache mir nur Sorgen um uns alle. Es ging das Gerücht, alle wären getötet worden. Was sollte ich denn tun, zurückgehen und für nichts und wieder nichts sterben?«

»Du lügst! Und nenn mich nicht noch einmal eine läufige Hündin, wenn du nicht zum Eunuchen werden willst. Ich weiß, dass du lügst. Jemand gab dir einen Tipp, und du hast dich aus dem Staub gemacht! Oder warst du etwa selbst derjenige, der uns alle verraten hat!«

Schade für ihn, dass er nicht schlauer und geistesgegenwärtiger war. Er zeigte angesichts dieser ungeheuerlichen Vorwürfe nicht den Abscheu, den er hätte empfinden müssen. Er legte nur den Kopf schief und sagte:

»Nein, das ist nicht wahr. Weißt du, komm doch mit. Schick diese Männer weg, und sieh zu, dass du die Sklaven loswirst, und ich helfe dir. Priscilla verehrt dich.«

»Sie ist eine Lügnerin und Schlampe! Und wie ruhig du angesichts meiner Anschuldigungen geworden bist! Vorhin, als du mich gesehen hast, hast du vor Wut gekocht! Ich habe dich gerade beschuldigt, deine Familie bei den *delatores* denunziert zu haben. Ich habe dich beschuldigt, deine Frau und deine Kinder im Stich gelassen zu haben. Hast du das nicht gehört?«

»Das ist doch völliger Blödsinn, so etwas würde ich nie tun.«

»Dir kann man die Schuld von der Stirn ablesen. Schau dich an! Ich sollte dich auf der Stelle umbringen!«

Er machte ein paar Schritte rückwärts. »Verschwinde aus Antiochia«, sagte er. »Es ist mir egal, was du über mich denkst oder was ich tun musste, um mich und Priscilla zu retten. Hau ab aus Antiochia!«

Es gab keine Worte, um auszudrücken, wie ich ihn fand. Mein Urteil war härter, als meine Seele ertragen konnte.

Er entfernte sich von mir und eilte in die Dunkelheit, in der er verschwand, noch ehe er den Säulengang erreicht hatte. Ich horchte auf seine Schritte, wie sie auf der Straße widerhallten.

»Gütiger Himmel!«, flüsterte ich. Ich war den Tränen nahe. Doch meine Hand lag immer noch an dem Dolch.

Ich drehte mich um. Der Priester und Flavius standen viel näher als befohlen. Völlig verdutzt blieb ich stehen.

Ich wusste nicht, was ich tun sollte.

»Kommt sofort in den Tempel«, sagte der Priester.

»Gut«, sagte ich. »Flavius, du kommst mit mir, halt Wache zusammen mit den Fackelträgern. Du sollst bei den Tempelwächtern bleiben, und hab ein Auge auf diesen Mann.«

»Wer ist das, Herrin?«, flüsterte Flavius, als ich auf den Tempel zuschritt, beide im Schlepptau.

Wie königlich er aussah! Er hatte die Aura eines freien Mannes. Und seine Tunika war aus schöner, feiner Wolle, mit goldenen Streifen und einem goldenen Gürtel, und schmiegte sich eng an seine Brust. Selbst die elfenbeinerne Prothese hatte er poliert.

Ich war mehr als zufrieden. Aber war er auch bewaffnet?

Hinter seinem ruhigen Auftreten verbarg sich der feste Wille, mich zu beschützen.

In meinem Kummer fehlten mir die Worte, um ihm zu antworten.

Inzwischen eilten immer wieder Sklaven mit Sänften auf den Schultern kreuz und quer über den Marktplatz, zusammen mit anderen, die Fackeln trugen. Eine Art sanftes Glühen umgab dieses Treiben. Die Leute waren nun unterwegs zu Abendgesellschaften oder privaten Zeremonien. Auch im Tempel war etwas los.

Ich wandte mich an den Priester. »Ihr werdet über meinen Sklaven und die Träger wachen?«

»Ja, Herrin«, sagte er.

Nun war es vollkommen Nacht geworden. Eine sanfte Brise wehte. Unter den langen Säulengängen waren einige Lampen entzündet worden. Wir näherten uns den Kohlenpfannen der Göttin.

»Ich muss dich jetzt allein lassen«, sagte ich. »Du hast die Erlaubnis, mein Eigentum bis zum Tod zu verteidigen, wie du es vorhin so eloquent angeboten hast. Rühr dich nicht von diesen Portalen fort. Ohne dich werde ich nicht fortgehen. Ich werde nicht lange bleiben. Das habe ich nicht vor. Aber hast du ein Messer bei dir?«

»Ja, Herrin, doch es ist unbenutzt. Ich fand es unter Euren Sachen, und als Ihr nicht nach Hause kamt und es dunkel wurde ...«

»Erzähl keine langen Geschichten«, unterbrach ich ihn. »Du hast ganz richtig gehandelt. Du wirst vermutlich immer das Richtige tun.«

Ich stellte mich mit dem Rücken zum Platz und sagte: »Zeig mir das Messer. Ich will sehen, ob es nur Zierrat oder scharf ist.«

Als er es aus der Scheide an seinem Unterarm zog, berührte ich die Klinge mit dem Finger, Blut quoll aus der Schnittwunde. Ich gab es ihm zurück. Es hatte meinem Vater gehört. So hatte also mein Vater nicht nur seine Reichtümer, sondern auch seine Waffen in meine Truhen gelegt, damit ich überleben möge.

Flavius und ich tauschten einen langen Blick.

Der Priester wurde langsam nervös. »Herrin, bitte, tretet ein«, bat er.

Er geleitete mich durch die großen Tore ins Innere des Tempels, wo ich auf den Priester und die Priesterinnen vom Nachmittag traf.

»Ihr wollt etwas von mir?«, fragte ich sie. Der Atem stockte mir. Ich fühlte mich schwach. »Ich habe viel zu bedenken, Dinge, die zu tun sind. Kann das hier nicht warten?«

»Nein, Herrin, das kann es nicht!«, antwortete der Priester.

Ich spürte einen Schauer in den Gliedern, als würde ich beobachtet. Die weitläufigen Schatten des Tempelinneren verbargen zu viel.

»In Ordnung«, sagte ich. »Es geht um diese schrecklichen Träume, nicht wahr?«

»Ja«, sagte der Priester, »und um mehr als das.«

6

Wir wurden in ein Gemach geführt, das nur von einem einzelnen Licht spärlich erhellt war.

In dem flackernden Schein konnte ich nicht viel erkennen, nicht einmal die Gesichter meiner Begleiter sah ich deutlich. Ein orientalischer Wandschirm aus geschnitztem Ebenholz trennte den hinteren Teil des Raumes ab, und ich hatte das sichere Gefühl, dass sich dahinter jemand verbarg.

Aber mein Gefühl sagte mir auch, dass alle hier im Raum mir nur Freundlichkeit entgegenbrachten. Ich schaute mich um. Die Sache mit meinem Bruder machte mich so unglücklich und so ungeduldig, dass ich nicht einmal ein paar höfliche Worte zu Stande brachte.

»Bitte, vergebt mir«, sagte ich schließlich, »aber ich habe eine sehr dringliche Angelegenheit zu regeln, deshalb bin ich in Eile.« Ich machte mir inzwischen Sorgen um Flavius' Sicherheit. »Ihr müsst Wachen zur Verstärkung zu meinem Sklaven hinausschicken, jetzt sofort.«

»Das ist schon geschehen, Herrin«, antwortete der Priester, den ich schon kannte. »Ich bitte Euch, bleibt und erzählt Eure Geschichte.«

»Wer ist dort«, ich zeigte in die Richtung, »hinter dem Wandschirm? Warum hat die Person sich verborgen?« Das war sehr ungehobelt und respektlos, aber ich befand mich in Alarmstimmung.

»Es ist einer unserer treuesten Anhänger«, sagte der Priester, der mich am Nachmittag zum Allerheiligsten geführt hatte. »Er kommt häufig in der Nacht, um am Altar zu beten, und er spendet dem Tempel viel Geld. Er will nur hören, was wir zu besprechen haben.«

»Dessen bin ich mir nicht so sicher. Sagt ihm, er solle herauskommen!«, verlangte ich. »Außerdem, was sollen wir denn besprechen?«

Ich war plötzlich wütend, weil ich dachte, sie hätten vielleicht mein Vertrauen missbraucht. Ich hatte ihnen zwar meinen richtigen römischen Namen verschwiegen und nur von meinem traurigen Schicksal erzählt, aber der Tempel war heilig.

Nervosität gesellte sich zu ihrer Freundlichkeit.

Eine in ihre Toga gehüllte Person von bemerkenswert großer Statur – wesentlich größer als mein Bruder – trat hinter dem Wandschirm hervor. Die Toga war, abgesehen von ihrer dunklen Farbe, das klassische Modell. Sie verdeckte das Gesicht des Mannes. Nur seine Lippen konnte man sehen.

Er flüsterte:

»Habt keine Furcht. Heute Nachmittag habt Ihr der Priesterschaft von Euren Blutträumen erzählt.«

»Das war ganz im Vertrauen«, sagte ich aufgebracht. Ich war durch und durch misstrauisch, denn ich hatte diesen Leuten einiges mehr erzählt als nur von diesen Blutträumen.

Ich versuchte die Gestalt deutlicher zu erkennen. Irgendetwas an ihr kam mir sehr bekannt vor – die Stimme, trotz des Flüstertons ... und noch etwas.

»Edle Pandora«, sagte die Priesterin, die mir früher am Tag so viel Trost gespendet hatte. »Ihr habt mir von einem alten, legendären Kult erzählt, den wir heute ablehnen und verdammen. Ein Kult zu Ehren unserer geliebten Mutter Isis, der einstmals auch Menschenopfer einschloss. Ich sagte Euch schon, dass wir so etwas verabscheuen. Und das stimmt auch.«

»Dennoch«, sagte der Priester, »gibt es jemanden in Antiochia, der Blut von Menschen trinkt; er saugt es ihnen aus, bis sie tot sind. Dann wirft er ihre Körper vor Tagesanbruch auf unsere Stufen. Auf die Stufen unseres Tempels!« Er stieß einen Seufzer aus. »Herrin Pandora, ich vertraue Euch hier ein schreckliches Geheimnis an.«

Alle Gedanken an meinen grässlichen Bruder waren verflogen. Die Bestie der Träume überfiel mich mit ihrem Pesthauch. Ich versuchte meine fünf Sinne zusammenzuhalten. Wieder dachte ich an die Stimme, die in meinem Kopf erklungen war: *Ich bin es, die dich ruft.* Das Frauenlachen.

»Nein, es war das Lachen einer Frau«, murmelte ich.

»Edle Pandora?«

»Ihr sagt, dass jemand in Antiochia umgeht, der Blut trinkt.«

»Bei Nacht. Am Tag ist er außer Stande«, sagte der Priester. Der Traum erstand vor meinen Augen, die aufgehende Sonne, und ich wusste, dass ich, die Bluttrinkerin, in den Strahlen der Sonne sterben würde.

»Ihr wollt behaupten, dass diese Bluttrinker meiner Träume tatsächlich existieren?«, fragte ich. »Dass einer von ihnen hier ist?«

»Zumindest möchte jemand, dass wir das glauben«, antwortete der Priester. »Wir sollen glauben, dass die alten Sagen wahr sind, doch wir wissen nicht, wer das ist. Und wir trauen den römischen Behörden nicht über den Weg. Ihr wisst, was in Rom geschah. Ihr seid zu uns gekommen und habt von Träumen erzählt, in denen die Sonne Euch tötete, in denen Ihr Blut trankt. Herrin, ich missbrauche Euer Vertrauen nicht. Der dort –«, er deutete auf den hoch gewachsenen Mann, »das ist derjenige, der die alten Schriften lesen kann. Er hat die alten Sagen gelesen. Diese Sagen spiegeln sich in Euren Träumen.«

»Mir ist schlecht«, sagte ich, »ich muss mich setzen. Ich habe Feinde, derentwegen ich mir den Kopf zerbrechen muss.«

»Ich werde Euch vor Euren Feinden beschützen«, versprach der mysteriöse große Mann in der Toga.

»Wie wollt Ihr das? Ihr kennt sie doch nicht einmal.«

Da kam eine stimmlose Botschaft von dem großen Mann in der Toga: *Dein Bruder Lucius hat die ganze Familie verraten. Er tat es, weil er auf deinen Bruder Antonius eifersüchtig war. Für ein Drittel eures Familienvermögens hat er euch alle an die* delatores *verkauft, und ehe das große Morden begann, hat er sich davongemacht. Er arbeitete mit Sejanus von den Prätorianern zusammen. Er will dich töten.*

Das versetzte mir einen Schock, aber nicht in dem Ausmaß, dass ich mich von dieser Person überwältigen ließ.

Du sprichst wie diese Frau, sagte ich im Stillen für mich. *Du sprichst meine Gedanken an. Du sprichst wie die Frau, die in meinem Geist sagte: »Ich bin es, die dich ruft.«*

Ich spürte förmlich, wie sehr ihn das erschreckte. Doch auch ich schwankte, als hätte mich ein vernichtender Schlag getroffen. Dieses Geschöpf wusste also über meine Brüder Bescheid, und Lucius hatte uns wirklich verraten. Und der da wusste es!

»*Was bist du?*«, schleuderte ich dem inneren Sprecher, dem Hochgewachsenen, entgegen. »*Bist du ein Zauberer?*«

Keine Antwort.

Unterdessen verfolgten der Priester und die Priesterin, die diese stumme Unterhaltung nicht hören konnten, ihren eingeschlagenen Kurs.

»Dieser Bluttrinker, edle Pandora, er legt im Morgengrauen seine menschlichen Opfer auf unseren Tempelstufen ab. Auf ihre Körper schreibt er mit ihrem Blut einen alten ägyptischen Namen. Wenn die Behörden das entdecken, dann könnten sie unseren Tempel dafür verantwortlich machen. Das ist jedoch nicht unser Kult.

Würdet Ihr uns – unserem Freund hier – noch einmal von Euren Träumen erzählen? Wir müssen den Isis-Kult schützen.

Wir haben nicht an diese alten Sagen geglaubt ... bis diese Kreatur auftauchte und mit ihren Morden begann; dann taucht eine schöne römische Frau von jenseits des Meeres auf und erzählt von ähnlichen Wesen, die in ihren Träumen umgehen.«

»Welchen Namen schreibt er auf seine Opfer, dieser Bluttrinker? Etwa Isis?«, fragte ich.

»Er hat keine Bedeutung. Er ist tabu, es ist ein alter ägyptischer Name. Einer der Namen, mit dem Isis einst genannt wurde, aber nicht mehr von uns.«

»Wie heißt er?«

Keiner antwortete, auch der stumme Sprecher nicht.

In der Stille schweiften meine Gedanken zu Lucius, und beinahe hätte ich geweint. Dann überfiel mich Hass, tiefer Hass, wie zuvor auf dem Forum, als ich mit ihm gesprochen und seine ängstliche Wut erlebt hatte. Die ganze Familie verraten! Schwach zu sein ist gefährlich. Antonius und mein Vater waren beide so starke Persönlichkeiten gewesen.

»Edle Pandora«, sagte der Priester nun, »sagt uns doch, was Ihr vielleicht über dieses Wesen in Antiochia wisst. Habt Ihr auch von ihm geträumt?«

Ich dachte an die Träume und versuchte ernsthaft, auf das einzugehen, was diese Leute mir mitteilten.

Der große, entfernt stehende Römer ergriff das Wort:

»Die edle Pandora weiß nichts über diesen Bluttrinker. Sie sagt euch die Wahrheit. Sie kennt nur ihre Träume, und darin wurden keine Namen genannt. In ihren Träumen sieht sie ein Ägypten aus früheren Zeiten.«

»Nun, ich danke Euch, gnädiger Herr!«, fauchte ich. »Und wie seid Ihr zu diesem Schluss gekommen?«

»Indem ich Eure Gedanken gelesen habe«, antwortete der Römer ganz ungerührt. »Genauso wie ich es mit denen gemacht habe, die Euch hier in Gefahr bringen könnten. Ich werde Euch vor Eurem Bruder schützen.«

»Tatsächlich. Das solltet Ihr besser mir überlassen. Ich werde schon selbst mit ihm abrechnen. Nun wollen wir das Problem meines persönlichen Ungemachs beiseite lassen. Und Ihr, der Ihr so überaus klug seid, erklärt mir doch, warum ich diese Träume habe! Bei Eurem Gedankenlesen sollte ein brauchbares Zaubermittel herauskommen. Wisst Ihr, ein Mann mit Euren Gaben müsste sich dem Gerichtshof zur Verfügung stellen und für die Richter entscheiden, wenn Ihr tatsächlich Gedanken lesen könnt. Warum geht Ihr nicht nach Rom und werdet Berater von Kaiser Tiberius?«

Ich konnte fühlen, deutlich fühlen, dass im Inneren des geheimnisvollen Römers ein kleiner Aufruhr entstand. Wieder hatte ich dieses Gefühl, dass mir irgendetwas an ihm bekannt vorkam. Natürlich waren mir Totenbeschwörer, Astrologen oder Orakel nicht fremd. Doch dieser Mann hatte ganz bestimmte Namen genannt – Antonius, Lucius. Er verblüffte mich.

»Nun sagt mir doch, Geheimnisvoller«, bat ich, »wie nahe kommen meine Träume dem, was Ihr in den alten Schriften gelesen habt? Und dieser Bluttrinker, der Antiochia unsicher macht, ist er ein Sterblicher?«

Schweigen.

Ich strengte mich an, den Mann deutlicher zu erkennen, aber es gelang mir nicht. Er hatte sich sogar noch tiefer in die Dunkelheit zurückgezogen. Meine Nerven waren bis zum Zerreißen gespannt. Ich wollte Lucius umbringen; genau genommen hatte ich keine andere Wahl.

Der Römer sagte leise: »Sie weiß nichts über den Bluttrinker in Antiochia. Erzählt ihr, was ihr über ihn wisst – denn möglicherweise ist er es, dieser Bluttrinker, der ihr diese Träume schickt.«

Ich war verwirrt. Die Stimme vorher war ganz eindeutig die einer Frau gewesen: *Ich bin es, die dich ruft.*

Das irritierte den Römer; ich spürte es wie einen kleinen Wirbel in der Luft.

»Wir haben ihn gesehen«, sagte der Priester. »Wir haben ihn nämlich beobachtet, weil wir diese unglücklichen, ausgetrockneten Leichen fortnehmen wollten, ehe sie jemand findet und uns dafür verantwortlich macht. Er ist verbrannt am ganzen Körper, ganz schwarz. Das kann kein Mensch sein. Er ist einer der alten Götter, so schwarz verkohlt, als befände er sich in einem flammenden Inferno.«

»Amon Ra!«, rief ich. »Aber warum ist er nicht gestorben? In den Träumen sterbe ich.«

»Ach, er ist schrecklich anzusehen«, sagte die Priesterin plötzlich, als könnte sie sich nicht länger zurückhalten. »Dieses Wesen kann kein Mensch sein. Seine Knochen stechen durch die verkohlte Haut. Aber es ist schwach, und seine Opfer sind es auch. Es torkelt nur, und doch ist es im Stande, den armen Geschöpfen, von denen es sich nährt, das Blut vollkommen auszusaugen. Am Morgen kriecht es dann fort, als hätte es nicht die Kraft zu laufen.«

Der Priester wirkte ungeduldig.

»Aber er ist lebendig«, sagte er. »Lebendig! Ob Gott oder Dämon oder Mensch, er ist lebendig. Und jedes Mal, wenn er von diesen Schwächlingen trinkt, bekommt er etwas mehr Kraft. Und er ist direkt den alten Sagen entsprungen, und von denen habt Ihr geträumt. Er trägt sein Haar lang, übrigens im alten ägyptischen Stil. Die Verbrennungen verursachen ihm Höllenqualen. Er schleudert Flüche gegen den Tempel.«

»Was für Flüche?«

Die Priesterin mischte sich plötzlich ein. »Er scheint zu glauben, dass Königin Isis ihn verraten hat. Er spricht ein altes Ägyptisch. Wir können ihn kaum verstehen. Unser römischer Freund hier, unser Wohltäter, hat uns die Worte übersetzt.«

»Hört auf!«, verlangte ich. »Mir schwirrt der Kopf. Sagt nichts mehr. Was der Mann dort drüben gesagt hat, stimmt. Ich weiß nichts über diese elende, verbrannte Kreatur. Ich weiß nicht, wieso ich diese Träume habe. Ich glaube, eine Frau schickt sie mir. Es könnte die Königin sein, die ich euch beschrieben habe, die Königin, die in Ketten auf dem Thron sitzt und weint, ich weiß nicht, warum!«

»Diesen Mann habt Ihr nie gesehen?«, fragte der Priester.

Der Römer antwortete an meiner Stelle: »Hat sie nicht.«

»Oh, da kommen ja schon wieder Eure wunderbaren Talente als Sprecher zur Geltung!«, sagte ich zu ihm. »Ich bin entzückt! Warum versteckt Ihr Euch hinter Eurer Toga? Warum steht Ihr da drüben, so weit weg, dass ich Euch nicht richtig erkennen kann? Habt Ihr diesen Bluttrinker gesehen?«

»Übt Nachsicht mit mir«, antwortete er. Das war so charmant gesagt, dass ich es nicht fertig brachte, ihn weiter anzugreifen. Ich wandte mich wieder an den Priester und die Priesterin.

»Warum lauert ihr diesem schwarzen Mann, diesem Schwächling, nicht auf?«, wollte ich wissen. »In meinem Geist ertönen Stimmen. Aber die Worte kommen von einer Frau; sie warnt mich vor einer Gefahr. Es ist das Lachen einer Frau. Ich möchte nun gehen, ich möchte nach Hause. Ich habe etwas Dringendes zu erledigen und muss klug vorgehen. Ich muss aufbrechen.«

»Ich werde Euch vor Eurem Feind schützen«, erklärte der Römer.

»Das ist reizend«, spottete ich. »Wenn Ihr mich beschützen könnt, wenn Ihr wisst, wer mein Gegner ist, wieso könnt Ihr dann nicht auch diesem Bluttrinker auflauern? Fangt ihn mit einem Gladiatorennetz. Stoßt fünf Dreizacke in ihn. Fünf Leute können ihn bändigen. Ihr braucht ihn doch nur festzuhalten, bis die Sonne aufgeht; die Strahlen des Amon Ra werden ihn töten. Vielleicht dauert es zwei oder drei Tage, doch töten werden sie ihn. Er wird verbrennen wie ich in meinem Traum. Und Ihr, Gedankenleser, warum helft Ihr nicht dabei?«

Ich brach ab, entsetzt und verstört. Warum war ich mir dessen so sicher? Warum nannte ich den Namen Amon Ra so ungezwungen, als glaubte ich an diesen Gott? Ich wusste kaum etwas über ihn.

»Er weiß, wenn wir ihm auflauern«, sagten Priester und Priesterin. »Er weiß auch, wann unser Freund hier ist, dann kommt er nicht. Wir sind wachsam und geduldig; wenn wir denken, wir werden nichts mehr von ihm sehen, dann taucht er wieder auf. Und nun kommt Ihr auch noch mit diesen Träumen.«

Wie ein greller Blitz stieg einer der Träume wieder vor mir auf. Ich war ein Mann. Ich schritt und fluchte. Ich weigerte mich, etwas zu tun, das man mir befohlen hatte. Eine Frau weinte. Ich wehrte die Leute ab, die mich aufhalten wollten. Aber als ich fortrannte, hatte ich nicht damit gerechnet, in einem Wüstengebiet zu stranden, wo es keinen Schutz für mich gab.

Falls die anderen mich ansprachen, merkte ich es nicht. Ich hörte die Frau aus meinem Traum weinen, es war die gefesselte Königin, und auch sie war eine Bluttrinkerin. »Du musst von der Urquelle trinken«, sagte der Mann in meinem Traum. Aber er war gar kein Mann. Und ich war kein Mann. Wir waren Götter. Wir waren Bluttrinker. Deshalb vernichtete mich die Sonne. Es war die Kraft eines mächtigeren Gottes. Dieses winzige Erinnerungsstückchen blitzte aus zahllosen Traumschichten hervor.

Ich kam wieder zu mir oder vielmehr zu den anderen, die ich wieder wahrnahm, als mir jemand einen Becher Wein in die Hand drückte. Ich trank. Es war ein hervorragender Wein aus Italien, und ich fühlte mich erfrischt, obwohl auch sofort schläfrig. Wenn ich noch mehr davon trinken würde, wäre ich für den Rückweg zu müde. Ich brauchte meine Kraft.

»Nehmt das fort«, sagte ich. Ich schaute die Priesterin an. »Ich habe Euch gesagt, dass ich in den Träumen eine von ihnen war. Sie wollten, dass ich von der Königin trinke. Sie nannten sie die ›Urquelle‹. Sie behaupteten, sie wisse nicht mehr, wie man herrscht. Ich habe Euch das erzählt.«

Die Priesterin brach in Tränen aus und kehrte uns den Rücken zu, ihre schmalen Schultern zuckten.

»Ich gehörte zu den Bluttrinkern«, sagte ich. »Mich dürstete nach Blut. Hört zu, ich bin kein Anhänger von Blutopfern. Was wisst ihr hier? Existiert Königin Isis irgendwo innerhalb des Tempels, in Fesseln gelegt?«

»Nein«, schrie der Priester. Die Priesterin drehte sich um und wiederholte das entsetzte Nein wie ein Echo.

»Also gut, aber ihr habt gesagt, es gebe Sagen, dass sie irgendwo körperlich existiert. Was, glaubt ihr, geschieht hier? Hat sie mich zu sich gerufen, damit ich diesem einen, diesem verbrannten Schwächling helfe? Warum ich? Wie könnte ich das? Ich bin eine Sterbliche. Dass ich mich an Träume von einem vergangenen Leben erinnere, steigert meine Fähigkeiten noch nicht. Hört mir zu! Es war eine weibliche Stimme, wie schon gesagt, die innerlich zu mir sprach, vor einer knappen Stunde, da draußen auf dem Forum, und sie sagte: ›Ich bin die, die dich gerufen hat.‹ Das habe ich gehört, und sie schwor, sie wolle nicht zulassen, dass ich ihr geraubt werde. Dann taucht dieser sterbliche Mann auf, der für mich eine wesentlich größere Bedrohung darstellt als jede Stimme in meinem Kopf. Die Stimme warnte mich vor ihm! Ich will mit keiner eurer mysteriösen ägyptischen Religionen etwas zu tun haben! Ich lehne es ab, verrückt zu werden. Ihr seid nun an der Reihe, ihr alle – und besonders dieser begabte Gedankenleser –, ihr müsst dieses Wesen finden, ehe es noch mehr Unheil anrichtet. Lasst mich gehen.«

Ich stand auf und wollte den Raum verlassen.

Hinter mir erklang plötzlich die Stimme des Römers, sehr sanft: »Wollt Ihr wirklich allein hinaus in die Nacht, obwohl Ihr ganz genau wisst, was Euch erwartet – dass Ihr einen Feind habt, der Euch töten will, und dass Ihr noch dazu durch Eure Träume etwas wisst, das diesen Bluttrinker auf Eure Fersen hetzen könnte?«

Mit seiner halb sarkastischen Ausdrucksweise schlug dieser windige Gedankenleser einen ganz anderen Ton an, so dass ich fast lachen musste.

»Ich gehe jetzt nach Hause!«, sagte ich bestimmt.

Alle verlegten sich, in verschiedenen Tonarten, aufs Bitten: »Bleibt doch hier im Tempel.«

»Auf keinen Fall«, sagte ich. »Wenn die Träume wieder auftreten, werde ich sie für euch niederschreiben.«

»Wie könnt Ihr nur so töricht sein«, sagte der Römer mit übertriebener Ungeduld. Man hätte denken können, er wäre mein Bruder!

»Das ist eine unverzeihliche Frechheit«, fauchte ich. »Brauchen sich Magier und Gedankenleser nicht an gute Manieren zu halten?« Ich schaute den Priester und die Priesterin an. »Wer ist dieser Mann?«

Ich ging hinaus, und sie folgten mir. Ich eilte zum Portal.

Im Licht sah ich das Gesicht der Priesterin. »Wir wissen nur, dass er unser Freund ist. Bitte, hört auf seinen Rat. Er hat bisher nur Gutes für den Tempel getan. Er kommt, um die ägyptischen Bücher zu lesen, die wir hier haben. Er kauft sie von den Geschäften auf, sobald eine neue Schiffsladung ankommt. Er ist weise. Er kann Gedanken lesen, wie Ihr wisst.«

»Ihr habt mir eine Eskorte von Wächtern versprochen«, sagte ich.

Und ich werde da sein. Das kam von dem Römer, obwohl ich nicht wusste, wo er sich im Augenblick befand. Er war nicht in der großen Halle.

»Kommt und bleibt im Isis-Tempel, so kann Euch nichts geschehen«, bat der Priester.

»Ich bin nicht die Frau, die für das Tempelleben geeignet wäre«, sagte ich und versuchte, möglichst dankbar und bescheiden zu klingen. »Ich würde euch innerhalb einer Woche zur Verzweiflung treiben. Öffnet bitte das Portal.«

Ich schlüpfte hinaus. Wieder in der römischen Nacht, zwischen römischen Säulen und römischen Tempeln, hatte ich das Gefühl, als ob ich aus einem dunklen Korridor voller Spinnweben geflohen wäre.

Ich entdeckte Flavius, der sich gegen die Säule neben mir presste, den Blick auf die Stufen gerichtet. Unsere vier Fackelträger hatten sich in unserer Nähe verängstigt zusammengedrängt. Einige andere Männer waren offensichtlich Tempelwachen, aber sie hielten sich wie Flavius im Schutz der Portale auf.

»Herrin, geht wieder hinein!«, flüsterte Flavius.

Am Fuß der Treppe stand eine Gruppe behelmter römischer Soldaten in voller Uniform, mit poliertem Harnisch, kurzer Tunika und halblangem rotem Umhang. Sie hielten ihre tödlichen Schwerter, als befänden sie sich im Kampf. Ihre bronzenen Helme schimmerten im Licht der Kohlenpfannen.

Kampfausrüstung mitten in der Stadt. Alles vorhanden, außer den Schilden. Und wer war der Anführer?

Neben dem Anführer stand mein Bruder Lucius. Auch er hatte seine roten Kampftuniken angelegt, doch trug er weder Harnisch noch Schwert. Seine Toga lag, mehrfach gefaltet, über seinem linken Arm. Er war gepflegt, sein Haar glänzte, um ihn war die Aura des Geldes. Ein juwelenbesetzter Dolch steckte an seinem Unterarm, ein weiterer in seinem Gürtel.

Bebend zeigte er auf mich.

»Da ist sie«, sagte Lucius. »Von der ganzen Familie hat nur sie sich dem Befehl des Sejanus entzogen. Es war eine Verschwörung gegen Tiberius, und irgendwie hat sie es mit Bestechung geschafft, aus Rom zu fliehen!«

Ich warf einen schnellen, abschätzenden Blick auf die Soldaten.

Zwei waren jung, Asiaten, doch die anderen waren *alt*, und es waren *Römer*: sechs insgesamt. Ihr Götter, die mussten mich für Circe halten!

»Geht wieder hinein«, drängte mein lieber, treuer Flavius, »sucht Schutz.«

»Sei still«, sagte ich. »Dazu ist immer noch Zeit.«

Der Anführer, er war der Schlüssel, und ich sah, dass er ein älterer Mann war, älter auf jeden Fall als mein Bruder Antonius, wenn auch nicht so alt wie mein Vater. Er hatte buschige graue Augenbrauen und war untadelig rasiert.

Stolz trug er seine Narben aus früheren Schlachten, eine auf der Wange, eine andere am Oberschenkel. Er wirkte erschöpft. Seine Augen waren rot, und er schüttelte den Kopf, als wollte er seine Sicht klären.

Seine Arme waren tief gebräunt, mit kräftigen Muskeln. Das bedeutete Krieg – zahllose Kriege.

Lucius verkündete: »Die ganze Familie ist verurteilt worden. Die Frau sollte auf der Stelle exekutiert werden!«

Ich entschloss mich für eine Strategie, als wäre ich Cäsar persönlich. Ich erhob plötzlich meine Stimme, während ich zwei Stufen weiter hinunterging:

»Ihr seid der Legat, nicht wahr? Ihr müsst sehr müde sein.« Ich ergriff seine Hand mit meinen beiden Händen. »Habt Ihr unter dem Befehl von Germanicus gestanden?«

Er nickte.

Das war der erste Treffer!

»Meine Brüder haben mit Germanicus im Norden gekämpft«, sagte ich. »Und Antonius, der älteste, hat nach dem Triumphzug durch Rom noch so lange gelebt, dass er uns davon berichten konnte, wie sie die Gebeine im Teutoburger Wald fanden.«

»Ach, meine Dame, dieses Totenfeld zu sehen! Eine ganze Armee in einen Hinterhalt gelockt und die Leichen einfach der Verwesung preisgegeben!«

»Zwei meiner Brüder sind in der Schlacht gefallen. Bei einem Sturm an der Nordsee.«

»Herrin, nie zuvor hat man solche Schrecken gesehen, aber glaubt Ihr, Thor, der Gott der Barbaren, hätte unserem Germanicus Angst einjagen können?«

»Niemals. Und dann seid Ihr mit dem General hierher gekommen?«

»Ich bin ihm überallhin gefolgt, von den Ufern der Elbe im Norden bis zur Mündung des Nils im Süden.«

»Wunderbar, und Ihr seid sehr erschöpft, Tribun, man sieht, Ihr braucht Schlaf. Wo ist denn der berüchtigte Gouverneur Piso? Warum brauchte er so lange, um in der Stadt wieder Ruhe einkehren zu lassen?«

»Weil er gar nicht hier ist, meine Dame. Und er wagt auch nicht zurückzukommen. Einige sagen, dass er in Griechenland eine Meuterei angezettelt habe, andere sagen, er fliehe um sein Leben.«

»Hört nicht auf sie!«, schrie Lucius.

»Man hat ihn auch in Rom nie besonders gemocht«, sagte ich.

»Germanicus, das war der, den meine Brüder geliebt haben, und mein Vater sang sein Loblied.«

»So ist es, und wenn wir ein Jahr mehr gehabt hätten – ein Jahr nur, meine Dame! –, wir hätten das Feuer, das dieser verdammte Emporkömmling Arminius entfacht hatte, für immer gelöscht! Ach, wir hätten nicht so lange gebraucht! Ihr habt die Nordsee erwähnt. Wir haben überall gekämpft.«

»O ja, in den dichtesten Wäldern! Erzählt mir doch, wart Ihr dabei, mein Herr, als man die verloren gegangene Standarte fand, das Zeichen der Legionen des Varus? Stimmt die Geschichte?«

»Ach, meine Dame, als der goldene Adler wieder ans Licht kam, diese Freudenschreie von den Legionären, dergleichen habt Ihr noch nie gehört.«

»Diese Frau ist eine Lügnerin und eine Verräterin«, rief Lucius.
Ich wandte mich zu ihm. »Treib es nicht zu weit! Du strapazierst
meine Geduld. Du weißt doch nicht einmal, welche Legionen
unter General Varus im Teutoburger Wald in den Hinterhalt
rannten, oder weißt du es etwa? Es waren die Siebte, die Achte
und die Neunte.«

»Richtig, genau«, sagte der Legat. »Und wir hätten diese germanischen Stämme ausradieren können! Das Imperium würde
nun bis an die Elbe reichen! Aber aus einem Grund, den anzu-
zweifeln mir nicht zusteht, rief uns Kaiser Tiberius zurück.«

»Hm, und dann verurteilte er euren geliebten Heerführer, weil
der Ägypten besuchte.«

»Meine Dame, Germanicus machte diese Reise nicht, um mehr
Macht zu gewinnen. Es war wegen einer Hungersnot.«

»Ja, und schließlich hatte man Germanicus zum *Imperium
Maius* aller östlichen Provinzen erklärt«, fügte ich hinzu.

»Und es gab so viel Ärger!«, sagte der Legat. »Ihr könnt Euch
die Moral und die Sitten der Soldaten gar nicht vorstellen,
aber unser General schlief nie! Er machte sich sofort auf den
Weg, als er von der Hungersnot erfuhr.«

»Und Ihr seid ihm gefolgt?«

»Wir alle, seine Truppen. In Ägypten sah er sich mit Begeiste-
rung die alten Monumente an. Ich auch.«

»Oh, wie schön für ihn! Ihr müsst mir mehr von Ägypten
erzählen! Ihr wisst, als Tochter eines Senators darf ich nicht
nach Ägypten, genauso wenig wie ein Senator. Ich würde so
gern …«

»Warum denn nicht?«, fragte der Legat.

»Sie lügt!«, brüllte Lucius. »Ihre ganze Familie wurde ermordet.«

»Aus einem ganz einfachen Grund, Tribun«, erklärte ich dem
Mann. »Es ist kein Staatsgeheimnis. Weil Rom wegen der Ge-
treidelieferungen so abhängig von Ägypten ist, möchte der
Kaiser vermeiden, dass es je in die Hand eines mit viel Macht

ausgestatteten Verräters fällt. Sicherlich seid Ihr wie ich in der Furcht vor einem weiteren Bürgerkrieg aufgewachsen.«

»Ich habe immer auf meine Generäle vertraut«, versicherte der Legat.

»Und damit hattet Ihr Recht. Und auch bei Germanicus habt Ihr bestimmt nur Loyalität gegenüber dem Kaiser gefunden, nicht wahr?«

»Genauso ist es. Ach, Ägypten! Was für Tempel und Statuen wir gesehen haben!«

»Und die singenden Statuen?«, fragte ich. »Habt Ihr die auch gesehen, den kolossalen Mann und die Frau, die bei Sonnenaufgang ihre Klage anstimmen?«

»Ja, ich habe es sogar gehört, meine Dame«, sagte er und nickte heftig. »Ich habe die Klänge gehört! Es ist Magie. Und Ägypten ist voller Magie!«

»Hm.« Ein Beben durchlief mich. Ich verscheuchte es. Blitzartig schossen mir zwei sich überschneidende Bilder durch den Kopf: das des hoch gewachsenen Römers in seiner Toga und das einer verbrannten, hinterhältigen Kreatur! Lass deine Gedanken nicht abschweifen, Pandora!

»Und im Tempel des großen Ramses las uns ein Priester die Inschriften an der Wand vor«, fuhr der Legat fort. »Alles nur Sieg und Krieg! Wir haben gelacht, weil sich nichts je wirklich ändert, meine Dame.«

»Und Piso, der Gouverneur, haltet Ihr die Gerüchte für wahr? Können wir nicht ruhig über sie als Gerüchte reden, anstatt sie als Tatsachen zu nehmen?«

»Jeder hier verachtet ihn!«, sagte der Legat. »Er war, schlicht und einfach gesagt, ein schlechter Soldat! Und Agrippina, die Ältere, Germanicus' geliebte Frau, ist nun mit der Asche des Generals unterwegs nach Rom. Sie will vor dem Senat offiziell Anklage gegen den Gouverneur erheben.«

»Ja, das ist sehr mutig von ihr, und so sollte man es auch handhaben. Wenn man ganze Familien ohne Gerichtsverfahren verurteilt, dann sind wir der Tyrannei anheim gefallen, ist es nicht so? Du da, unser armer Irrer, bist du nicht auch dieser Ansicht?«

Lucius verschlug es die Sprache! Er lief rot an.

»Und im Teutoburger Wald«, sagte ich mitleidig, »an diesem düsteren Schauplatz unseres Verderbens, habt Ihr da die verstreuten Gebeine unserer untergegangenen Legionen gesehen?«

»Haben sie begraben, meine Dame, mit diesen unseren Händen!« Der Legat streckte mir seine wettergegerbten, vernarbten Handflächen entgegen. »Wer konnte sagen, welche Knochen von unseren und welche von ihren Leuten stammten? Und die Tribüne des feigen, hinterhältigen Königs stand immer noch da, wo dieser abscheuliche langhaarige Kerl den Befehl gab, dass unsere Männer seinen heidnischen Göttern geopfert werden sollten.«

Die übrigen Soldaten äußerten sich mit Nicken und ehrfürchtigem Gemurmel.

»Ich war noch klein«, erzählte ich, »als wir von dem Hinterhalt erfuhren, in den General Varus geraten war. Aber ich kann mich noch an unseren göttlichen Kaiser Augustus erinnern – wie er sein Haar wachsen ließ vor Trauer und wie er seinen Kopf gegen die Wand schlug und rief: ›Varus, Varus, gib mir meine Legionen wieder!‹«

»Ihr habt ihn tatsächlich so erlebt?«

»Oh, häufig, und ich war auch an dem Abend dabei, als er seine später oft erwähnten Gedanken diskutierte: dass das Imperium keine weitere Ausdehnung anstreben solle; vielmehr müsse es die Staaten, die schon dazugehörten, ordentlich verwalten.«

»Also hat Kaiser Augustus das wirklich gesagt!« Der Legat war fasziniert.

»Ihr wart ihm nicht gleichgültig«, versicherte ich ihm. »Wie viele Jahre seid Ihr schon im Feld? Habt Ihr eine Frau?«

»Ach, wie gern kehrte ich nach Hause zurück«, entgegnete er. »Und jetzt ist auch noch mein General gefallen. Meine Frau ist schon ergraut, genau wie ich. Ich sehe sie nur, wenn wir zu Paraden nach Rom kommen.«

»Ja, und während der Republik wurde man nur zu sechs Jahren Kriegsdienst verpflichtet. Aber nun muss man wie lange kämpfen? Zwölf Jahre? Zwanzig Jahre? Doch wer bin ich, dass ich unseren Kaiser kritisieren könnte, den ich liebte, wie ich meinen Vater und meine toten Brüder geliebt habe!«

Lucius erkannte, worauf das hinauslief. Er stotterte beim Sprechen.

»Tribun, lest meinen Geleitbrief! Lest ihn!«

Der Legat sah richtig verärgert aus.

Mein Bruder bot alle rhetorischen Fähigkeiten auf, die ihm zur Verfügung standen, und das waren nicht viele. »Sie lügt. Sie ist verurteilt. Ihre Familie ist tot. Ich war gezwungen, vor Sejanus als Zeuge aufzutreten, weil sie Tiberius töten wollten!«

»Wie, Ihr habt Euch gegen Eure eigene Familie gestellt?«, fragte der Soldat.

»Ach, belastet Euch doch nicht damit«, sagte ich schnell. »Der Mann hat mir schon den ganzen Tag zugesetzt. Er hat herausgefunden, dass ich eine allein stehende Frau bin, eine Erbin, und er glaubt, dass dies hier ein unzivilisierter Vorposten des Reiches wäre, wo er ohne Beweise eine Anklage gegen die Tochter eines Senators vorbringen könnte. Du armer Irrer, sei auf der Hut! Vor kaum hundert Jahren gab Julius Cäsar Antiochia seinen Status als Stadt. Hier sind Legionen stationiert, nicht wahr?«

Ich schaute den Legaten an.

Der richtete seinen Blick mit düster zusammengezogenen Brauen auf meinen wutbebenden Bruder.

»Was bedeutet dieser Geleitbrief?«, fragte ich. »Er trägt den Namen Tiberius.«

Ehe Lucius noch reagieren konnte, riss der Soldat ihm das Schreiben aus der Hand und reichte es mir. Ich musste meinen Dolch loslassen, um das Pergament aufzurollen.

»Ah, Sejanus von den Prätorianern! Ich wusste es! Und der Kaiser weiß vermutlich gar nichts davon. Tribun, ist Euch eigentlich bekannt, dass die Palastwachen mehr als doppelt so viel Sold bekommen wie die Legionäre? Und nun gibt es bei ihnen auch noch die *delatores*, die geradezu angespornt werden, Anklage zu erheben, weil sie von dem Besitz des Verurteilten ein Drittel für sich einbehalten können!«

Als der Legat meinen Bruder nun abschätzend musterte, kam jeder Makel an Lucius deutlich zum Vorschein: seine feige Haltung, seine zitternden Hände, die Augen, die unsicher hin und her huschten, und seine zusammengepressten Lippen, in denen sich seine wachsende Verzweiflung zeigte.

Ich wandte mich an Lucius.

»Wer du auch bist, du Wahnsinniger, ist dir eigentlich klar, was du von diesem altgedienten, erfahrenen römischen Offizier verlangst? Was, wenn er deinen kranken Lügen Glauben schenkte? Was würde aus ihm werden, wenn ein Brief aus Rom käme, der nach meinem Verbleib und meinem Vermögen fragt!«

»Herr, diese Frau ist eine Verräterin!«, schrie Lucius. »Ich schwöre bei meiner Ehre –«

»Was für eine Ehre ist das?«, murmelte der Soldat. Seine Augen waren fest auf Lucius geheftet.

»Wenn es in Rom möglich wäre«, sagte ich, »dass man Familien, die so alt wie die meine sind, ganz einfach verschwinden lassen könnte, wie dieser Mann es nun für meine Person von Euch verlangt, wie könnte dann Germanicus' Witwe es wagen, vor den Senat zu treten und ein Gerichtsverfahren zu fordern?«

»Man hat sie alle exekutiert«, sagte mein Bruder, der sich von seiner schlimmsten Seite zeigte und es todernst meinte; außerdem schien er jedes Gespür für die Wirkung seiner Worte verloren zu haben. »Alle, wie sie da waren, weil sie zu einer verschwörerischen Bande gehörten, die Tiberius ermorden wollte, und ich bekam freies Geleit und durfte ausreisen, weil ich sie, wie es meine Pflicht war, den *delatores* gemeldet habe und Sejanus, mit dem ich persönlich gesprochen habe!«

Die in diesen Worten enthaltenen Möglichkeiten drangen langsam in das Bewusstsein des Legaten.

»Mein Herr«, sagte ich zu Lucius, »habt Ihr sonst noch Papiere zu Eurer Person, um Euch auszuweisen?«

»Ich brauche sonst nichts!«, sagte Lucius. »Dein Schicksal ist der Tod.«

»So wie es auch das Schicksal Eures Vaters war?«, fragte der Legat. »Und das Eurer Gattin? Hattet Ihr Kinder?«

»Werft sie noch diese Nacht ins Gefängnis, und dann berichtet nach Rom!«, verlangte Lucius. »Ihr werdet sehen, dass ich die Wahrheit sage!«

»Und du, wer du auch bist, wo wirst du derweil sein? Mein Haus plündern?«

»Du Luder!«, schrie Lucius. »Seht Ihr denn nicht, dass dies alles nur weibliche Tricks und üble Ablenkungsmanöver sind?«

Entsetzen breitete sich unter den Soldaten aus, und das Gesicht des Legaten zeigte Abscheu. Flavius schob sich neben mich.

»Herr«, sagte Flavius bescheiden und würdevoll, »was darf ich unternehmen, um meine Herrin vor diesem Wahnsinnigen zu beschützen?«

»Wage es ja nicht«, sagte ich in bestimmtem Ton zu Lucius, »solche Worte noch einmal in den Mund zu nehmen, sonst verliere ich die Geduld.«

Der Legat griff nach Lucius' Arm. Der fasste mit seiner Rechten nach seinem Dolch.

»Wer seid Ihr überhaupt?«, wollte der Legat wissen. »Gehört Ihr zu den *delatores*? Ihr erklärt mir, Ihr hättet Euch gegen die eigene Familie gestellt.«

»Tribun«, sagte ich und berührte leicht seinen Arm. »Meines Vaters Wurzeln reichen bis in die Zeit von Romulus und Remus zurück. Unser Ursprung liegt in Rom und nirgends sonst. Das galt auch für meine Mutter, die ebenfalls die Tochter eines Senators war. Dieser Mann da sagt ziemlich ... schreckliche Dinge.«

»Das scheint mir auch«, stimmte der Legat zu, als er Lucius mit zusammengekniffenen Augen musterte. »Wo sind Eure Freunde hier, Eure Gefährten, wo lebt Ihr?«

»Ihr könnt mir nichts anhaben!«, sagte Lucius.

Der Legat starrte wütend auf Lucius' Hand, die an dem Dolch lag.

»Ihr wollt den gegen mich ziehen?«, fragte er.

Lucius war ganz offensichtlich in Verlegenheit.

»Warum bist du nach Antiochia gekommen?«, wollte ich von ihm wissen. »Hattest du etwa das Gift in Verwahrung, das Germanicus getötet hat?«

»Sperrt sie ein!«, schrie Lucius.

»Nein, das glaube selbst ich nicht. Nicht einmal Sejanus würde eine solche Treulosigkeit den Händen eines so erbärmlichen Schurken überlassen, wie du es bist! Nun komm schon, was hast du sonst noch bei dir, das dich mit jener Familie verbindet? Dieser Geleitbrief, er stammt aus der Feder des Sejanus, sagst du?«

Lucius war völlig verblüfft.

»Ich besitze auf jeden Fall nichts, was mich mit deinen wilden, blutigen Geschichten in Verbindung bringt«, sagte ich.

Der Legat unterbrach mich. »Nichts, das Euch mit diesem Namen in Verbindung bringt?« Er nahm mir den Geleitbrief aus der Hand.

»Ganz und gar nichts«, versicherte ich, »da ist nichts, nur dieser

Wahnsinnige, der Gräuelmärchen verbreitet und versucht, der Welt weiszumachen, dass unser Kaiser seinen Verstand verloren hat. Nur er bringt mich mit dieser blutigen Verschwörung in Verbindung, ohne einen Zeugen oder Beweis, und schleudert Beleidigungen gegen mich.«

Der Legat rollte den Brief auf. »Und zu welchem Zweck seid Ihr hier, meine Dame?«

»Um in Ruhe und Frieden zu leben«, sagte ich leise. »Um in Sicherheit und unter dem Schutz des römischen Rechts zu leben.«

Jetzt wusste ich, die Schlacht war gewonnen. Doch etwas fehlte noch, um den Sieg zu besiegeln. Ich entschloss mich zu einem weiteren Schachzug.

Langsam griff ich nach meinem Dolch, und ebenso langsam zog ich ihn aus seiner Schlinge.

Lucius sprang hastig zurück. Er zog seinen Dolch und stürzte sich auf mich. Der Legat und mindestens zwei seiner Soldaten durchbohrten ihn, ohne zu zögern.

Blutend hing er auf ihren Waffen, seine Blicke irrten von rechts nach links, und dann wollte er sprechen, aber in seinem Mund war zu viel Blut. Er riss die Augen auf, nochmals schien es, als würde er sprechen. Aber sein Körper sackte auf dem Pflaster, am Fuß der Treppe, zusammen, als die Soldaten ihre Dolche herauszogen.

Meinen Bruder Lucius hatte gnädigerweise der Tod ereilt.

Ich blickte auf ihn nieder und schüttelte den Kopf.

Der Legat sah mich an. Dies war ein bedeutungsvoller Augenblick, und ich war mir dessen bewusst.

»Was«, fragte ich ihn, »unterscheidet uns von den zottelhaarigen Barbaren des Nordens? Ist es nicht das Gesetz? Das geschriebene Gesetz? Das uns überlieferte Gesetz? Ist es nicht Gerechtigkeit? Dass Männer und Frauen für ihr Tun zur Rechenschaft gezogen werden?«

»Ja, Herrin«, bestätigte er.

»Wisst Ihr«, sagte ich ehrfurchtsvoll, während ich auf dieses Bündel aus Fleisch und Blut und Kleidern hinabsah, das dort auf den Steinen lag, »ich habe unseren großen Kaiser Augustus auf seinem Sterbebett gesehen.«

»Ihr habt ihn wahrhaftig gesehen?«

Ich nickte. »Als man sicher war, dass er im Sterben lag, wurden wir eilends zu ihm gebracht, zusammen mit einigen anderen engen Freunden. Er hoffte, er könnte die in Rom umgehenden Gerüchte niederschlagen, die zu Unruhen führen würden. Er hatte nach einem Spiegel geschickt und sein Haar gekämmt. Man hatte ihn in ganz förmlicher Haltung in seinen Kissen aufgerichtet. Und als wir in den Raum kamen, fragte er uns, ob wir nicht auch fänden, dass er seine Rolle in der Komödie des Lebens gut gespielt habe?

Ich dachte damals, welch ein Mut! Und dann machte er einen weiteren Scherz, er sprach die altbekannten Zeilen, die am Ende eines Schauspiels vorgetragen werden:

Wenn froh ich euch gemacht, zeigt mir im Geh'n
den Dank dafür mit einem herzlichen Auf Wiederseh'n.

Ich könnte euch noch mehr erzählen, aber –«

»Oh, ich bitte darum«, sagte der Legat.

»Ja, warum nicht?«, meinte ich. »Man hat mir erzählt, was der Kaiser über Tiberius, seinen erwählten Nachfolger, sagte: ›Armes Rom, nun wirst du langsam von diesen schwerfälligen Kiefern zermalmt werden.‹«

Der Legat lächelte. »Aber es gab sonst niemanden«, sagte er leise.

»Tribun, ich danke Euch für all Eure Hilfe. Erlaubt mir, dass ich aus meiner Börse beisteuere, um Euch und Euren Soldaten ein gutes Mahl zu verschaffen –«

»Nein, meine Dame, ich will nicht, dass von mir oder einem meiner Männer gesagt wird, wir hätten uns bestechen lassen. Nun zu diesem Toten. Wisst Ihr noch irgendetwas über ihn?«

»Nur dies eine, Tribun, dass sein Körper wohl in den Fluss gehört.«

Die Soldaten lachten untereinander.

»Gute Nacht, edle Dame«, sagte ihr Anführer.

Und so ging ich fort, durchquerte im Kreis der Fackelträger die Schwärze des Forums, meinen lieben, einbeinigen Flavius an meiner Seite.

Jetzt erst begann ich am ganzen Körper zu zittern. Jetzt erst brach mir der Schweiß aus allen Poren.

Als wir tief in das dichte Dunkel einer kleinen Gasse eingetaucht waren, sagte ich: »Flavius, schick die Fackelträger fort. Sie müssen nicht wissen, wohin wir gehen.«

»Herrin, ich habe keine Laterne bei mir.«

»Der Himmel ist voller Sterne, und es ist beinahe Vollmond. Sieh nur! Außerdem kommen noch andere aus dem Tempel hinter uns her.«

»Tatsächlich?«, fragte er. Er zahlte die Fackelträger aus, und sie rannten zurück, auf den Eingang der Straße zu.

»Ja. Das ist eine Wache. Und dank der erleuchteten Fenster und der Lichter am Himmel können wir genug sehen, meinst du nicht? Ich bin todmüde.«

Ich eilte weiter, musste mich aber immer wieder selbst ermahnen, dass Flavius nicht mit mir Schritt halten konnte. Ich begann zu weinen.

»Du mit deinem großen philosophischen Wissen musst mir was erklären«, sagte ich im Weitergehen, entschlossen, die Tränen zu unterdrücken. »Erklär mir, warum schlechte Menschen so dumm sind. Warum sind viele von ihnen ganz schlicht und einfach dumm?«

»Herrin, ich denke, es gibt eine ganze Anzahl schlechter Menschen, die ziemlich intelligent sind«, antwortete er. »Aber ich habe noch bei niemandem, ob gut oder böse, solche rhetorischen Kunstgriffe erlebt, wie Ihr sie gerade vorgeführt habt.«

»Ich bin entzückt, dass du weißt, es war einzig und allein das«, sagte ich, »Rhetorik. Und wenn man bedenkt, dass er dieselben Lehrer hatte wie ich, dieselbe Bibliothek, denselben Vater –«
Meine Stimme versagte.

Er legte behutsam einen Arm um meine Schultern, und dieses Mal untersagte ich es ihm nicht. Ich ließ zu, dass er mich stützte. Als Paar konnten wir schneller gehen.

»Nein«, widersprach ich ihm, »die meisten Bösen sind einfach ausgesprochen dumm, das habe ich im Laufe meines Lebens immer wieder festgestellt. Die wirklich gerissenen Bösewichte sind eher selten. Stümperei verursacht das meiste Elend in der Welt. Und die Unterschätzung der Mitmenschen. Du siehst, was bei Tiberius passiert. Bei Kaiser Tiberius und den Prätorianern. Oder bei diesem verdammten Sejanus. Du kannst die Saat des Misstrauens überall ausbringen, bis du dich in dem überwucherten Feld selbst verirrst.«

»Wir sind daheim, Herrin«, sagte er.

»Oh, den Göttern sei Dank, du hast das Haus erkannt. Ich hätte nicht mehr sagen können, ob es dies war.«

Schon blieb er stehen und drehte den Schlüssel im Schloss um. Wie stets in den Seitenstraßen der antiken Städte roch es auch hier überall durchdringend nach Urin. Eine Laterne warf ihr trübes Licht über unser Holzportal. Der Schein tanzte in dem Wasserstrahl, der aus dem Löwenmaul in den Brunnen fiel.

Flavius klopfte mehrmals. Es klang so, als ob die Frauen, die die innere Tür öffneten, weinten.

»Ach, du meine Güte, was denn nun noch?«, fragte ich. »Ich bin zu müde. Was es auch ist, kümmere du dich darum.«

Ich trat ein.

»Herrin«, jammerte eines der Mädchen. Mir fiel ihr Name nicht ein. »Ich habe ihn nicht eingelassen. Ich schwöre, ich habe das Tor nicht aufgemacht. Ich habe doch gar keinen Schlüssel dafür. Wir hatten das Haus, alles hier, für dich vorbereitet!« Sie schluchzte.

»Von was, um alles in der Welt, redest du?«, fragte ich.

Doch ich wusste es schon. Ich hatte es aus dem Augenwinkel gesehen. Ich wusste es. Ich drehte mich um und sah einen hoch gewachsenen Römer in meinem neu ausgestatteten Wohnzimmer sitzen. Entspannt, einen Fuß auf dem Knie, saß er in einem vergoldeten Sessel.

»Es ist in Ordnung, Flavius«, sagte ich, »ich kenne ihn.«

Und ob ich ihn kannte. Es war Marius. Marius, der große Kelte. Marius, der mich als Kind so bezaubert hatte. Marius, den ich beinahe in den Schatten des Tempels erkannt hätte.

Er stand sofort auf.

Er kam zu mir an den Rand des Atriums, wo ich im Dunkeln stand. Er flüsterte: »Meine schöne Pandora!«

7

*E*r schreckte davor zurück, mich zu berühren. »Ach, bitte«, sagte ich und machte Anstalten, ihn zu küssen, aber er wich aus. Mehrere Lampen standen im Raum verteilt. Er blieb im Schatten.

»Marius, natürlich, Marius! Und du siehst nicht einen Tag älter aus als damals in meiner Mädchenzeit. Dein Gesicht strahlt, und deine Augen erst, wie schön deine Augen sind! Wenn ich könnte, würde ich sie besingen und die Lyra dazu spielen.«

Flavius hatte sich zögernd zurückgezogen und die unglücklichen Mädchen mit sich genommen. Er verhielt sich mucksmäuschenstill.

»Pandora«, sagte Marius, »ich wollte, ich könnte dich in die Arme schließen, aber es gibt Gründe, die mir das verbieten, du darfst mich auch nicht berühren – nicht etwa, weil ich es nicht wollte, sondern weil ich ganz anders bin, als du glaubst. Was du siehst, ist nicht die personifizierte Jugend; es ist etwas, das so weit entfernt ist von den Verheißungen der Jugend, dass ich selbst gerade erst begonnen habe, die damit verbundenen Seelenqualen zu begreifen.«

Plötzlich wandte er den Blick ab. Er hob die Hand, um mir zu bedeuten, dass ich schweigen solle und Geduld haben möge.

»Dieses Wesen geht um«, rief ich, »dieser verkohlte Bluttrinker.«

»Denk doch jetzt nicht an deine Träume«, sagte er ganz direkt zu mir. »Denk an deine Jugendzeit. Ich liebte dich schon, als du ein zehnjähriges Mädchen warst. Als du fünfzehn warst, bat ich deinen Vater um deine Hand.«

»Wirklich? Das hat er mir nie erzählt.«

Abermals schaute er fort. Dann schüttelte er den Kopf.

»Der Verbrannte!«, sagte ich.

»Das habe ich befürchtet.« Er verfluchte sich selbst. »Der ist dir vom Tempel aus gefolgt! Oh, Marius, was bist du für ein Narr! Du hast ihm in die Hände gespielt. Aber er ist nicht so schlau, wie er denkt.«

»Marius, hast du mir diese Träume geschickt?«

»Niemals! Ich würde alles in meiner Macht Stehende tun, um dich vor mir zu schützen.«

»Und vor den alten Sagen?«

»Sei nicht vorwitzig, Pandora. Ich weiß, deine ungeheure Geistesgegenwart hat dir vorhin bei deinem abscheulichen Bruder Lucius und dem ritterlichen Legaten gute Dienste geleistet. Aber denke nicht zu viel über ... Träume ... nach. Träume bedeuten nichts, und Träume vergehen.«

»Also kamen die Träume von ihm, diesem grässlichen, verbrannten Bluttrinker?«

»Ich kann mir noch keinen Reim darauf machen!«, sagte er. »Aber grüble nicht über diese Bilder nach. Füttere ihn nicht auch noch mit deinen Gedanken.«

»Er kann Gedanken lesen«, stellte ich fest, »genau wie du.«

»Ja, aber du kannst deine Gedanken abschirmen. Es ist ein intellektueller Trick. Man kann ihn lernen. Du kannst herumlaufen mit einer Seele, die in einer kleinen Metallkiste in deinem Kopf verschlossen ist.«

Ich bemerkte, dass ihn etwas heftig quälte. Eine große Traurigkeit ging von ihm aus. »Das darf nicht geschehen!«, sagte er.

»Was meinst du, Marius? Du sprichst von der Stimme dieser Frau, du –«

»Nein, sei ruhig.«

»Das werde ich nicht! Ich will dieser Sache auf den Grund gehen!«

»Du musst dich an meine Anweisungen halten!« Er trat einen Schritt vor und war abermals drauf und dran, mich zu berühren, mich bei den Armen zu nehmen, wie mein Vater es vielleicht gemacht hätte, aber dann unterließ er es doch.

»Nein, jetzt musst du mir alles erzählen«, sagte ich.

Ich staunte über das Weiß seiner Haut, ihre vollkommene Makellosigkeit. Und wieder kam mir der Glanz seiner Augen fast unnormal vor. Unmenschlich.

Erst jetzt fiel mir auch die ganze Pracht seiner langen Haare auf. Er sah wirklich aus wie seine keltischen Vorfahren. Das Haar fiel ihm bis auf die Schultern. Es war schimmerndes Gold, geradezu strahlend, weizengelb und weich gewellt.

»Sieh dich doch an!«, flüsterte ich. »Du bist kein lebendiger Mensch!«

»Nein, sieh dich noch ein letztes Mal hier um, denn du wirst gleich von hier fortgehen!«

»Was?«, sagte ich. »Ein letztes Mal?« Ich wiederholte seine Worte. »Wovon redest du! Ich bin gerade erst angekommen, habe Pläne gemacht, bin meinen Bruder losgeworden! Ich werde hier nicht weggehen. Willst du sagen, du verlässt mich?«

Auf seinem Gesicht spiegelte sich eine große Seelenpein wider, ein wildes Flehen, wie ich es noch bei keinem Mann gesehen hatte, nicht einmal bei meinem Vater, der seine letzten schicksalsschweren Minuten zu raschem Handeln nutzte und dabei vorging, als wollte er mich nur zu einer wichtigen Verabredung schicken.

Marius' Augen waren mit einem blutigen Schleier überzogen. Er weinte, und seine Augen waren wund von Tränen. Nein! Diese Tränen glichen denen der prächtigen Königin in meinem Traum, die, an ihren Thron gekettet, weinte und Wangen, Hals und Kleider mit ihren Tränen benetzte.

Er wollte es abstreiten. Er schüttelte den Kopf, doch er wusste, ich war völlig überzeugt.

»Pandora, als ich dich erkannte«, sagte er, »als du den Tempel betratst und ich sah, dass du die Frau mit den Blutträumen warst, war ich außer mir. Ich muss dich einfach davon fern halten, von dieser Gefahr.«

Ich löste mich aus seinem Bann, von dieser Aura seiner Schönheit. Ich betrachtete ihn kühlen Sinnes, und während er fortfuhr und ich ihm zuhörte, vermerkte ich im Geiste alles, was mir an ihm auffiel, vom Glanz seiner Augen bis hin zu seiner Gestik.

»Du musst Antiochia sofort verlassen«, sagte er. »Diese Nacht werde ich hier bei dir bleiben. Morgen am Tag schnappst du dir dann deinen treuen Flavius und die beiden Mädchen – sie sind ehrlich, nimm sie mit –, und dann wirst du viele Meilen zwischen dich und diese Stadt legen. Tagsüber kann dir die Kreatur nicht folgen! Sag mir nicht, wohin du gehen willst. Das kannst du morgen früh, wenn du am Hafen bist, entscheiden. Geld hast du ja genug.«

»Marius, jetzt bist du derjenige, der träumt; ich werde nicht fortgehen. Wem genau soll ich deiner Meinung nach aus dem Weg gehen? Ist es die weinende Königin auf ihrem Thron? Oder dieser herumstromernde schwarze Mann? Die eine kann mich über Meilen hinweg noch auf dem Meer mit ihrem Ruf erreichen. Sie warnt mich vor meinem bösartigen Bruder. Den anderen kann ich mir leicht vom Hals schaffen. Ich fürchte ihn nicht. Ich weiß aus meinen Träumen, was er für ein Geschöpf ist, und ich weiß, welche Verheerungen die Sonne bei ihm angerichtet hat, und ich werde ihn eigenhändig an die Wand in der Sonne nageln.«

Marius schwieg und biss sich auf die Lippen.

»Ich werde es für sie tun, für die Königin aus meinen Träumen, um sie zu rächen.«

»Pandora, ich bitte dich!«

»Vergeblich«, antwortete ich. »Glaubst du, ich hätte einen so weiten Weg gemacht, nur um wieder davonzulaufen? Und dann die Stimme dieser Frau –«

»Woher willst du wissen, dass es die Königin war, von der du geträumt hast? Es könnten noch weitere Bluttrinker in dieser Stadt sein. Männer, Frauen. Sie wollen alle das Gleiche.«

»Und du fürchtest sie?«

»Ich verabscheue sie! Und ich muss sie von mir fern halten, darf ihnen nicht geben, wonach sie verlangen! Niemals werden sie bekommen, was sie verlangen!«

»Ah, jetzt durchschaue ich alles!«, sagte ich.

»Mit Sicherheit nicht!«, sagte er, und sein finsterer Blick schüchterte mich ein. So wild und so vollkommen.

»Du bist einer von ihnen, Marius. Du bist unversehrt. Du hast keine Verbrennungen. Sie wollen dein Blut, um sich selbst zu heilen.«

»Wie kommst du nur auf eine solche Idee!«

»In meinen Träumen hatten sie einen Namen für die Königin: die ›Urquelle‹.«

Ich lief auf ihn zu und umfing ihn mit meinen Armen! Er war unglaublich stark, fest wie ein Baum! Nie habe ich so harte Muskeln bei einem Mann gespürt. Ich legte meinen Kopf an seine Schulter, und seine Wange auf meinem Haar war eiskalt! Trotzdem umfing er mich ganz sanft mit beiden Armen, strich mir übers Haar, zog alle Nadeln heraus und ließ es über meinen Rücken fließen. Ich spürte ein starkes Prickeln auf der Haut.

Hart, sehr hart, doch ohne den Pulsschlag des Lebens. In seinen sanften, zärtlichen Berührungen keine Wärme von Menschenblut.

»Mein Liebling«, sagte er, »ich kenne den Ursprung deiner Träume nicht, doch eines weiß ich. Du wirst vor mir und vor ihnen bewahrt bleiben. Du wirst niemals Teil dieser alten Mythe werden, die sich Vers um Vers fortschreibt, gleichgültig, wie sehr die Welt sich auch verändert! Ich werde das nicht zulassen!«

»Du musst mir das alles erklären. Ich werde nicht mit dir gemeinsame Sache machen, bevor du mir alles erklärt hast. Kennst du die Qualen der Königin in meinem Traum? Ihre Tränen gleichen deinen. Sieh doch! Blut. Deine Tunika ist befleckt! Ist sie hier, diese Königin? Hat sie mich gerufen?«

»Und was ist, wenn sie es tat und dich strafen will für das frühere Leben, von dem du geträumt hast und in dem sie von den bösen Göttern in Fesseln gelegt wurde? Was dann?«

»Nein«, sagte ich, »das ist nicht ihre Absicht. Außerdem weigerte ich mich ja zu tun, was diese finsteren Götter im Traum von mir verlangten. Ich trank nicht von der ›Urquelle‹. Ich lief fort, darum starb ich in der Wüste.«

»Ach!« Er warf die Arme in die Luft. Und entfernte sich. Er starrte hinaus in das dunkle Peristyl. Nur die Sterne beleuchteten die Bäume. Aus dem Speisezimmer auf der anderen Seite des Hauses schimmerte schwaches Licht.

Ich betrachtete ihn, seine außergewöhnliche Größe, seinen geraden Rücken und die Art, wie seine Füße fest auf dem Mosaikboden standen. Das Lampenlicht ließ seine blonden Haare wundersam aufleuchten.

Obwohl er mir den Rücken zuwandte, hörte ich ihn flüstern:

»Wie konnte diese dumme Sache nur passieren!«

»Was für eine dumme Sache?«, wollte ich wissen. Ich trat neben ihn. »Du meinst, dass ich hier in Antiochia bin? Ich will dir sagen, wie es dazu kam. Mein Vater hat meine Flucht in die Wege geleitet, und so …«

»Nein, nein, das meine ich nicht. Ich will, dass du sicher bist, ich will, dass du lebst, ungefährdet und beschützt, damit du dich entfalten kannst, wie es dir bestimmt ist. Die Blüte deines Lebens ist nicht einmal an den Rändern welk, sieh dich an! Und deine Kühnheit steigert deine Schönheit noch! Deine Bildung und dein rhetorisches Geschick ließen deinem Bruder keine Chance! Und doch hast du die Soldaten verzaubert und mit deiner Überlegenheit zu deinen Sklaven gemacht und nicht eine Sekunde ihren Widerwillen erregt. Vor dir liegen noch viele Lebensjahre! Ich muss nur nach einer Möglichkeit suchen, dich in Sicherheit zu bringen. Ja, das ist der Kern des Ganzen. Du musst Antiochia im Laufe des Tages verlassen.«

»Einen Freund des Tempels‹, so haben dich der Priester und die Priesterin genannt. Sie sagten, du könnest die alten Schriften lesen. Sie sagten, dass du alle ägyptischen Bücher aufkaufst, kaum dass sie den Hafen erreichen. Warum tust du das? Wenn du sie suchst, die Königin, dann benutze mich dazu, denn schließlich hat sie gesagt, dass sie mich zu sich gerufen hat.«

»Sie hat in deinen Träumen nicht gesprochen! Du weißt nicht, wer es war! Was wäre, wenn die Träume in deiner Seelenwanderung wurzelten. Was, wenn du früher schon einmal gelebt hättest? Und jetzt kommst du zum Tempel, triffst auf einen dieser verhassten uralten Götter, der hier auf der Pirsch ist, und das bringt dich in Gefahr. Du musst weg, weg von hier, von mir, weg von diesem angeschlagenen Jäger, den ich finden werde.«

»Du sagtest mir nicht alles, was du weißt! Was ist dir widerfahren, Marius? Was ist geschehen? Wer hat dir das auferlegt, dieses übernatürliche Strahlen? Es ist keine Hülle; das Licht kommt von innen.«

»Verdammt, Pandora, glaubst du, ich wollte, dass mein Leben vor seiner Zeit beendet wurde und meine Zukunft sich ins Unendliche erstreckt?« Er litt sichtlich. Er sah mich an, nicht willens weiterzusprechen, und sein spürbarer Schmerz, seine Einsamkeit, war so intensiv, dass ich es für einen Augenblick nicht aushalten konnte.

Wellenartig überkamen mich die eigenen Qualen von der langen Nacht zuvor, als mir die absolute Nichtigkeit aller Religionen und Glaubensbekenntnisse schmerzhaft aufgegangen war und ich das bloße Bemühen um ein gutes Leben nur als eine Falle für Toren angesehen hatte.

Unvermutet legte Marius seine Arme um mich und hielt mich fest. Er rieb seine Wange an meinem Haar und küsste mich auf den Kopf. Seidig, glatt, sanfter als Worte. »Pandora, Pandora, Pandora«, murmelte er. »Das schöne Mädchen ist zu einer wunderbaren Frau herangewachsen.«

Ich umfing dieses marmorharte Abbild des auffallendsten und ungewöhnlichsten Mannes, den ich je erlebt hatte: Ich hielt es fest, und nun hörte ich seinen Herzschlag, den deutlichen Rhythmus. Ich schmiegte meinen Kopf an seine Brust.

»Ach, Marius, könnte ich nur meinen Kopf neben deinen legen. Könnte ich mich doch deinem Schutz unterwerfen. Aber du treibst mich fort! Du versprichst mir keine Obhut, du befiehlst mir Flucht – Nomadenleben, weitere Albträume, Rätsel und Verzweiflung. Nein, ich kann nicht!«

Ich entzog mich seinen Liebkosungen. Ich fühlte noch seine Küsse in meinem Haar.

»Und sag mir nicht, dass ich dich nie wieder sehen werde. Denk nicht, dass ich das auch noch ertragen kann, nach allem, was geschehen ist. Ich habe niemanden hier, und dann taucht ausgerechnet der auf, der einst in meinem Mädchenherzen einen Eindruck hinterlassen hat, der so tief ist wie die Prägung der edelsten Münze. Und nun sagst du, dass du mich nie mehr sehen willst, dass ich fort muss.«

Ich wandte mich um.

Lust brannte in seinen Augen. Doch er hatte sich unter Kontrolle. Lächelnd, mit gedämpfter Stimme gestand er mir:

»Oh, ich habe es bewundert, wie du mit dem Legaten umgegangen bist. Ich dachte schon, ihr beide würdet in eigener Regie die Eroberung sämtlicher germanischen Stämme ausarbeiten.« Er seufzte. »Du musst ein gutes Leben, ein erfülltes Leben finden, ein Leben, das Körper und Seele befriedigt.« Sein Gesicht bekam plötzlich Farbe, als er mich ansah, meine Hüften, meine Brüste, mein Gesicht. Beschämt und bemüht, es zu verbergen. Die Lust.

»Bist du noch ein Mann?«, fragte ich.

Er gab keine Antwort. Aber seine Miene wurde frostig.

»Du wirst niemals das ganze Ausmaß von dem erkennen, was ich bin!«, sagte er.

»Schon, aber kein Mann!«, sagte ich. »Habe ich Recht? Kein Mann.«

»Pandora, du verspottest mich mit Absicht. Warum? Warum tust du das?«

»Diese Umwandlung, diese Aufnahme in den Kreis der Bluttrinker – sie hat deiner Körpergröße nicht einen Zoll hinzugefügt. Hat sie denn irgendwo sonst etwas hinzugefügt?«

»Bitte hör auf damit«, sagte er.

»Begehre mich, Marius. Sag, dass du mich begehrst. Ich sehe es doch. Bestätige es mir mit Worten. Was kostet es dich?«

»Du machst mich rasend!«, sagte er. Sein Gesicht wurde dunkel vor Zorn, und er presste die Lippen so fest zusammen, dass sie ganz weiß wurden. »Danke den Göttern, dass ich dich nicht begehre! Nicht genug, um für eine kurze, blutige Ekstase die Liebe zu verraten.«

»Die Leute im Tempel wissen nicht, was du wirklich bist, nicht wahr?«

»Nein!«, sagte er.

»Und mir willst du dein Herz nicht öffnen.«

»Niemals. Du wirst mich vergessen, und diese Träume werden verblassen. Ich möchte wetten, dass ich sie selbst zum Verschwinden bringen könnte, wenn ich für dich bete. Das will ich tun.«

»Das ist aber ein frommer Kurs«, sagte ich. »Was verschafft dir eigentlich solche Gunst bei der alten Isis, die einst selbst Blut trank und die ›Urquelle‹ genannt wurde?«

»Sag so etwas nicht; es sind Lügen, alles Lügen. Du weißt doch gar nicht, ob diese Königin, die du sahst, wirklich Isis war. Was hast du denn in diesen Albträumen erfahren? Denk nach. Du hast erfahren, dass diese Königin in der Gewalt von Bluttrinkern war und sie verdammte. Sie waren böse. Überleg weiter. Versetz dich zurück in den Traum. Denk nach. Du hieltest die Bluttrinker damals für böse, und du hältst sie auch jetzt noch für böse. Im Tempel spürtest du den Hauch des Bösen. Ich weiß es. Ich habe dich beobachtet.«

»Ja. Aber du, Marius, du bist nicht böse, davon kannst du mich nicht überzeugen! Du hast einen Körper wie aus Marmor, du bist ein Bluttrinker, jedoch wie ein Gott und nicht böse!«

Er wollte protestieren, doch dann hielt er inne. Aus den Augenwinkeln spähte er umher. Und dann drehte er langsam den Kopf und ließ seinen Blick nach oben durch das offene Dach des Peristyls schweifen.

»Kommt der Morgen?«, fragte ich. »Die Strahlen des Amon Ra?«

»Du bist die größte Nervensäge, die ich je kennen gelernt habe!«, sagte er. »Wenn ich dich geheiratet hätte, hättest du mich bald ins Grab gebracht. Das hätte mir all dies erspart!«

»Was alles?«

Er rief nach Flavius, der sich die ganze Zeit über in der Nähe aufgehalten und alles mit angehört hatte.

»Flavius, ich gehe jetzt«, sagte Marius zu ihm. »Ich muss. Aber wache über sie. Wenn die Nacht hereinbricht, werde ich wiederkommen, so schnell ich kann. Sollte mir etwas zuvorkommen, etwa ein verunstalteter, Furcht erregender Angreifer, stürz dich mit dem Schwert auf ihn, ziel auf seinen Kopf. Vergiss nicht: auf den Kopf! Und ganz sicher wird deine Herrin in der Lage sein, dich bei ihrer Verteidigung zu unterstützen.«

»Ja, Herr. Müssen wir Antiochia verlassen?«

»Pass auf, was du sagst, mein treuer Grieche«, bemerkte ich. »Ich bin die Herrin hier. Wir werden Antiochia nicht verlassen.«

»Versuch sie zu überreden, dass sie Vorbereitungen trifft«, bat Marius.

Er sah mich an.

Ein langes Schweigen senkte sich über uns. Ich wusste, er las meine Gedanken. Dann ließen mich die Blutträume erschauern. Ich sah seine Augen leuchten. Etwas belebte seine Züge. Voller Entsetzen schüttelte ich die Traumbilder ab. Ich beherbergte das Entsetzen nicht bei mir.

»Es ist alles miteinander verflochten«, murmelte ich, »die Träume, der Tempel, dein Hiersein, ihr Hilferuf an dich. Was bist du: ein guter Gott, auf die Erde geschickt, um die bösen Bluttrinker zu jagen? Lebt die Königin?«

»Oh, ich wünschte, ich wäre ein solcher Gott!«, sagte er. »Wenn ich es nur sein könnte! Einer Sache allerdings bin ich mir sicher: dass nie wieder neue Bluttrinker gemacht werden! Lass sie Blumen auf einen Altar legen, zu Füßen einer Statue aus Basalt.«

Ich fühlte eine solche Liebe zu ihm, dass ich unvermittelt zu ihm stürzte. »Nimm mich mit dir, auf der Stelle, wohin du auch gehst.«

»Ich kann nicht!«, sagte er. Er blinzelte, als schmerzten ihn die Augen. Er konnte den Kopf nicht richtig heben.

»Das macht wohl das anbrechende Tageslicht. Du bist einer von ihnen!«

»Pandora, wenn ich wiederkomme, dann sei so weit vorbereitet, dass du die Stadt verlassen kannst!«, drängte er.

Und er entschwand.

Genauso war es: Er entschwand. Er war aus meinen Armen entschwunden und aus meinem Wohnzimmer und aus meinem Haus.

Ich wandte mich ab und wanderte langsam in dem schattigen Zimmer umher. Meine Augen glitten über die Wandmalereien, über die fröhlichen Gestalten mit ihren Lorbeerkränzen und Blätterkronen – Bacchus und seine Nymphen, recht sittsam verhüllt für eine ausschweifende Gesellschaft wie diese.

Flavius sprach. »Herrin, ich fand ein Schwert unter deinen Besitztümern, soll ich es bereithalten?«

»Ja sicher, und jede Menge Dolche und auch Feuer, vergiss das Feuer nicht. Er flieht vor dem Feuer.« Ich seufzte. Woher wusste ich das? Ich wusste es einfach. So viel also dazu. »Aber, Flavius!« Ich drehte mich zu ihm um. »Er wird vor der Dunkelheit nicht kommen. Die Nacht ist fast vorbei. Wir können uns beide schlafen legen, sobald der Himmel sich rot färbt.« Ich legte die Hand an die Stirn. »Ich versuche gerade, mich zu erinnern …«

»An was, Herrin?«, fragte Flavius. Er wirkte nach dem Auftritt von Marius keineswegs weniger attraktiv, er war einfach ein Mann mit anderen Proportionen, aber ebenso gut aussehend und mit warmer menschlicher Haut.

»Ob die Träume jemals tagsüber kamen. War es immer nur in der Nacht? Ach, ich bin so müde, und sie rufen nach mir. Zünde in meinem Bad ein Licht an, Flavius. Ich gehe zu Bett. Ich schlafe fast im Stehen ein. Kannst du Wache halten?«

»Ja, Herrin.«

»Schau, die Sterne sind schon fast erloschen. Wie es wohl ist, wenn man zu ihnen gehört, Flavius, und nur in der Dunkelheit bewundert wird, wenn die Menschen bei Kerzen- und Lampenlicht leben. Wenn man nur in tiefster Nacht bekannt und bezeugt ist, sobald die ganze Geschäftigkeit des Tages ein Ende hat.«

»Ihr seid wirklich die einfallsreichste Frau, die ich kenne«, antwortete Flavius nur. »Wie Ihr diesen Mann, der Euch anklagte, seinem Richter ausgeliefert habt!« Er nahm mich beim Arm und führte mich zu dem Schlafzimmer, in dem ich mich am Morgen angekleidet hatte.

Ich empfand Liebe für ihn. Ein ganzes Leben voller Krisen hätte sie nicht stärker machen können.

»Ihr werdet nicht in dem großen Bett im Speisezimmer schlafen?«

»Nein«, sagte ich. »Das ist für das Zeremoniell der Ehe da, und die werde ich nicht mehr kennen lernen. Ich würde gern baden, aber ich bin so müde.«

»Ich kann die Mädchen wecken.«

»Nein, ins Bett. Du hast eine Schlafkammer vorbereitet?«

»Ja!« Er ging voran.

Es war immer noch ziemlich dunkel. Ich dachte, ich hörte ein Rascheln. Merkte aber, dass es nichts war.

Und da stand das Bett, mit einer kleinen Lampe, und auf dem Bett lagen Kissen über Kissen nach Art des Orients, ein weiches Nest, in das ich mich hineinfallen ließ.

Und sofort kam der Traum:

Wir, die Bluttrinker, standen in einem weiträumigen Tempel. Er war wohl dunkel. Wir konnten in der Dunkelheit sehen, so wie manche Tiere im Dunkeln sehen können. Wir waren alle bronzefarben oder sonnengebräunt oder golden. Wir waren alle Männer.

Auf dem Boden lag schreiend die Königin. Ihre Haut war weiß. Makellos weiß. Sie hatte langes schwarzes Haar. Ihre Krone bestand aus den Stierhörnern und der Sonne. Die Krone der Isis. Sie war die Göttin! Je fünf Bluttrinker mussten sie rechts und links niederhalten. Sie warf ihren Kopf hin und her, aus ihren Augen schien ein göttliches Licht zu sprühen.

»Ich bin eure Königin! Ihr könnt mir das nicht antun!«

Wie strahlend weiß sie war! Und ihre Schreie wurden immer verzweifelter und immer flehender. »Großer Osiris, errette mich davon! Bewahre mich vor diesen Gotteslästerern! Bewahre mich vor den Gottlosen!«

Der Priester neben mir grinste höhnisch.

Der König saß bewegungslos auf seinem Thron. Aber zu diesem König hatte sie nicht gebetet. Ihr Gebet galt einem fernen Osiris.

»Haltet sie fester.« Und zwei weitere Männer kamen und hielten ihre Knöchel fest.

»Trink!«, befahl mir der Priester. »Knie nieder und trink von ihrem Blut. Ihr Blut ist stärker als alles Blut, das es auf Erden gibt. Trink!«

Sie weinte leise.

»Ungeheuer seid ihr, Dämonenbrut«, schluchzte sie.

»Ich werde nicht trinken«, sagte ich.

»Tu es! Du brauchst ihr Blut!«

»Nein, nicht gegen ihren Willen. Nicht so. Sie ist unsere Mutter Isis!«

»Sie ist unsere ›Urquelle‹ und unsere Gefangene.«

»Nein«, sagte ich.

Der Priester stieß mich vorwärts. Ich schlug ihn zu Boden. Dann schaute ich auf sie.

Sie sah mich so blicklos an, wie sie die anderen ansah. Ihr Gesicht war fein gemeißelt und sorgfältig geschminkt. Die Wut entstellte ihre Züge nicht. Sie sprach leise, mit hasserfüllter Stimme.

»Ich werde euch alle vernichten«, sagte sie. »Eines Morgens werde ich euch entkommen und in das Licht der Sonne treten, und ihr alle werdet verbrennen! Alle, wie ihr da seid, werdet ihr verbrennen! Ihr werdet alle verbrennen. So wie ich verbrenne! Denn ich bin die Urquelle. Und das Böse in mir wird verbrennen, und es wird in euch allen für immer ausgelöscht sein.

Komm her, du elender Grünschnabel«, wandte sie sich an mich. »Tu, was man dir sagt. Trink, und erwarte meine Rache! Der Gott Amon Ra wird sich im Osten erheben, und ich werde ihm entgegenschreiten, und seine tödlichen Strahlen werden mich vernichten. Ich werde mich im Feuer opfern, um jeden von euch zu zerstören, der aus mir geboren und durch mein Blut verwandelt wurde! Ihr habgierigen, geilen Götter, die ihr die Macht, die wir besitzen, zu eurem eigenen Vorteil ausnutzt.«

Dann machte der Traum eine grauenhafte Verwandlung durch. Sie stellte sich auf ihre Füße. Sie wirkte jungfräulich und war mit reinen Gewändern angetan. Rings um sie loderten Fackeln auf – erst eine, dann zwei, dann drei und dann viele und immer noch mehr, als wären sie gerade angezündet worden, bis sie von Flammen umgeben war. Die Götter waren fort. Sie lächelte und winkte mir. Sie neigte den Kopf; als sie zu mir aufsah, glänzte das Weiße in ihren Augen. Sie lächelte. Sie war listig.

Ich wachte schreiend auf.

Ich lag in meinem Bett. In Antiochia. Die Lampe brannte. Flavius hielt mich in den Armen. Das Licht fiel auf sein ausgestrecktes künstliches Bein; die geschnitzten Zehen glänzten.

»Lass mich nicht los, halt mich fest!«, keuchte ich. »Mutter Isis! Halte mich! – Wie lange habe ich geschlafen?«

»Nur ein paar Stunden«, antwortete er.

»Nein!«

»Doch, die Sonne ist gerade aufgegangen. Möchtet Ihr vielleicht hinausgehen und Euch in die warme Sonne legen?«

»Nein!«, schrie ich.

Er zog mich noch enger in seine warme, ach so tröstliche Umarmung. »Es war nur ein böser Traum, meine schöne Herrin«, sagte er. »Schließt die Augen, ich werde neben Euch schlafen, mit meinem Dolch hier.«

»O ja, bitte, bitte, Flavius. Lass mich nicht los. Halt mich fest«, weinte ich.

Als ich mich wieder niederlegte, kuschelte er sich an mich, seine Knie in meinen Kniekehlen, sein Arm auf meinem Körper.

Meine Augen öffneten sich. Ich hörte Marius' Stimme wieder:

»Danke den Göttern, dass ich dich nicht begehre! Nicht genug, um für eine kurze, blutige Ekstase die Liebe zu verraten.«

»Oh, Flavius«, sagte ich. »Meine Haut! Ist meine Haut verbrannt?« Ich wollte mich aufrichten. »Mach das Licht aus. Mach die Sonne aus!«

»Nein, Herrin, Eure Haut ist so schön wie immer. Legt Euch wieder hin. Ich werde Euch etwas vorsingen.«

»Ja, sing …«, sagte ich.

Ich lauschte seinem Gesang, es war Homer, es waren Achilles und Hektor, und ich liebte die Art, wie er sang, die Pausen, die er machte, ich stellte mir jene Helden vor und die hohen Mauern des dem Untergang geweihten Troja. Meine Lider wurden schwer. Ich trieb dahin. Ich ruhte.

Er legte seine Hand auf meinen Kopf, als wollte er die Träume aussperren, als wäre er ein menschlicher Traumfänger. Und ich seufzte, als er über mein Haar strich.

Ich stellte mir Marius vor, den Glanz seiner Haut. Der war so gewesen wie bei der Königin, und auch das Leuchten seiner Augen ganz wie das der Königin, und ich hörte ihn sagen:

»Verdammt, Pandora, glaubst du, ich wollte, dass mein Leben vor seiner Zeit beendet wurde und meine Zukunft sich ins Unendliche erstreckt!«

Und es folgten, ehe mich das Bewusstsein verließ, die völlige Verzweiflung und das Gefühl von der Wertlosigkeit alles Strebens. Wären wir doch nicht mehr als wilde Tiere und wie die Löwen in der Arena.

8

*I*ch wachte auf und hörte die Vögel. Sicher war ich mir nicht, aber ich schätzte, es war noch Morgen, späterer Morgen. Barfuß ging ich in das angrenzende Zimmer und von dort ins Peristyl. Ich bewegte mich auf dem gepflasterten Rand der Erde und sah in den blauen Himmel. Die Sonne war noch nicht so hoch gestiegen, dass ich sie direkt über mir hätte sehen können.

Ich entriegelte die Türen und ging barfuß zum Tor. Den ersten Mann, den ich erblickte, einen Mann der Wüste mit einem lang herabhängenden Tuch um den Kopf, fragte ich:

»Wie spät ist es? Schon Mittag?«

»O nein, Herrin«, antwortete er. »Noch lange nicht. Habt Ihr verschlafen? Da seid Ihr glücklich dran.« Er nickte und ging weiter.

Im Wohnraum brannte noch eine Lampe. Ich ging hinein und sah, dass sie auf dem Schreibpult stand, das die Dienerinnen für mich hergerichtet hatten.

Tinte stand da, und auch Federn waren vorhanden, ebenso frische Pergamentbögen.

Ich setzte mich hin und begann alles niederzuschreiben, was mir von den Träumen in Erinnerung geblieben war. Dabei musste ich meine Augen anstrengen, um bei dem trüben Lampenschein sehen zu können, war das Halbdunkel hier doch zu weit entfernt von dem Licht, das den frischen grünen Garten des Peristyls erfüllte.

Schließlich tat mir der Arm weh, so schnell kratzte meine Feder über das Pergament. Bis in die kleinste Einzelheit beschrieb ich den letzten Traum, die Fackeln, das Lächeln der Königin, wie sie mich zu sich herangewinkt hatte.

Dann war es geschafft. Die ganze Zeit hatte ich die vollen Seiten rings um mich zum Trocknen auf dem Boden abgelegt. Es ging keine Brise oder gar ein Wind, um sie zu gefährden. Ich sammelte sie ein.

Das Papierbündel fest an die Brust gepresst, ging ich bis an den Rand des Gartens, um den blauen Himmel zu betrachten. Blau und klar.

»Und du überspannst diese Welt«, sagte ich. »Und du bist unwandelbar, mit Ausnahme des einen Lichtes, das steigt und sinkt«, so sprach ich zum Himmel. »Dann kommt die Nacht mit ihren trügerischen, lockenden Bildern!«

»Herrin!« Hinter mir stand Flavius, noch ganz verschlafen. »Ihr habt kaum geschlafen. Ihr braucht Ruhe. Geht zurück ins Bett.«

»Hol mir meine Sandalen, beeil dich!«, sagte ich.

Und als er verschwand, tat ich das Gleiche – zum Eingangstor hinaus und im Eilschritt fort, so schnell ich konnte.

Auf halbem Weg zum Isis-Tempel merkte ich, wie unangenehm es war, sich der schmutzigen Straße mit nackten Füßen auszusetzen. Auch dass ich immer noch die zerdrückten weißen Leinengewänder trug, in denen ich geschlafen hatte, fiel mir erst jetzt auf. Die offenen Haare flossen mir über den Rücken. Ich verlangsamte mein Tempo nicht.

Ich war in Hochstimmung. Nicht hilflos wie damals, als ich aus dem Haus meines Vaters floh. Nicht nervös und in höchster Gefahr wie gestern Nacht, als Lucius die römischen Soldaten auf mich gehetzt hatte.

Die Angst hatte mich nicht in ihren Klauen wie im Traum, als die Königin mich angelächelt hatte. Und ich zitterte auch nicht wie in dem Moment, in dem ich aufgewacht war.

Ich lief immer weiter. Ein gewaltiges Drama hielt mich in seinem Bann. Ich würde es durchstehen bis zum letzten Akt.

Leute gingen an mir vorbei – morgendliche Arbeiter, ein alter Mann mit einem knotigen Stock. Ich bemerkte sie kaum.

Die Tatsache, dass ihnen meine unfrisierten, wehenden Haare und meine zerknitterte Kleidung auffielen, bereitete mir ein kleines diebisches Vergnügen. Ich fragte mich, wie es wohl wäre, wenn man sich von aller Zivilisation löste, sich nie wieder Sorgen über die Befestigung von Haarnadeln machte, wenn man im Gras schliefe und sich vor nichts fürchtete.

Nichts fürchten! Ach, das klang wunderbar in meinen Ohren.

Ich erreichte das Forum. An den Marktständen herrschte reger Betrieb; Scharen von Bettlern waren unterwegs. Verhängte Sänften wurden in alle Richtungen getragen. Unter den Bogengängen dozierten die Philosophen. Ich vernahm die lauten, merkwürdigen Geräusche, die von jedem Hafen der Welt ausgehen – herabfallende Schiffsladungen vielleicht, was wusste ich. Ich roch das Wasser des Orontes und hoffte, dass die Leiche von Lucius darin trieb.

Ich stieg die Stufen hinauf und betrat den Tempel der Isis.

»Den Hohen Priester und die Priesterin«, forderte ich. »Ich muss sie sehen.« Vorbei an einer verwirrten, sehr züchtig aussehenden jungen Frau eilte ich in das Nebengelass, in dem man zuerst mit mir gesprochen hatte. Kein Tisch. Nur das Ruhebett. Ich suchte also einen anderen Raum des Tempels auf. Ein Tisch. Pergamentrollen.

Ich hörte eilige Schritte. Die Priesterin kam auf mich zu. Sie war schon für den Tag geschminkt, Perücke und Schmuck saßen perfekt. Ihr Anblick schockierte mich nicht.

»Seht mal«, sagte ich, »ich hatte wieder einen Traum.« Ich zeigte auf die Blätter, die ich ordentlich übereinander auf den Tisch gelegt hatte. »Ich habe alles für euch aufgeschrieben.«

Der Priester trat ein. Er ging zum Tisch und starrte auf die Blätter.

»Lest es, Wort für Wort. Jetzt sofort. Bezeugt es, damit mir nichts geschieht.«

Der Priester und die Priesterin standen rechts und links von mir, der Priester nahm den Stapel vorsichtig hoch, um jedes einzelne Blatt gründlich zu studieren, obwohl er die Blätter nicht umwandte.

»Ich habe schon einmal gelebt«, erklärte ich. »Sie verlangt eine Abrechnung oder Gefälligkeit von mir, ich weiß selbst nicht, was, aber sie existiert. Sie ist keine bloße Statue.«

Sie starrten mich beide an.

»Nun? Äußert euch. Schließlich kommen alle zu euch, um unterwiesen zu werden.«

»Aber, meine Dame«, sagte der Priester, »wir können nichts davon lesen.«

»Was?«

»Es ist in der uralten, verschnörkelten Form der Bilderschrift geschrieben.«

»Wie?«

Ich starrte auf die Blätter. Und ich sah nur meine eigenen Worte, wie sie in einem bestimmten Rhythmus durch meine Hand, durch meine Feder, aus meinem Geist geflossen waren. Ich konnte meine Augen nicht dazu bringen, die Form der Buchstaben wahrzunehmen.

Ich nahm die letzte Seite und las laut: »Ihr Lächeln war listig. Es erfüllte mich mit Angst.« Ich hielt ihnen das Blatt hin.

Sie schüttelten ablehnend den Kopf.

Plötzlich entstand hinter mir ein kleiner Aufruhr, und Flavius wurde hereingelassen: ganz außer Atem und rot im Gesicht. Er hatte meine Sandalen bei sich. Er sah mich an und lehnte sich, offensichtlich sehr erleichtert, gegen die Wand.

»Komm her«, sagte ich.

Er gehorchte.

»Sieh dir mal diese Seiten an, lies sie; ist das nicht Latein?«

Zwei Sklaven näherten sich scheu, wuschen mir hastig die Füße und banden mir die Sandalen um. Über mir stehend, begutachtete Flavius die Seiten.

»Das ist alte ägyptische Schrift«, sagte er dann, »die älteste Form, die ich je zu Gesicht bekommen habe. In Athen würde man ein Vermögen dafür bekommen!«

»Ich habe das gerade geschrieben!«, sagte ich. Mein Blick ging zuerst zu dem Priester, dann zu der Priesterin. »Ruft euren großen blonden Freund«, empfahl ich. »Holt ihn her. Den Gedankenleser, den, der die alten Schriften lesen kann.«

»Das geht nicht, edle Dame.« Der Priester warf einen hilflosen Blick auf die Priesterin.

»Warum nicht? Wo ist er denn? Er kommt wohl nur nach Einbruch der Dunkelheit?«, fragte ich.

Sie nickten.

»Und wenn er die Bücher kauft, all diese Bücher aus Ägypten, dann geschieht das auch bei Lampenlicht?«, wollte ich wissen. Aber ich kannte die Antwort schon.

Sie sahen sich ratlos an.

»Wo wohnt er?«

»Edle Dame, das wissen wir nicht. Bitte, versucht nicht, ihn zu finden. Er wird kommen, sobald das Licht verblasst. Er wies uns gestern Abend darauf hin, dass Ihr ihm sehr viel bedeutet.«

»Ihr wisst also nicht, wo er lebt.«

Ich stand auf.

»Nun gut«, sagte ich und nahm die Blätter an mich, meine Aufsehen erregenden antiken Schriftstücke.

»Euer verbrannter Freund«, sagte ich noch im Hinausgehen, »euer mörderischer Bluttrinker, war er letzte Nacht hier? Hat er euch eine Opfergabe dagelassen?«

»Ja«, antwortete der Priester. Er wirkte gedemütigt. »Edle Pandora, ruht Euch doch zuerst einmal aus, und nehmt ein wenig Nahrung zu Euch.«

»Ja«, drängte auch mein treuer Flavius. »Ihr müsst essen.«

»Kommt nicht in Frage«, wehrte ich ab, presste die Blätter an mich und ging durch die große Halle auf die Portale zu. Sie flehten mich an zu bleiben, doch ich ignorierte sie.

Ich trat hinaus in die Mittagshitze, Flavius auf den Fersen. Der Priester und die Priesterin baten uns immer noch zu bleiben.

Ich sah mit prüfendem Blick über den riesigen Marktplatz. Die seriösen Buchhändler hatten ihre Stände am linken hinteren Ende des Forums. Ich überquerte den Platz.

Flavius bemühte sich, mit mir Schritt zu halten. »Herrin, bitte, was habt Ihr vor? Ihr habt den Verstand verloren.«

»Das stimmt nicht, und du weißt es«, sagte ich. »Du hast ihn doch letzte Nacht gesehen!«

»Herrin, wartet doch im Tempel auf ihn, so wie er es gesagt hat«, bat Flavius.

»Warum? Warum sollte ich?«, fragte ich.

Es gab zahlreiche Buchhandlungen, sie führten Manuskripte in allen Sprachen. »Ägypten, Ägypten!«, rief ich sowohl auf Lateinisch als auch auf Griechisch. Die vielen Käufer und Verkäufer erzeugten eine Menge Lärm. Plato gab es überall, auch Aristoteles. Ein ganzes Regal war gefüllt mit der Biografie des Kaisers Augustus, die er in den Jahren vor seinem Tod vollendet hatte.

»Ägypten!«, rief ich. Händler zeigten auf alte Schriftrollen. Fragmente.

Die Sonnensegel flatterten in der leichten Brise. Einen Buchladen nach dem anderen inspizierte ich mit einem Blick in das Innere, sah dort ganze Reihen von Sklaven, wie sie Schriften kopierten und eifrig ihre Federn in die Tinte tauchten und nicht wagten, von ihrer Arbeit aufzublicken.

Auch draußen im Schatten saßen Sklaven, sie schrieben Briefe, die ihnen von einfachen, des Schreibens unkundigen Männern und Frauen diktiert wurden. Überall herrschte geschäftiges Treiben.

Truhen wurden in einen Laden gebracht. Der Besitzer, ein älterer Mann, kam heraus.

»Marius!«, rief ich ihm zu. »Ich komme von Marius, dem großen blonden Mann, der Euer Geschäft nur am späten Abend aufsucht.«

Der Mann reagierte nicht.

Ich ging in den nächsten Laden. Hier war alles vertreten, was aus Ägypten kam, nicht nur zur Besichtigung ausgerollte Pergamente, sondern auch Fragmente von Malereien an den Wänden, Bruchstücke von Reliefs, auf denen man noch das Profil eines Königs oder einer Königin erkennen konnte, Reihen von kleinen Krügen sowie Figürchen aus irgendeiner längst ausgeräumten Grabkammer. Die Ägypter stellten mit besonderer Vorliebe diese winzigen Holzfiguren her.

Und hier fand ich genau den Mann, den ich gesucht hatte, den echten Antiquar. Nur zögernd riss sich der grauhaarige Mann von seinem Buch los, einem Gesetzeswerk in neuerem Ägyptisch.

»Nichts dabei, das Marius interessieren könnte?«, fragte ich, als ich den Laden betrat. Truhen und Schachteln versperrten mir auf Schritt und Tritt den Weg. »Ihr wisst doch, dieser große Römer Marius, der die Manuskripte aus der ältesten Vorzeit studiert und die kostbarsten aufkauft. Ihr wisst, wen ich meine. Auffallend blaue Augen. Blondes Haar. Er kommt immer erst abends; Ihr lasst doch Euren Laden seinetwegen länger auf.«

Der Mann nickte. Er warf einen schnellen Blick auf Flavius und sagte mit hochgezogenen Augenbrauen: »Dieses elfenbeinerne Ersatzteil ist nicht schlecht!« Ein gebildeter Grieche. Ausgezeichnet. »Griechisch-orientalisch und sehr schön hell.«

»Ich komme wegen Marius«, sagte ich.

»Ich lege alles für ihn zurück«, erwiderte der Mann mit einem leichten Schulterzucken. »Ich verkaufe nichts, das ich nicht zuerst ihm angeboten habe.«

»Das glaube ich. Ich komme seinetwegen.« Ich sah mich um. »Darf ich mich setzen?«

»Oh, bitte, verzeiht«, sagte der Mann. Er deutete auf eine stabile Truhe. Flavius stand verdutzt da. Der Mann setzte sich wieder an seinen voll gepackten Tisch.

»Ich wünschte, ich hätte einen anständigen Tisch. Wo ist mein Sklave? Ich hatte hier doch irgendwo Wein. Ich war nur … Ich habe gerade in diesem Text etwas höchst Erstaunliches gelesen!«

»Wirklich?«, sagte ich. »Also, dann seht Euch doch dies hier bitte an.« Ich drückte ihm die von mir verfassten Seiten in die Hand.

»Meine Güte, ist das eine wunderbare Abschrift«, sagte er, »und so gut wie neu!« Er flüsterte kaum hörbar vor sich hin. Viele Worte konnte er lesen. »Das wird Marius sehr interessieren. Es geht hier um die Sagen, die sich um Isis ranken, genau damit beschäftigt er sich.«

Ich entzog ihm die Blätter sanft wieder. »Ich habe das für ihn geschrieben!«

»Ihr habt das geschrieben?«

»Ja, aber wisst Ihr, ich suche nach einer Überraschung für ihn, es soll ein Geschenk sein! Etwas, das gerade erst erschienen ist, was er noch nicht gesehen hat.«

»Nun, da habe ich so einiges.«

»Flavius, das Geld.«

»Ich habe kein Geld, Herrin.«

»Das stimmt nicht, Flavius; du würdest weder ohne Schlüssel noch ohne Geld aus dem Haus gehen. Gib es mir.«

»Oh, ich gebe Euch Kredit, wenn es für Marius ist«, sagte der Alte. »Hm, wisst Ihr, es ist Verschiedenes diese Woche auf den

Markt gekommen. Das liegt an der Hungersnot in Ägypten. Ich vermute, die Leute waren gezwungen zu verkaufen. Man weiß nie, woher ein ägyptisches Manuskript kommt. Aber hier –« Er hob den Arm und nahm ein zartes Pergament aus einem Fach der kreuz und quer im Raum stehenden staubigen Holzregale.

Er legte es ehrfürchtig auf den Tisch und öffnete es sehr vorsichtig. Das Pergament war gut erhalten, doch an den Ecken war es etwas brüchig. Es würde sich auflösen, wenn man nicht sorgfältig damit umging.

Ich stand auf, um ihm über die Schulter zu sehen. Ein Schwindelgefühl befiel mich. Ich sah die Wüste und eine Hüttenstadt mit Dächern aus Palmwedeln. Ich musste mich zwingen, meine Augen offen zu halten.

Der alte Mann sagte: »Das ist eindeutig das älteste Manuskript in ägyptischer Schrift, das ich je gesehen habe! Ganz ruhig, meine Liebe. Stützt Euch auf meine Schulter. Nehmt meinen Stuhl.«

»Nein, nicht nötig«, sagte ich, immer noch den Blick auf die Buchstaben geheftet. Ich las laut: »An meinen Herrn, Narmer, König von Ober- und Unterägypten; wer sind diese Feinde, die von mir behaupten, dass ich mich nicht redlich verhalte? Wann hätte Eure Majestät mich je unredlich gefunden? In Wahrheit bemühe ich mich, immer mehr zu tun, als von mir erbeten oder erwartet wird. Wann hätte ich wohl versäumt, jedes Wort des Angeklagten anzuhören, damit er gerecht beurteilt werde, wie auch Eure Majestät es täte …«

Ich brach ab. Mir schwirrte der Kopf. Eine kurze Erinnerung: Ich war ein Kind, wir gingen alle in das Gebirge oberhalb der Wüste, um Osiris, den blutdürstigen Gott, zu bitten, in das Herz des Übeltäters zu sehen. »Schau«, sagten meine Begleiter. Der Gott war ein Mann der Vollkommenheit, bronzehäutig stand er im Mondlicht; er packte den Verurteilten und saugte ihm langsam das Blut aus. Neben mir flüsterte eine Frau, dass der Gott sein Urteil gefällt und die Strafe verhängt habe und dass das Blut des Missetäters nun zurückkehre, damit es gereinigt und in einem anderen wieder geboren werde, in dem es keinen Schaden mehr anrichten könne.

Ich versuchte, dieses Bild, dieses Gefühl erstickender Erinnerung zu verbannen. Flavius war sehr beunruhigt und hielt mich an den Schultern fest.

Ich befand mich zugleich in zwei Welten: Ich schaute hinaus in die gleißende Sonne, die auf die Steine des Forums niederbrannte, und lebte an einem anderen Ort, als ein junger Mann, der einen Hügel hinaufrannte und seine Unschuld beteuerte.

»Ruft den alten, blutdürstigen Gott! Er wird in das Herz meines Gemahls sehen und erkennen, dass der Mann lügt. Ich habe nie bei einem anderen gelegen.« Ach, du sanfte Dunkelheit, komm – sie sollte die Berge umfangen, denn am Tag schlief der blutdürstige Gott und verbarg sich, damit ihn Ra, der Sonnengott, nicht fand und aus Eifersucht vernichtete.

»Weil sie sie alle bezwungen hat«, flüsterte ich. Ich meinte die Königin Isis. »Flavius, halt mich fest.«

»Ich stütze Euch ja, Herrin.«

»Da!«, sagte der alte Mann, der sich erhoben hatte, und schob mir seinen Stuhl hin.

Unzählige Sterne gingen am nächtlichen Himmel Ägyptens auf. Ich sah sie ebenso deutlich wie diesen Laden in Antiochia am hellen Mittag. Beim Anblick der Sterne wusste ich, ich hatte gesiegt. Der Gott würde herrschen. »Oh, bitte, tritt hervor, komm herab von diesem Berg, unser geliebter Osiris, und erforsche das Herz meines Gemahls und auch mein Herz, und wenn du mich im Unrecht findest, dann soll mein Blut dir gehören, ich gebe es dir zum Pfand.« Und er kam! Da war er, so wie ich ihn als Kind gesehen hatte, ehe die Priester des Ra den alten Kult verboten. »Gerechtigkeit, Gerechtigkeit, Gerechtigkeit!«, rief das Volk. Der Mann, der mein Gemahl war, duckte sich ängstlich zusammen, als der Gott mit dem Finger des Richters auf ihn zeigte. »Gebt mir dieses üble Blut, und ich werde es aufsaugen«, sagte der Gott. »Und dann bringt mir wieder meine Opfergaben. Seid keine Feiglinge angesichts einer reichen Priesterschaft. Ihr steht vor einem Gott.«

Er zeigte auf jeden einzelnen Dorfbewohner und nannte seinen beziehungsweise ihren Namen. Ihr Gewerbe war ihm bekannt. Er konnte ihre Gedanken lesen! Als er die Lippen zurückzog, wurden seine Fangzähne sichtbar. Die Vision löste sich auf. Mein starrer Blick hing an ganz alltäglichen Gegenständen, als wären sie lebendig und giftig.

»Oh, ihr Götter«, seufzte ich ehrlich bekümmert. »Ich muss Marius finden. Und zwar auf der Stelle!« Wenn Marius dies hörte, würde er mich ins Vertrauen ziehen und mir die Wahrheit sagen. Er konnte gar nicht anders.

»Miete eine Sänfte für deine Herrin«, sagte der alte Buchhändler zu Flavius. »Sie ist erschöpft, und der Weg auf den Hügel ist zu lang!«

»Hügel?« Ich straffte mich. Dieser Mann wusste, wo Marius wohnte! Aber ich erschlaffte bald wieder, ließ den Kopf hängen und sagte mit einer matten Handbewegung: »Bitte, guter Mann, beschreibt doch meinem Haushofmeister genau, wie man zu dem Haus kommt.«

»Aber gewiss. Ich kenne zwei Abkürzungen, eine ist ein bisschen komplizierter als die andere. Wir bringen schließlich ständig Bücher zu Marius.«

Flavius blickte entgeistert.

Ich versuchte ein Lächeln zu unterdrücken. Das lief besser, als ich gehofft hatte. Aber diese Visionen von Ägypten hatten mich innerlich zerrissen und erschöpft. Ich hasste den Blick auf die Wüste und die Berge, den Gedanken an Blut saugende Götter.

Ich erhob mich und wollte gehen.

»Es ist eine rosafarbene Villa am äußersten Rand der Stadt«, sagte der alte Mann, »aber noch innerhalb der Mauern, mit Blick auf den Fluss; es ist das letzte Haus. Früher war es einmal ein Landsitz außerhalb der Stadtmauern. Es steht auf einer steinigen Anhöhe. Aber bei Marius öffnet tagsüber niemand das Tor. Alle wissen, dass er tagsüber schlafen will, weil er die Angewohnheit hat, nachts zu forschen. Wir hinterlegen die Bücher immer bei seinen jungen Dienern.«

»Er wird mich willkommen heißen!«, sagte ich.

»Das ist sehr wahrscheinlich, wenn diese Schriften wirklich von Euch sind«, sagte der alte Mann.

Dann machten wir uns auf den Weg. Inzwischen stand die Sonne hoch am Himmel, auf dem Forum tummelten sich die Käufer. Frauen trugen Körbe auf dem Kopf. In den Tempeln herrschte ein Kommen und Gehen. Spielerisch wanden wir uns durch die Menge.

»Komm schon, Flavius«, drängte ich.

Es war eine Qual, sich seiner Langsamkeit anzupassen, als wir den steilen Hügel hinaufstiegen, Schritt für Schritt immer näher kamen.

»Ihr wisst, dass das Wahnsinn ist!«, sagte Flavius. »Er kann bei Tageslicht nicht wach sein; das habt Ihr mir und Euch klar bewiesen! Mir, dem ungläubigen Athener, und Euch, der zynischen Römerin. Was sollen wir hier machen?«

Höher und höher stiegen wir, ließen ein luxuriöses Anwesen nach dem anderen zurück. Verschlossene Tore. Das Bellen von Wachhunden.

»Beeil dich. Muss ich mir deine Vorträge noch länger anhören? Oh, schau, mein liebster Flavius. Das rosafarbene Haus, das letzte Haus. Marius hat wirklich Stil. Sieh nur die Mauern und Tore!«

Endlich legte ich meine Finger um die eisernen Stäbe. Flavius ließ sich in das Gras am Rand der schmalen Straße sinken. Er hatte sich völlig verausgabt.

Ich zog an der Schnur der Türglocke.

Bäume stützten ihre schweren Äste auf die Mauerkronen. Durch das Blättergewirr erspähte ich eine Gestalt, die auf den Balkon im zweiten Stock trat.

»Kein Zutritt!«, rief sie.

»Ich muss zu Marius!«, antwortete ich. »Er erwartet mich!« Ich wölbte meine Hände und rief: »Er hat mich hergebeten. Er hat gesagt, ich solle kommen!«

Flavius murmelte ein Stoßgebet vor sich hin. »O Herrin, ich hoffe, Ihr kennt diesen Mann besser, als Ihr Euren eigenen Bruder gekannt habt.«

Ich lachte. »Das kann man nicht vergleichen«, sagte ich. »Hör auf zu jammern.«

Die Gestalt war verschwunden. Ich hörte eilige Schritte.

Schließlich tauchten zwei Knaben vor mir auf, fast noch Kinder, bartlos, mit langem schwarzem Kraushaar, in hübsche, goldverbrämte Tuniken gekleidet. Sie sahen aus wie Chaldäer.

»Schnell, öffnet das Tor!«, befahl ich ihnen.

»Edle Dame, ich kann Euch nicht einlassen«, sagte der eine, offensichtlich der Sprecher. »Ich darf niemanden einlassen, bis Marius selbst kommt. Das ist sein Befehl.«

»Selbst kommt, woher?«, fragte ich.

»Herrin, er erscheint, wann er will, und empfängt, wen er will. Bitte, nennt mir Euren Namen, und ich werde ihm sagen, dass Ihr hier wart.«

»Entweder du öffnest das Tor, oder ich klettere über die Mauer«, drohte ich.

Die Jungen waren entsetzt. »Nein, Herrin, das könnt Ihr nicht tun!«

»Nein? Wollt ihr nicht jemanden zu Hilfe rufen?«, fragte ich.

Die beiden Sklaven starrten mich verwundert an. Sie waren

sehr hübsch. Einer war etwas größer als der andere. Beide trugen Armspangen von erlesener Schönheit.

»Dachte ich's mir doch«, sagte ich. »Außer euch ist niemand hier.« Ich drehte mich um und prüfte das dicke Schlinggewächs, das über die getünchte Mauer hing. Mit einem kleinen Sprung in die Höhe setzte ich meinen rechten Fuß so hoch wie möglich in das dichte Gestrüpp, und mit einem weiteren Sprung konnte ich meine Arme über die Mauerkrone schwingen.

Flavius hatte sich aus dem Gras erhoben und kam zu mir gelaufen.

»Herrin, ich bitte Euch, lasst das sein«, drängte er. »Herrin, das ist schlecht, ganz schlecht! Ihr könnt nicht einfach über die Mauer dieses Hauses klettern.«

Die Diener auf der anderen Seite schnatterten aufgeregt miteinander; ich glaube, es war Chaldäisch.

»Herrin, ich habe Angst um Euch!«, rief Flavius. »Wie kann ich Euch vor einem Mann wie diesen Marius beschützen? Herrin, er wird Euch zürnen!«

Ich lag mit dem Bauch quer über der Mauerkrone und rang nach Luft. Der Garten innen war wunderschön und sehr groß. Was für herrliche Marmorbrunnen! Die beiden Sklaven hatten sich Schritt für Schritt zurückgezogen und gafften mich an, als wäre ich ein mächtiges Ungeheuer.

»Bitte, bitte!«, flehten sie beide. »Er wird sich furchtbar rächen! Ihr kennt ihn nicht. Edle Dame, bitte wartet.«

»Los, Flavius, gib mir die Blätter. Für Ungehorsam ist jetzt keine Zeit!«

Flavius gab nach, aber er sagte: »Ach, das ist alles falsch, ganz falsch! Das kann nur zu den schrecklichsten Missverständnissen führen.«

Dann rutschte ich auf der anderen Seite der Mauer hinunter, wobei mich der dichte Überzug borstiger, glänzender Blätter überall kitzelte, und drückte den Kopf in die verschlungenen

Ranken und Blüten. Ich hatte keine Angst vor den Bienen. Die hatte ich noch nie gefürchtet. Ich verweilte einen Augenblick. Dabei hielt ich meine beschriebenen Seiten fest an mich gepresst. Schließlich ging ich zum Tor, damit ich Flavius sehen konnte.

»Überlass Marius nur mir«, sagte ich zu ihm. »Aber du bist doch nicht ohne deinen Dolch weggegangen?«

»Nein, natürlich nicht«, antwortete er und hob seinen Umhang hoch, um ihn zu enthüllen, »und mit Eurer Erlaubnis würde ich ihn mir jetzt gern ins Herz stoßen, damit ich schon eiskalt bin, ehe der Herr dieses Hauses erscheint und Euch hier in seinem Garten Amok laufen sieht!«

»Erlaubnis verweigert!«, sagte ich. »Untersteh dich. Hast du nicht richtig zugehört? Du sollst dich nicht vor Marius in Acht nehmen, sondern vor dem verschrumpelten, humpelnden Dämon in seiner verkohlten Haut. Er wird kommen, sobald es dunkel ist. Was ist, wenn er vor Marius hier ist?«

»Oh, ihr Götter, helft mir!« Er schlug die Hände vors Gesicht.

»Flavius, reiß dich zusammen. Du bist ein Mann! Muss ich dich immer wieder daran erinnern? Du sollst Ausschau nach diesem Furcht einflößenden schwarzen Knochengerüst halten – und es ist schwach. Denk daran, was Marius gesagt hat. Ziel auf seinen Kopf. Bohr ihm deinen Dolch in die Augenhöhlen, schlitz ihn auf, zerfetz ihn mit der Klinge, und ruf nach mir; ich werde kommen. Nun leg dich schlafen, bis es dunkel wird. Vorher kann er nicht kommen, wenn er überhaupt weiß, wo er hin muss! Außerdem glaube ich, dass Marius vor ihm hier sein wird.«

Ich drehte mich um und schritt auf die offen stehenden Türen des Hauses zu. Die hübschen, langhaarigen Knaben zerflossen in Tränen.

Einen Augenblick lang betäubten der Frieden und die feuchte, kühle Luft des Gartens jede Furcht in mir, und mir schien, als wäre ich in Sicherheit, in einer Umgebung, die ich verstand, weit weg von dunklen Tempeln, in der Sicherheit unseres alten Parks in der Toskana, der genauso üppig gewesen war wie dieser hier.

»Ich bitte Euch ein letztes Mal, kommt zurück, verlasst diesen Garten!«, rief Flavius.

Ich kümmerte mich nicht darum.

Alle Türen dieser hübsch verputzten Villa standen offen: die oberen, die auf die Balkons hinausgingen, sowie die unteren, die in den Garten führten. Hör nur die rieselnden Quellen! Zitronenbäume standen hier und Marmorstatuen träger, sinnenfroher Götter oder Göttinnen inmitten purpurner und blauer Blumen. Aus einem Polster orangefarbener Blüten ragte die Jägerin Diana auf, der Marmor vom Alter zerfressen. Und dort markierte ein schläfriger Ganymed, schon halb mit grünem Moos bedeckt, einen überwachsenen Pfad. Weiter weg erblickte ich die nackte Gestalt der Venus, die sich am Rand eines Bassins zum Bade niederbeugte. In das Becken floss Wasser. Wohin mein Blick auch fiel, überall sprudelten Quellen.

Die üblichen kleinen weißen Lilien waren wild gewuchert, und da gab es Olivenbäume mit wunderbar verbogenen Stämmen, die wie einst in meiner Kindheit zum Klettern einluden.

Über allem lag eine idyllische Unberührtheit, dennoch sah man, dass die Natur unter Kontrolle gehalten wurde. Die Mauern waren frisch gestrichen, ebenso die hölzernen, weit geöffneten Fensterläden.

Die beiden Knaben weinten. »Herrin, er wird furchtbar zornig sein.«

»Aber doch nicht auf euch«, entgegnete ich, schon auf dem Weg ins Haus. Da ich über das Gras gegangen war, hinterließen meine Füße kaum eine Spur auf dem Marmorboden.

»Hört doch auf zu heulen! Ihr müsst ihn ja nicht einmal bitten, dass er euch Glauben schenkt. Habe ich nicht Recht? Er kann die Wahrheit in euren Gedanken lesen.«

Das verblüffte sie beide. Sie betrachteten mich argwöhnisch.

Ich blieb stehen, sobald ich die Schwelle überschritten hatte. Von diesem Haus ging etwas aus, nicht laut genug, um als Klang bezeichnet zu werden, doch dem rhythmischen Vorboten eines Klanges sehr ähnlich. Denselben tonlosen Rhythmus hatte ich schon einmal gehört. Wann war das? Im Tempel? Als ich zum ersten Mal den Raum betreten hatte, in dem Marius sich hinter dem Wandschirm verbarg?

Über Marmorböden schritt ich von einem Zimmer ins andere. Überall versetzte ein leichter Lufthauch die hängenden Lampen in spielerische Bewegung. Es gab viele Lampen hier. Und dann die Kerzen! Wie viele Kerzen! Und Lampen auf Sockeln. Wenn alle Lichter brannten, musste es hier taghell sein!

Nach und nach erkannte ich, dass die gesamte untere Etage eine einzige Bibliothek war, abgesehen von dem unerlässlichen üppigen römischen Bad und dem riesigen Ankleidezimmer.

Jeder sonstige Raum war mit Büchern voll gestopft. Überall nur Bücher. Natürlich gab es Ruhebetten, auf denen man bequem liegen und lesen konnte, auch Schreibpulte, doch an jeder Wand standen gewaltige Gestelle für Schriftrollen oder Regale mit gebundenen Büchern.

Und seltsame Türen gab es. Sie schienen zu verborgenen Treppen zu führen. Aber sie hatten keine Schlösser und schienen aus poliertem Granit zu bestehen. Wenigstens zwei solcher Türflächen fand ich! Und eine Kammer im Erdgeschoss war völlig in Gestein eingelassen und ebenfalls durch undurchdringliche Türen verschlossen.

Während die Sklavenjungen immer noch zitterten und schluchzten, stieg ich in den ersten Stock. Leere. Jedes Zimmer einfach leer, bis auf das, das offensichtlich von den Knaben bewohnt wurde. Da standen ihre Betten und ihre kleinen persischen Altäre und Götterbilder; da gab es dicke Läufer, mit Troddeln versehene Kissen und überall die typisch orientalischen, in Schlangenlinien verlaufenden Muster.

Ich ging hinunter. Die Jungen kauerten an der Haustür wie Marmorstatuen; die Knie angezogen, den Kopf darauf gelegt, so weinten sie leise vor sich hin, wenn sie inzwischen vielleicht auch ein wenig erschöpft waren.

»Wo sind in diesem Haus die Schlafzimmer? Wo schläft Marius? Wo ist die Küche, und wo ist der Schrein für die Hausgötter?«

Der eine stieß einen erstickten Schrei aus. »Es gibt keine Schlafzimmer.«

»Wie sollte es auch anders sein«, sagte ich.

»Das Essen wird uns gebracht«, jammerte der andere. »Es kommt fertig gekocht und ist köstlich. Aber ich fürchte, dass wir, ohne es zu wissen, unser letztes Mahl genossen haben.«

»Ach, nehmt es nicht so schwer. Wie kann Marius euch für etwas tadeln, das ich getan habe? Ihr seid doch noch Kinder, und er ist ein freundlicher Mann, ist es nicht so? Hier, legt diese Blätter auf sein Schreibpult, beschwert sie, damit sie nicht fortfliegen können.«

»Ja, er ist sehr freundlich«, bestätigte der Junge, »aber sehr streng in seinen Gewohnheiten.«

Ich schloss die Augen. Wieder spürte ich diesen Klang, diesen aufsteigenden eindringlichen Klang. Sollte man ihn hören? Ich konnte es nicht sagen. Er schien unpersönlich zu sein wie der Herzschlag eines Schlafenden oder wie das rieselnde Wasser der Quellen.

Ich ging hinüber zu einem breiten, prächtigen Ruhebett, das ein Überwurf aus feiner Seide mit persischen Mustern bedeckte. Obwohl es sorgsam geglättet war, zeichnete sich die Form eines Männerkörpers darin ab. Und auch das Kissen, bauschig und frisch aufgeschüttelt, schien immer noch eine kleine Delle zu haben, wo der Mann gelegen hatte.

»Liegt er hier?«

Mit wehenden Locken sprangen die Jungen auf die Füße.

»Ja, Herrin, das ist sein Ruhebett«, sagte der Sprecher der beiden. »Bitte, berührt es nicht. Da liegt er viele Stunden und liest. Bitte, Herrin! Er nimmt es sehr genau damit. Wir dürfen in seiner Abwesenheit auch nicht zum Spaß hier liegen, obwohl er uns sonst in jeder Hinsicht freie Hand lässt.«

»Er weiß sogar, wenn man es nur berührt hat!«, sagte der andere Junge; er tat zum ersten Mal den Mund auf.

»Ich werde darauf schlafen«, sagte ich. Ich legte mich darauf nieder und schloss die Augen; ich rollte mich auf die Seite und zog die Knie an. »Ich bin müde. Ich möchte nur noch schlafen. Das erste Mal seit langer Zeit fühle ich mich sicher.«

»Wirklich?«, fragte der eine Junge.

»Oh, kommt her, ihr beiden, legt euch zu mir. Steckt eure Köpfe unter ein paar Kissen, damit er mich zuerst sieht. Er kennt mich gut. Die Blätter, die ich mitgebracht habe, wo sind sie? Ach ja, da auf dem Pult, nun, sie werden erklären, warum ich gekommen bin. Es hat sich alles geändert. Man verlangt etwas von mir. Ich habe keine Wahl. Es gibt keinen Weg zurück. Marius wird das verstehen. Ich bin ihm zu meinem eigenen Schutz so nahe wie möglich gerückt.«

Ich legte meinen Kopf auf die kleine Delle in dem Kissen, wo er gelegen hatte. Ich holte tief Luft. »Die Brise ist wie Musik hier«, flüsterte ich. »Hört ihr es?«

Dann fiel ich erschöpft in den tiefen Schlaf, den ich mir so lange sowohl tagsüber als auch nachts versagt hatte.

Es waren wohl Stunden vergangen.

Ich erwachte mit einem Ruck. Der Himmel hatte sich purpurn gefärbt. Die beiden Sklavenjungen lagen zusammengerollt neben dem Ruhebett wie erschreckte kleine Tiere.

Ich hörte dieses Geräusch wieder, diesen Klang, ganz deutlich ein Pulsschlag. Ich dachte seltsamerweise an etwas, das ich als Kind zu tun pflegte: Ich legte manchmal mein Ohr an die Brust meines Vaters, und wenn ich seinen Herzschlag hörte, küsste ich die Stelle. Das hatte ihn immer sehr glücklich gemacht.

Ich stand auf in dem Bewusstsein, dass ich zwar noch nicht ganz wach war, aber auch sicher nicht träumte. Ich befand mich in der schönen Villa von Marius in Antiochia. Die mit Marmor ausgelegten Räume gingen alle ineinander über.

Ich ging zu dem letzten, dem Raum, der ganz in Stein eingelassen war. Die Türen waren unglaublich schwer. Doch plötzlich öffneten sie sich lautlos, als hätte sie jemand von innen aufgestoßen.

Ich trat in eine fest gefügte Kammer. Vor mir sah ich zwei weitere Türen, ebenfalls aus Stein. Sie mussten zu einer Treppe führen, denn das Haus endete hier.

Auch diese Türen sprangen plötzlich auf, als hätte sich eine Feder gelöst.

Von unten schien Licht herauf.

Eine Treppe führte von der Türschwelle in die Tiefe. Sie bestand aus weißem Marmor und war ganz neu, noch ohne Fußspuren. So glatt jede Stufe, so unberührt.

Eine Reihe sanfter Flammen brannte dort unten und schickte ihre grotesken Schatten durch den Treppenschacht nach oben.

Der seltsame Klang schien nun lauter. Ich schloss die Augen. Oh, dass doch die ganze Welt aus diesen glänzenden Räumen bestünde und alles, was existiert, seine Erklärung darin fände.

Plötzlich hörte ich einen lauten Ruf.

»Herrin Pandora!«

Ich wirbelte herum.

»Pandora, er ist über die Mauer!«

Die Jungen rannten kreischend durchs Haus, ihre Schreie wiederholten Flavius' Worte wie ein Echo: »Herrin Pandora!«

Etwas großes Dunkles ballte sich direkt vor meinen Augen zusammen und stürzte sich auf mich, stieß die hilflosen, winselnden Knaben zur Seite. Ich selbst wurde beinahe die Treppe hinuntergeschleudert.

Dann wurde mir klar, dass ich in der Gewalt des verbrannten Wesens war. Mein Blick fiel auf den schwarzen Arm – verschrumpelt wie altes Leder –, der mich umklammert hielt. Ein intensiver Geruch nach Gewürzen drang mir in die Nase. Das hässlich dürre Bein, das ich sah, und der verdorrte Fuß steckten in frischer Kleidung.

»Kinder, holt die Lampe, steckt ihn in Brand!«, rief ich, dabei wehrte ich mich verzweifelt, drängte ihn von dem Treppenschacht weg, doch ich konnte mich nicht von der Kreatur befreien. »Los, Kinder, die Lampen von unten!«

Die Jungen klammerten sich aneinander.

»Ich habe dich!«, flüsterte mir die Kreatur zärtlich ins Ohr.

»Nein, mitnichten!«, erwiderte ich und verpasste ihm einen anständigen Hieb mit dem Ellenbogen, so dass er das Gleichgewicht verlor. Beinahe wäre er umgefallen. Aber er ließ mich nicht los. Das Weiß seiner Tunika leuchtete im Halbdunkel, als er aufs Neue meine Arme umklammerte und mich damit so gut wie wehrlos machte.

»Kinder, nach unten! Die Lampen mit Öl!«, rief ich. »Flavius!«

Das Wesen umschloss mich, als wäre es eine riesige Schlange. Ich konnte kaum atmen.

»Wir können nicht da runter!«, rief jetzt einer der Jungen.

»Wir dürfen nicht!«, fügte der andere hinzu.

Die Kreatur lachte mir ins Ohr, ein lautes, tiefes Lachen. »Nicht jeder neigt so zur Rebellion wie du, schöne Frau, die du deinen Bruder am Fuß der Tempelstufen überlistet hast.«

Es versetzte mir einen Schock, aus diesem Körper, der hoffnungslos verbrannt und lebensunfähig schien, eine so klar artikulierte Stimme zu hören. Ich beobachtete schaudernd, wie seine geschwärzten Finger über die meinen strichen. Ich spürte etwas Kaltes an meinem Hals. Dann fühlte ich die Stiche. Seine Fangzähne.

»Nein!«, schrie ich. Ich wand mich in seinem Griff hin und her, schließlich ließ ich mich mit meinem ganzen Gewicht gegen ihn fallen, so dass er wieder beinah gestürzt wäre, aber er fiel nicht.

»Hör auf damit, du Hexe, sonst bringe ich dich auf der Stelle um.«

»Warum tust du's nicht?«, fragte ich.

Ich drehte und wand mich, um ihm ins Gesicht zu sehen. Es war wie das eines unter der Wüstensonne ausgetrockneten Leichnams, schwarz verbrannt, mit Nasenbein und verzerrten Lippen, die sich offenbar nicht über den weißen Zähnen schließen konnten, und den beiden Fangzähnen, die er jetzt entblößte, als er mich ansah.

Seine Augen waren blutunterlaufen, wie es auch bei Marius gewesen war. Sein Haar bildete eine glänzende schwarze Mähne, sehr dicht, sauber und frisch, als wüchse es wie durch Zauberei erneuert aus seinem Körper hervor.

»Ja«, sagte er siegessicher. »Das wird auch geschehen. Und sehr bald schon werde ich das Blut haben, das ich brauche, um alles an mir zu erneuern! Dann bin ich nicht mehr das grässliche Ungeheuer, das du hier siehst. Ich werde sein, wie ich war, bevor diese ägyptischen Narren sie der Sonne aussetzten.«

»Hmmm, also hat sie ihr Versprechen gehalten«, sagte ich. »Sie ging in die Strahlen des Amon Ra hinein, damit ihr alle verbrannt würdet.«

»Was weißt du schon davon? In tausend Jahren hat sie sich nicht gerührt oder gesprochen. Ich war schon sehr alt, als sie die Steine entfernten, in denen sie eingeschlossen war. Sie hätte gar nicht in die Sonne gehen können. Sie ist ein großes, geheiligtes Gefäß voll Blut, eine inthronisierte Quelle der

Kraft, nicht mehr! Und dieses Blut, das dein Marius aus Ägypten gestohlen hat, das will ich haben.«

Ich überlegte, suchte verzweifelt nach einer Möglichkeit, mich zu befreien.

»Als du kamst, warst du wie ein Geschenk für mich«, fuhr der Verbrannte fort. »Du warst alles, was ich brauchte, um es mit Marius aufnehmen zu können. Er trägt seine Zuneigung, seine Schwäche für dich wie Gewänder aus leuchtender Seide, damit ich es sehen kann.«

»Ich verstehe«, murmelte ich.

»Nein, du verstehst es nicht!«, sagte er. Er griff in mein Haar und riss meinen Kopf nach hinten. Ich schrie wütend auf.

Seine scharfen Zähne drangen in meinen Hals ein. Glühende Drähte schossen durch meinen Körper.

Mir schwindelte. Ein ekstatisches Gefühl machte mich reglos. Ich versuchte, dem zu widerstehen, aber ich hatte Halluzinationen. Ich sah dieses Wesen in seiner einstigen Pracht, einen goldhäutigen Mann in einem östlichen Land, in einem Tempel aus Schädeln. Er trug knielange Hosen aus hellgrüner Seide, und um seine Stirn schlang sich ein verziertes Band. Das Gesicht mit edler Nase und fein geschwungenem Mund. Dann sah ich ihn ohne erkennbare Ursache in Flammen stehen und seine Sklaven schreiend bei ihm. Er krümmte und wand sich unter entsetzlichen Qualen in den Flammen, ohne zu sterben.

In meinem Kopf drehte sich alles, und ich spürte, wie ich schwächer wurde. Aus allen Körperteilen floss mein Blut in seine verkrüppelte Gestalt. Ich erinnerte mich an meinen Vater, an seine Worte: »Lebe, Lydia!« Ich riss meinen Kopf von ihm fort und drehte mich herum, so dass meine Schulter sich hart in ihn bohrte, dabei stieß ich ihn mit beiden Händen fort. Er rutschte rückwärts über den Boden. Ich riss ein Knie hoch und rammte es gegen ihn. Doch nichts konnte ihn von mir lösen!

Ich suchte nach meinem Dolch, doch ich war zu benommen, außerdem hatte ich ihn gar nicht bei mir. Meine einzige Chance war das brennende Öl in den Lampen am Fuß der Treppe. Ich drehte mich schwankend, und das Ungeheuer erwischte mich abermals mit beiden Händen an meinen langen Haaren. Es zerrte mich zurück.

»Du Dämon!«, zischte ich. Seine Kraft hatte mich erschöpft. Langsam verstärkte er seinen Griff. Ich wusste, er würde mir gleich die Arme brechen.

»Ach«, sagte er; er entwand sich mir, ohne mich loszulassen. »Ich habe mein Ziel erreicht.«

Helleres Licht strömte plötzlich durch den Treppenschacht.

Am Fuß der Treppe wurde eine Fackel aufgestellt. Dann trat Marius ins Blickfeld.

Er schien ganz ruhig zu sein, und er schien an mir vorbei meinem Peiniger in die Augen zu sehen.

»Und was wirst du nun tun, Akbar?«, fragte Marius. »Verletze, quäle sie nur noch ein einziges Mal, und ich werde dich töten! Bring sie um, und du wirst selbst unter schlimmsten Qualen sterben! Lass sie los, dann kannst du dich aus dem Staub machen.«

Stufe für Stufe stieg er herauf.

»Du unterschätzt mich«, sagte das verbrannte Scheusal, »du arroganter römischer Stümper, du denkst, ich weiß nicht, dass du die Königin und den König hier festhältst, dass du sie aus Ägypten geraubt hast. Es ist aber bekannt! Die Nachricht ist in der ganzen Welt verbreitet, in den nordischen Wäldern, in den wilden Ländern, in den Ländern, von denen du keine Ahnung hast. Du hast den Ältesten getötet, der den König und die Königin bewachte, du hast sie geraubt! In tausend Jahren hat das Paar sich nicht gerührt und nicht gesprochen. Du hast unsere Königin aus Ägypten entführt. Hältst du dich für einen römischen Kaiser? Du glaubst, sie wäre eine Königin, die du wie

Kleopatra als Geisel nehmen könntest! Kleopatra war eine griechische Hure. Diese hier ist unsere Isis, unsere Akasha! Du Gott lästernder Idiot. Nun lass mich zu Akasha. Stellst du dich mir in den Weg, muss diese Frau, die einzige Sterbliche, die du wirklich liebst, sterben.«

Marius ging uns Stufe für Stufe entgegen.

»Akbar, haben dir deine Informanten nicht gesagt, dass es der Älteste selbst war, ihr langjähriger Hüter, der das königliche Paar den Strahlen der Sonne aussetzte?«, fragte er und nahm wieder eine Stufe. »Hat man dir nicht gesagt, dass der Älteste den König und die Königin ins Tageslicht schickte und so auch Hunderte von uns durch das Feuer der Sonne sterben ließ? Nur die ganz Alten sind verschont worden, doch sie leben unter mörderischen Qualen so wie du.«

Marius machte eine schnelle Bewegung. Sofort fühlte ich die Fangzähne tief in meinen Hals eindringen. Ich konnte mich nicht befreien. Wieder sah ich dieses Geschöpf in seinem einstigen Glanz, das mich mit seiner Schönheit, seinen juwelengeschmückten Füßen verspottete, als er im Kreise geschminkter Frauen tanzte.

Ich hörte Marius direkt neben mir sprechen, doch ich konnte seine Worte nicht verstehen.

Der ganze Wahnsinn dieser Ereignisse wurde mir bewusst. Ich hatte diese Kreatur zu Marius geführt, aber war es auch das, was die Mutter wollte? Akasha – dieser uralte Name war auf die ausgesaugten Opfer gemalt worden, die auf den Tempelstufen endeten. Ich kannte den Namen. Es war der aus meinen Träumen. Langsam verlor ich das Bewusstsein. »Marius«, rief ich mit letzter Kraft.

Mein Kopf sank nach vorn, befreit von den Reißzähnen. Ich kämpfte gegen diese totale, lähmende Schwäche an. Ganz bewusst ließ ich das Bild des Kaisers Augustus vor meinen Augen erstehen, wie er uns noch auf seinem Totenbett empfangen hatte. »Ich werde das Ende dieser Komödie nicht mehr erleben«, flüsterte ich.

»O doch, das wirst du!« Es war die ruhige Stimme von Marius, direkt neben uns. Ich öffnete die Augen. »Akbar, wag es nicht noch einmal, du hast nun deine Entschlossenheit gezeigt.«

»Und du, Marius, greif nie wieder nach mir«, konterte der andere. »Meine Zähne streicheln ihren Hals. Doch ein Tropfen mehr, und ihr Herz verstummt.«

Das dichte Dunkel der Nacht ließ die Fackel dort unten umso heller erscheinen. Das war alles, was meine Augen noch wahrnehmen konnten. Die Fackel. »Akasha!«, flüsterte ich.

Der Verkohlte tat einen tiefen Atemzug, seine Brust drängte gegen mich. »Ihr Blut ist köstlich«, sagte er. Er küsste mich mit seinen rissigen, verbrannten Lippen auf die Wange. Ich schloss die Augen. Es fiel mir immer schwerer, zu atmen. Ich konnte die Augen nicht mehr öffnen.

Er redete weiter.

»Du siehst, Marius, ich habe keine Angst, sie mit mir in den Tod zu nehmen, denn wenn ich schon von deiner Hand sterben soll, warum dann nicht mit ihr als Gefährtin?«

Die Worte kamen von weit her und hallten wie ein Echo.

»Heb sie auf«, befahl Marius. Er stand sehr dicht bei uns. »Und trage sie vorsichtig, als wäre sie dein geliebtes einziges Kind; komm mit mir hinunter in das Heiligtum. Komm mit mir zur Mutter. Wirf dich vor Akasha auf die Knie, und sieh, was sie dir gestatten wird.«

Mir drehte sich schon wieder alles, doch das Lachen dieses Scheusals hörte ich noch. Er nahm mich nun tatsächlich auf die Arme, mein Kopf fiel zurück.

»Marius«, murmelte ich, »er ist schwach. Du kannst ihn töten.«

Als er mit mir die Stufen hinabstieg, fiel mein Kopf gegen seine Brust, so dass ich die knochigen Rippen an meiner Wange spürte. »Wirklich sehr schwach«, hauchte ich. Ich konnte mich kaum bei Bewusstsein halten. Akasha, ja, das war ihr richtiger Name.

»Vorsichtig, mein Freund«, sagte Marius. »Stirbt sie, vernichte ich dich. Du hast dein Spiel schon fast überreizt. Jeder mühsame Atemzug von ihr verringert deine Chancen. Pandora, sprich nicht mehr, bitte. Akbar ist ein großer Bluttrinker, ein großer Gott.«

Eine kalte Hand umfasste mit festem Griff die meine.

Wir hatten die untere Ebene erreicht. Ich wollte den Kopf heben. Ich sah Lampen aufgereiht, herrliche Wandmalereien in Gold, die Decke war golden ausgeschlagen.

Zwei große steinerne Türen öffneten sich. Dahinter lag eine Kapelle, eine Kapelle im flackernden Licht von Altarkerzen und erfüllt von betäubendem Lilienduft.

Der Bluttrinker, der mich trug, stieß einen Schrei aus. »Mutter Isis!«, sagte er kläglich.

Er ließ mich los, stellte mich auf die Füße, und schon griff Marius nach mir, und der entstellte Krüppel stürzte auf den Altar zu.

Ich schaute und staunte. Aber ich war dem Tode nahe. Ich konnte nicht atmen. Ich sank zu Boden. Ich versuchte, Luft in mich aufzunehmen, doch es ging nicht. Ohne Marius' Hilfe vermochte ich mich nicht aufrecht zu halten.

Aber die Erde und ihr ganzes Elend zu verlassen mit diesem Bild vor Augen!

Da saßen sie: die Große Göttin Isis und der König Osiris – zumindest schienen sie es zu sein – mit bronzefarbener Haut, nicht weiß wie die arme, gefangene Königin in meinen Träumen; beide angetan mit Gewändern aus gesponnenem Gold, die in dem starren ägyptischen Stil gefältelt und gelegt waren. Ihre schwarzen Haare waren echt und zu langen Zöpfen geflochten. Die Schminke auf ihren Gesichtern, die dunklen Lidstriche, das Rot der Lippen, alles war frisch aufgetragen.

Sie trug nicht die Krone mit den Hörnern und der Sonnenscheibe. Ihr Halsschmuck aus Gold und Juwelen war eine Pracht, und sein Schimmer hatte für mich etwas Lebendiges.

»Ich muss die Krone haben, ich muss ihr die Krone wieder aufsetzen!«, sagte ich laut, und in meinen Ohren klang die eigene Stimme, als käme sie von irgendwoher, um mir Anweisungen zu geben. Die Augen fielen mir zu.

Das schwarze Scheusal kniete vor der Königin nieder.

Ich konnte nicht gut sehen. Ich spürte Marius' Arme und dann einen Schwall heißen Blutes in meinem Mund. »Nein, Marius, beschütze sie!« Ich wollte sprechen, doch meine Worte wurden mit dieser blutigen Flut fortgeschwemmt. »Beschütze unsere Mutter!« Wieder ergoss sich Blut in meinen Mund, so viel, dass ich schlucken musste. Im gleichen Moment spürte ich die Kraft, die Macht dieses Blutes: unendlich viel stärker als das Saugen Akbars. Dieses Blut strömte durch meinen Körper wie Flüsse ins Meer. Man konnte es nicht aufhalten. Als hätte ein gewaltiger Sturm den Fluss noch schneller ins Delta getrieben, so folgte ein weiterer Schwall, und seine geteilten, zufälligen Ströme suchten sich ihren Weg in die kleinste Faser des Fleisches.

Eine weite, wundersame Welt öffnete sich mir und hätte mich willkommen geheißen, Sonnenlicht im dunklen Wald, doch ich wollte sie nicht sehen. Ich riss mich davon los. »Die Königin! Rette sie vor ihm!«, flüsterte ich. Tropfte das Blut von meinen Lippen? Nein, ich hatte alles in mich aufgenommen.

Marius wollte nicht auf mich hören. Wieder presste sich eine blutende Wunde gegen meinen Mund, und noch schneller schoss das Blut in meinen Körper. Ich merkte, dass meine Lungen sich mit Luft füllten. Ich fühlte die ganze Länge meines Körpers, kräftig war er, konnte ganz ohne Hilfe stehen. Wie Licht glühte das Blut in mir, als hätte es mein Herz in Flammen gesetzt. Ich öffnete die Augen. Ich stand wie eine Säule. Ich sah

Marius' Gesicht, seine goldenen Wimpern, seine tiefblauen Augen. Das lange, in der Mitte gescheitelte Haar fiel ihm auf die Schultern. Er war alterslos, ein Gott.

»Beschütze sie!«, schrie ich, drehte mich um und zeigte auf sie.

Ein Schleier hob sich, der mein Leben lang zwischen mir und allen Dingen gehangen hatte; in ihren wahren Farben, ihrer wahren Form enthüllten sie mir ihren eigentlichen Zweck: Die Königin sah geradeaus, unbeweglich wie der König. Das Leben selbst hätte diese ungerührte Heiterkeit, diese völlige Lähmung, nicht imitieren können. Ich hörte, wie Wasser von den Blumen tropfte. Winzige Tropfen, die auf den Marmorboden auftrafen, den Fall eines einzelnen Blattes. Ich drehte mich um und sah es, wie es zusammengerollt auf den Steinen schaukelte, dieses winzige Blatt. Ich hörte den Luftzug unter der goldenen, baldachinartigen Decke. Und die Lampen hatten Flammenzungen, mit denen sie sangen.

Die Welt war ein gewobenes Lied, ein Gobelin des Gesangs. Die vielfarbigen Mosaiken glitzerten, verloren dann jede Form, dann sogar das Muster. Die Wände lösten sich in Wolken farbigen Nebels auf, die uns einluden, auf ewig darin umherzustreifen.

Und da thronte sie, die Königin des Himmels, und herrschte über alles in erhabener, gelassener Stille.

Alles Sehnen meines kindlichen Herzens fand Erfüllung. »Sie lebt, sie ist wirklich, sie herrscht über die Erde und den Himmel.«

Der König und die Königin. Sie rührten sich nicht. Ihre Augen nahmen nichts wahr. Sie sahen uns nicht an. Sie sahen auch das verkohlte Wesen nicht an, als es sich immer näher an ihren Thron heranschob.

Die Arme des königlichen Paares waren verdeckt von zahlreichen gravierten und gewundenen Armspangen. Ihre Hände ruhten auf den Oberschenkeln. Das war die Haltung vieler ägyptischer Statuen. Aber es hatte nie ein Standbild gegeben, das ihnen glich.

»Die Krone, sie will ihre Krone haben«, sagte ich. Mit erstaunlicher Kraft ging ich auf sie zu.

Marius nahm meine Hand. Gespannt beobachtete er, wie der Verbrannte sich vorwärts bewegte.

»Sie war schon vor all jenen Kronen«, sagte Marius, »sie bedeuten ihr nichts.«

Schon der Gedanke zerging mir mit der Süße einer Traube auf der Zunge. Natürlich, sie war schon vorher da. In meinen Träumen hatte sie auch keine Krone getragen. Sie war in Sicherheit. Marius wachte über sie.

»Meine Königin«, sagte Marius hinter mir. »Du hast hier einen Bittsteller. Es ist Akbar aus dem Fernen Osten. Er würde gern das königliche Blut trinken. Was ist dein Wille, Mutter?«

Seine Stimme war so ruhig. Er fürchtete nichts.

»Mutter Isis, lass mich trinken!«, rief die Kreatur. Der Verbrannte stand auf, warf die Arme in die Höhe und schuf in einem Tanz eine Vision seines früheren Selbst. An seinem Gürtel hingen Totenschädel. Von seinem Hals baumelte eine Kette aus schwärzlichen menschlichen Fingern. Eine weitere aus menschlichen Ohren! Es war grausig und Ekel erregend, doch er schien das für verführerisch und bezwingend zu halten. Sehr bald verließ ihn die Vision. Der Gott aus dem fernen Land lag auf den Knien.

»Ich bin dein Diener seit jeher! Nur die Bösen habe ich getötet, wie du es befohlen hast. Nie habe ich aufgehört, dir zu huldigen.«

Wie zerbrechlich und unbedeutend dieser Flehende wirkte, so abstoßend, so leicht aus ihrer Gegenwart zu entfernen. Ich sah den König Osiris an, der ebenso fern und teilnahmslos wirkte wie die Königin.

»Marius«, sagte ich, »das Korn für Osiris; verlangt er nicht nach dem Korn? Er ist der Gott des Korns.«

Ich hatte in mir immer noch die Bilder der Prozessionen in Rom, der singenden Menge, die Opfergaben trug.

»Nein, er verlangt nicht danach«, beruhigte Marius mich. Er legte mir die Hand auf die Schulter.

»Sie sind echt, sie sind wirklich«, rief ich aus. »Alles ist wirklich. Alles ist anders geworden. Wir sind erlöst.«

Der Verbrannte drehte sich zu mir um und starrte mich wütend an. Doch ich war jenseits aller Vernunft. Er wandte sich wieder der Königin zu und streckte die Hand nach ihrem Fuß aus.

Wie ihre Zehennägel mit dem goldenen Fleisch darunter im Licht blitzten. Doch sie war stumm wie ein Stein, und so war der kronlose König, ohne Verständnis oder Macht erkennen zu lassen.

Ganz plötzlich sprang die Kreatur auf und wollte sich auf den Hals der Königin stürzen!

Ich schrie.

»Schamlos, verächtlich.«

Blitzschnell hob sich der starre Arm der Königin, ihre Hand umfasste den Schädel des Geschöpfs und zerquetschte ihn, das Blut ergoss sich über sie, als das Ungeheuer einen letzten rauen Schrei um Gnade ausstieß. Sie packte seinen Körper, der über ihre Körpermitte sank, und schleuderte ihn durch die Luft, so dass seine Glieder aus den Gelenken rissen und wie hölzerne Stangen zu Boden krachten.

Ein heftiger Windstoß erfasste die Überreste und fegte sie auf einen Haufen, während gleichzeitig eine Lampe von ihrem dreibeinigen Ständer fiel und ihr brennendes Öl darüber goss.

»Sein Herz, sieh«, sagte ich, »ich kann sein Herz sehen. Es schlägt noch.«

Doch schon bald wurde das Herz vom Feuer verzehrt, ebenso die sich krümmenden Finger und die zuckenden Zehen. Es entstand ein großer Wirbel, ein Feuertanz der Knochen, die sich in den Flammen drehten, und dann verkohlten sie endgültig, zerbrachen knallend in Stücke und Stückchen, bis die Überreste des grausigen Wesens zuletzt in rauchende Asche zerfielen, die knisternd und zischend den Boden bedeckte.

Abermals kam diese Windböe, die den Duft des Gartens mit sich brachte, wirbelte die Asche hoch und trug sie wie winzige, schwarze, fragile Insekten in das Dämmerlicht des Vorraums.

Ich war wie gebannt.

Die Königin thronte wie vorher, die Hände in der gleichen Pose. Sie und der König starrten ins Leere, als wäre nichts geschehen. Nur der scheußliche Fleck auf ihrem Gewand zeugte davon.

Ihre Augen schenkten weder Marius noch mir Beachtung.

Dann herrschte nur noch Stille in der Kapelle. Nur süß duftende Stille. Goldenes Licht. Ich atmete tief. Ich konnte hören, wie das Öl in den Lampen von der Flamme verzehrt wurde. Die Mosaiken waren mit fein gestalteten Anbetern bevölkert. Ich konnte wie in Zeitlupe den Beginn des Verfalls bei den Blumen erkennen, und das schien nur eine weitere Melodie desselben Liedes zu sein, das auch ihr Blühen ausdrückte, und ihre sich bräunlich verfärbenden Ränder waren nur eine Variation, die zu den strahlenden Farben nicht im Widerspruch stand.

»Vergib mir, Akasha«, sagte Marius leise, »dass ich ihn so nahe herankommen ließ. Das war unbesonnen.«

Ich weinte. Große Tränen strömten aus meinen Augen.

»Du hast mich zu dir befohlen«, sagte ich unter Tränen zu der Königin. »Du hast mich hierher gerufen! Ich will alles tun, was du verlangst.«

Langsam hob sich ihr rechter Arm; er löste sich von ihrem Schenkel und streckte sich aus, und ihre Hand bog sich ganz sanft zu der vertrauten winkenden Geste aus dem Traum, doch ich sah kein Lächeln, keine Veränderung in ihrem starren Antlitz.

Ich spürte, wie etwas Unsichtbares, Unwiderstehliches mich

einhüllte. Es kam von ihrem einladend ausgestreckten Arm. Es war lieblich und zärtlich. Es jagte eine Welle heißer Freude durch all meine Glieder und mein Gesicht.

Ich bewegte mich vorwärts, vollkommen ihrem Willen verfallen.

»Ich bitte dich, Akasha!«, sagte Marius mit sanfter Stimme. »Ich bitte dich im Namen von Inanna, im Namen von Isis, ich bitte dich im Namen aller Göttinnen, tu ihr kein Leid an!«

Marius verstand einfach nicht! Er hatte ihren Kult nie gekannt! Ich kannte ihn. Ich wusste, ihre Blut trinkenden Kinder hatten immer nur Übeltäter richten, immer nur von den Verurteilten trinken sollen, wie es ihren Gesetzen entsprach. Ich sah den Gott aus der dunklen Höhle, den ich in meiner Vision gesehen hatte. Ich verstand vollkommen.

Ich wollte es Marius erklären. Aber ich konnte nicht. Nicht jetzt. Die Welt war wieder geboren, alle Systeme, die sich auf Skepsis oder Selbstsucht gründeten, waren zerbrechlich wie Spinnweben und mussten hinweggefegt werden. Meine eigenen Stunden der Verzweiflung waren nichts anderes gewesen als Umwege durch eine unheilige, egozentrische Finsternis.

»Die Königin des Himmels«, flüsterte ich. Ich wusste, ich redete in der alten Sprache. Meine Lippen wollten ein Gebet formen.

»Und Amon Ra, der Sonnengott, soll bei all seiner Macht den König der Toten oder seine Braut nicht besiegen, denn sie ist die Herrscherin über den Sternenhimmel, über den Mond, über die, welche die Übeltäter als Opfer darbringen. Verflucht sei, wer diesen Zauber missbraucht. Verflucht sei, wer ihn stehlen will.«

Ich spürte, wie ich, ein Mensch, zusammengehalten wurde von den verschlungenen Fäden des Blutes, das ich von Marius bekommen hatte. Ich spürte das Ausmaß dieser Hilfe. Mein Körper, er war schwerelos.

Ich wurde ihr dargereicht. Ihr Arm legte sich um mich und

schob mir das Haar aus dem Gesicht. Ich legte ihr die Arme um den Hals, weil ich nichts anderes tun konnte. Für jede andere Liebesbekundung waren wir uns zu nahe.

Ich fühlte ihre weichen, seidigen Zöpfe und die Kälte und Härte ihrer Schultern, ihres Armes. Doch sie sah mich nicht an. Sie war aus Stein. Konnte sie mich überhaupt sehen? Blieb sie aus eigenem Antrieb so stumm, während sie vor sich hin sah? Hielt sie ein böser Zauberspruch in seinem Bann, der sie hilflos machte, eine Beschwörung, aus der sie vielleicht tausend Hymnen wecken könnten?

In meinem Wahn konnte ich die Worte lesen, die in die goldenen Verbindungsglieder zwischen den Juwelen ihres Halsschmucks eingraviert waren: »Bringt mir den Übeltäter, und ich werde sein Blut trinken.«

Mir schien, als wäre ich in der Wüste und die Halskette rollte durch den Sand, vom Wind getrieben, wie zuvor die Überreste des Verbrannten. Gefallen, vergangen, um erneuert zu werden.

Mein Kopf wurde an ihren Hals gezogen. Sie hatte ihre Finger auf meinem Haar gespreizt und schob meinen Kopf in die richtige Richtung, so dass meine Lippen auf ihrer Haut lagen.

»Das willst du also?«, fragte ich. Aber meine Worte schienen fern von mir, ein armseliger Ausdruck meiner übervollen Seele. »Damit ich deine Tochter sei!«

Kaum merklich legte sie den Kopf zur Seite, weg von mir, so dass ich ihre Kehle sehen konnte. Ich sah die dargebotene Ader, aus der ich trinken sollte.

Ihre Finger hoben sich und fuhren sanft durch mein Haar, ohne daran zu reißen, sie umfingen nur meinen Kopf und jagten eine wilde Ekstase durch meinen Körper und drückten mir den Kopf schließlich sacht nach unten, so dass meine Lippen die Berührung mit ihrer schimmernden Haut nicht mehr vermeiden konnten.

»Oh, meine verehrte Königin«, hauchte ich. Nie hatte ich eine solche Gewissheit gekannt, eine solche Ekstase ohne Grenzen oder irdischen Grund. Nie zuvor hatte ich einen so stürmischen, so triumphierenden Glauben erlebt wie meinen Glauben an sie.

Ich öffnete den Mund. Kein Mensch hätte dieses harte Fleisch durchdringen können! Dennoch gab es nach, als wäre es zart, und das Blut strömte pulsierend in meinen Körper. »Die Urquelle.« Ich hörte ihr Herz, das sie zum Fließen brachte – eine betäubende Kraft, die mein Trommelfell vibrieren ließ. Das war kein Blut. Das war Nektar. Es war alles, was ein Geschöpf je begehren konnte.

9

Als der Nektar in mich hineinrann, tat sich mir ein anderes Reich auf. Ihr klingendes Lachen hallte im Gang wider; sie lief vor mir her, mädchenhaft, katzenhaft, frei von hehrer Größe. Sie winkte mir, ihr zu folgen. Draußen unter den Sternen saß Marius allein in seinem stillen, gestaltlosen Garten. Sie deutete auf ihn. Ich sah, wie Marius aufstand und mich in seine Arme nahm. Mit seinen langen Haaren sah er besonders schön aus. Ich merkte, worauf sie hinauswollte. Es war Marius, den ich bei dieser Vision küsste, als ich von ihr trank; mit Marius tanzte ich!

Blütenblätter regneten auf uns herab wie auf ein römisches Brautpaar, und Marius hielt meinen Arm, als wären wir gerade getraut worden, und um uns herum wurde gesungen. Ungetrübtes Glück herrschte, ein Glück so stark, dass manche Sterbliche ihm vielleicht nicht gewachsen wären.

Sie stand auf einem breiten Altar aus schwarzem Diorit.

Es war Nacht. Ein umfriedeter Platz voller Menschen, aber es war dunkel und auch kühl in dem sandigen Wind, der von der Talsohle kam, und sie sah auf den Mann hinunter, der ihr geopfert werden sollte. Er hatte die Augen geschlossen, seine Hände waren gefesselt. Er wehrte sich nicht.

Sie zeigte ihre Zähne; Laute des Erschreckens erhoben sich aus der Menge der Anbeter auf dem Platz, und dann packte sie den Mann bei der Kehle und trank sein Blut. Als sie fertig war, ließ sie ihn fallen und warf die Arme hoch.

»Alles wird rein in mir!«, rief sie. Wieder regnete es Blütenblätter in allen Farben des Regenbogens, und Pfauenfedern und Palmblätter wehten um uns, und in starken Wellen brandete Gesang auf, dröhnte eine wilde Trommel. Und von ihrem Standort sah sie lächelnd auf all das nieder, das Gesicht auffallend erhitzt, lebhaft und menschlich, während die schwarz umrandeten Augen über die Andächtigen huschten.

Alle begannen zu tanzen, nur sie schaute zu; und dann hob sich langsam ihr Blick, und sie sah über die Köpfe hinweg durch die hohen, rechteckigen Fenster des Platzes in das funkelnde Himmelsgewölbe. Flöten erklangen. Der Tanz war zur Raserei geworden.

Ein dunkler Schatten stahl sich in ihr Gesicht, eine müde, geheimnisvolle Zerstreutheit, als wäre ihre Seele ausgezogen, dem Himmel entgegen, und dann sah sie traurig zu Boden. Sie wirkte verloren. Zorn überkam sie.

Sie rief mit ohrenbetäubender Stimme: »Der schändliche Bluttrinker!« Die Menschen verstummten. »Bringt ihn zu mir!«

Die Menge machte Platz für den wütend um sich schlagenden Gott, der gewaltsam vor ihren Altar gezerrt wurde.

»Du wagst es, über mich zu urteilen!«, schrie er. Er war Babylonier, mit dichten, langen, lockigen Haaren und Bart. Zehn Sterbliche mussten ihn festhalten.

»Er soll brennen, oben auf dem Richtplatz in den Bergen; in die Sonne mit ihm, legt ihm die stärksten Ketten an!«, rief sie. Man zog ihn weg.

Abermals hob sie den Blick. Die Sterne wuchsen, und es zeigten sich deutlich uralte Strukturen. Wir trieben unter den Sternen dahin.

Ein Knabe auf einem zierlichen, vergoldeten Stuhl stritt sich mit den umstehenden Männern. Diese waren alt, in der Dunkelheit nur halb sichtbar. Das Gesicht des Knaben wurde von der Lampe beschienen. Wir standen in der Tür. Der Knabe war zart, seine kleinen Glieder erschienen wie Stöcke.

»Und du behauptest«, sagte der Knabe ungläubig, »dass diese Bluttrinker oben in den Bergen verehrt werden?«

Ich erkannte, dass er der Pharao war, an der gesalbten Haarlocke auf seinem ansonsten kahlen Schädel und an der Art, wie die anderen ihm ihre Aufwartung machten. Als sie sich ihm näherte, sah er entsetzt auf. Seine Wächter ergriffen die Flucht.

»Ja«, sagte sie zu ihm, »und du wirst nichts dagegen unternehmen!« Sie hob den Knaben hoch, klein und zart, wie er war, und ähnlich wie ein Tier riss sie seine Kehle auf und ließ das Blut aus der tödlichen Wunde strömen. »Kleiner König«, sagte sie. »Kleines Königreich.«

Die Vision endete. Ihre kalte weiße Haut schloss sich unter meinen Lippen.

Ich küsste sie jetzt. Ich trank nicht mehr.

Ich spürte meine eigene Gestalt, spürte, wie ich rückwärts über ihren Arm sank, aus ihrer Umschlingung glitt.

In dem dämmrigen Glanz war ihr Profil unverändert, stumm und ohne Empfindung wie zuvor. Glatt, ein makelloses Antlitz ohne jedes Fältchen. Ich sank in Marius' Arme, während ihr Arm wieder in die alte starre Haltung zurückfiel.

Die Dinge ringsum waren von blendender Klarheit – das bewegungslose königliche Paar, die kunstvoll aus Lapislazuli gearbeiteten Figuren in den goldenen Mosaiken.

Ich spürte einen scharfen Schmerz im Herzen, im Bauch, als hätte mich jemand durchbohrt. »Marius!«, schrie ich.

Er hob mich hoch und trug mich aus dem Gewölbe.

»Nein, lass mich zu ihren Füßen knien«, stöhnte ich. Der Schmerz nahm mir den Atem. Ich bemühte mich, nicht zu schreien. Ach, gerade war die Welt mir neugeboren worden. Und nun diese Todesqualen.

Marius bettete mich draußen ins hohe Gras, das unter meinem

Gewicht zusammensank. Ein Schwall säuerlicher Flüssigkeit ergoss sich aus meinem Leib, selbst aus meinem Mund. Neben mir blühten Blumen. Der freundliche Himmel stand so lebhaft wie in meiner Vision vor meinen Augen. Der Schmerz wütete unbeschreiblich.

Nun wusste ich, warum Marius mich aus dem Heiligtum fortgebracht hatte.

Ich wischte mir über das Kinn. Ich konnte diesen Unrat nicht ertragen. Der Schmerz verschlang mich. Ich bemühte mich, ihre Offenbarungen wieder vor mir erstehen zu lassen, mich an ihre Worte zu erinnern, doch diese Qualen blockierten mich zu sehr.

»Marius!«, schrie ich.

Er beugte sich über mich und küsste meine Wange. »Trink von mir«, murmelte er, »trink, bis der Schmerz vergeht. Es ist nur dein Körper, der stirbt. Trink. Pandora, du bist unsterblich.«

»Erfülle mich, nimm mich«, bat ich und griff zwischen seine Beine.

»Das hat jetzt keine Bedeutung.«

Doch es war hart, dieses Organ, nach dem ich gesucht hatte, das Organ, das für Osiris auf immer verloren war. Ich führte es, hart und kalt, wie es war, in meinen Schoß. Dann trank ich und trank, und als ich seine Zähne abermals an meinem Hals spürte, als er dieses neue Gemisch, das nun in meinen Adern floss, in sich aufsog, war es ein süßes, ziehendes Gefühl, und ich erkannte ihn und liebte ihn und kannte mit einem Schlag all seine Geheimnisse, was ohne Bedeutung war.

Er hatte Recht. Die niederen Organe bedeuteten nichts. Er nährte sich von mir und ich von ihm. Dies war unsere Hochzeit. Das Gras um uns wiegte sich sanft in der Brise, ein majestätisches Ehebett, und der Duft des Grüns überflutete mich.

Der Schmerz war vergangen. Schwungvoll streckte ich den Arm aus und fühlte die Zartheit der Blumen.

Marius zog mir das beschmutzte Kleid vom Körper und hob mich hoch. Er trug mich zu dem Becken, zu dem sich die marmorne Venus auf ewig hinunterbeugte und einen Fuß über das kühle Wasser hielt.

»Pandora!«, flüsterte er.

Neben ihm standen die beiden Knaben mit Krügen.

Er tauchte einen Krug ein und goss Wasser über mich. Ich spürte unter meinen Füßen die Fliesen des Beckens, während das Wasser über meine Haut rann, solche Empfindungen hatte ich noch nie erlebt! Ein weiterer Krug voll spülte über mich hinweg, köstlich! Eine Sekunde lang glaubte ich, der Schmerz käme zurück, doch nein, es war endgültig vorbei.

»Ich liebe dich von ganzem Herzen«, sagte ich. »Meine ganze Liebe gehört ihnen und dir, Marius. Marius, ich kann im Dunkeln sehen, selbst in dem tiefen Dunkel unter den Bäumen.«

Marius hielt mich. Die beiden Knaben badeten uns beide: Immer wieder tauchten sie ihre Krüge ein und gossen das silbrige Wasser über uns aus.

»Ach, dich bei mir zu haben«, sagte Marius, »dich hier zu haben, nicht mehr allein zu sein, sondern mit dir zusammen, meine Schöne. Von allen Menschen ausgerechnet du! Du!« Er trat einen Schritt zurück, und ich freute mich an ihm; triefend nass, wie ich war, streckte ich die Hand aus, um sein langes, wildes, fremdartiges Haar zu berühren. Sein ganzer Körper glitzerte von den Wassertropfen.

»Ja«, sagte ich, »genau das wollte sie.«

Sein Gesicht erstarrte. Er blickte finster. Er sah mich durchdringend an. Eine Wandlung war mit ihm vorgegangen, und zwar zum Negativen. Das spürte ich.

»Was?«, fragte er.

»Sie wollte es. Sie hat es mir in den Visionen ganz deutlich gezeigt. Sie wollte, dass ich bei dir bin, damit du nicht allein bist.«

Er trat einen Schritt zurück. War es Zorn?

»Marius, was ist los mit dir? Siehst du denn nicht, was sie getan hat?«

Abermals wich er zurück, fort von mir.

»Hast du nicht gemerkt, was geschehen ist?«, fragte ich.

Die Knaben reichten uns Handtücher. Marius nahm eins und
trocknete sein Gesicht und Haar.

Ich machte es ihm nach.

Er war wütend. Er bebte vor Zorn.

Das war ein Augenblick, in dem sich unerklärliche Schönheit
und Entsetzen mischten – dort sein weißer Körper, das Glitzern
des Wasserbeckens, das Licht, das aus den offenen Türen des
Hauses in die Dunkelheit fiel, und über uns die Sterne, ihre
Sterne. Und dann der zornige, drohende Marius, in dessen
Augen sich Empörung spiegelte.

Ich sah ihn an.

»Ich bin nun ihre Priesterin«, erklärte ich. »Ich muss ihren Kult
wieder aufleben lassen. Es ist ihr Wille. Aber sie hat mich auch
deinetwegen hierher geführt, weil du allein warst«, sagte ich.

»Marius, ich habe das alles schon gesehen. Ich sah unsere
Hochzeit, in Rom, es war wie in den alten Zeiten, als wären unsere Familien bei uns. Ich sah auch ihre Anhänger.«

Er war offensichtlich entsetzt.

Ich weigerte mich, es wahrzunehmen. Bestimmt verstand ich
ihn falsch.

Ich stieg aus dem Becken ins Gras und ließ mich von den beiden Knaben abtrocknen. Ich schaute zu den Sternen auf. Das
Haus mit all seinem warmen Licht schien unfertig und zerbrechlich, ein stümperhafter Versuch, eine Ordnung zu schaffen, die in nichts mit der Erschaffung einer einzigen vollende-
ten Blume verglichen werden konnte.

»Oh, wie imposant ist doch die einfache Nacht«, sagte ich.
»Hier von Zweck und Absicht zu sprechen ist, als schmähte
man die Nacht, da allein schon dieser gewöhnliche Moment

vollkommen erfüllt ist von einem heiligen Plan und Frieden. Alle Dinge folgen ihrem vorbestimmten Kurs.«

Ich trat zurück und drehte mich wirbelnd um mich selbst, dass die Wassertropfen nur so flogen. Ich war so stark. Als ich innehielt, war mir nicht einmal schwindelig. Ich hatte ein Gefühl unbegrenzter Macht.

Einer der Knaben reichte mir eine Tunika. Sie war für einen Mann bestimmt, aber wie ich ja schon häufiger erwähnte, sind römische Gewänder sehr schlicht geschnitten. Es war einfach eine kurze Tunika. Ich legte sie an und ließ mir den Gürtel um die Taille binden, dabei lächelte ich den Knaben an. Er zitterte und entfernte sich von mir.

»Trockne mir das Haar!«, befahl ich ihm. Ach, welche Empfindungen!

Ich hob langsam den Blick. Auch Marius war inzwischen bekleidet. Immer noch betrachtete er mich mit wütendem Protest und unverhüllter Entrüstung.

»Jemand muss hineingehen«, sagte ich, »und ihr das goldene Gewand wechseln. Dieser Gotteslästerer, er hat sie mit Blut besudelt.«

»Ich werde das machen!«, sagte Marius sichtlich erzürnt.

»Ach, so ist das«, sagte ich. Ich schaute um mich, von der Schönheit ringsum verleitet, die seine einfach zu vergessen und erst später wieder zu ihm zu gehen, nachdem ich unter den Olivenbäumen umhergestreift wäre und mich mit den Sternbildern beschäftigt hätte.

Aber sein Zorn verletzte mich. Die Kränkung war seltsam und ging tief, ohne die verschiedenen Stadien, die das sterbliche Fleisch, der sterbliche Geist einem Schmerz auferlegen.

»Oh, ist das nicht großartig!«, sagte ich. »Ich erfahre, dass die Göttin immer noch herrscht, dass sie wirklich ist, dass sie alle Dinge geschaffen hat! Dass die Welt nicht nur ein riesiger Friedhof ist! Aber ich erfahre das, als ich mich in einer arrangierten Ehe wieder finde! Und jetzt sieh dir den Bräutigam an! Wie er sich seinen Launen hingibt!«

Er seufzte und ließ den Kopf hängen. Würde ich ihn, diesen makellosen, so vertrauten und geliebten Gott, inmitten der geknickten Blumen wieder weinen sehen?

Er blickte auf. »Pandora«, sagte er. »Sie ist keine Göttin. Sie hat die Welt nicht geschaffen.«

»Wie kannst du es wagen, so etwas zu sagen!«

»Ich muss es sagen! Ich war bereit, für die Wahrheit zu sterben, als ich noch ein lebendiger Mensch war, und ich würde auch jetzt dafür sterben. Doch so weit wird sie es nicht kommen lassen. Sie braucht mich, und sie braucht dich, um mich glücklich zu machen.«

»Na, sehr schön!« Ich warf die Hände in die Luft. »Ich tue es gern! Und wir werden ihren Kult wieder ins Leben rufen.«

»Das werden wir nicht!«, sagte er. »Wie kannst du auch nur daran denken?«

»Marius, ich will es von den Gipfeln der Berge verkünden; ich will, dass die Welt von der Existenz dieses Wunders erfährt. Ich möchte singend durch die Straßen laufen. Wir müssen sie wieder auf ihren Thron setzen, in einem großen Tempel im Zentrum von Antiochia!«

»Du sprichst im Wahn!«, schrie er.

Die Knaben waren fortgelaufen.

»Marius, hast du deine Ohren vor ihren Geboten verschlossen? Wir müssen ihre abtrünnigen Götter verfolgen und töten, wir müssen dafür sorgen, dass neue Götter aus ihr entstehen, Götter, die in die Seelen der Menschen sehen können, Götter, die Gerechtigkeit wollen anstatt Lügen, Götter, die keine überspannten, lüsternen Idioten sind, keine trunkenen, launenhaften, Blitze schleudernden Kreaturen wie die der nordischen Götterwelt. Ihre Verehrung gründet im Guten, im Reinen!«

»Nein, nein, nein«, sagte er und wich zurück, als wollte er seine

Worte damit noch unterstreichen. »Du redest Unsinn!«, sagte er. »Dummes Zeug, puren Aberglauben!«

»Ich kann einfach nicht glauben, dass du so sprichst!«, schrie ich. »Du bist ein Ungeheuer!«, sagte ich. »Ihr steht der Thron zu! Und dem König, der neben ihr sitzt. Sie haben es verdient, dass ihre Anhänger ihnen Blumen bringen. Glaubst du, du hast die Fähigkeit, Gedanken zu lesen, für nichts und wieder nichts?« Ich trat auf ihn zu. »Erinnerst du dich daran, wie ich mich im Tempel über dich lustig gemacht habe? Als ich sagte, du solltest dich im Gerichtssaal niederlassen, damit du die Gedanken der Angeklagten lesen könntest? Ich hatte mit meinen albernen Bemerkungen genau ins Schwarze getroffen!«

»Nein!«, brüllte er. »Das ist einfach nicht wahr!«

Er kehrte mir den Rücken und stürzte ins Haus.

Ich folgte ihm.

Er rannte die Treppe hinunter in ihr Heiligtum, blieb unmittelbar vor ihr stehen. Sie und der König saßen wie zuvor. Keine Wimper zuckte. Nur die Blumen erhielten sich noch am Leben in der mit Wohlgerüchen geschwängerten Luft.

Ich schaute auf meine Hände: so weiß! Konnte ich noch sterben? Würde ich nun viele Jahrhunderte leben wie der Verbrannte?

Ich forschte in ihren Göttern gleich wirkenden Gesichtern. Sie lächelten nicht. Sie träumten nicht. Sie schauten nur, sonst nichts.

Ich fiel auf die Knie.

»Akasha«, flüsterte ich. »Darf ich dich so nennen? Sag mir, was dein Wille ist.«

Man sah keine Veränderung an ihr, nicht die geringste.

»Komm, sprich, Mutter!«, forderte Marius, seine Stimme klang belegt vor Traurigkeit. »Sprich! Ist es das, was du immer wolltest?«

Plötzlich stürzte er nach vorn, sprang die zwei Stufen ihres erhöhten Podests empor und hämmerte mit den Fäusten auf ihre Brüste ein.

Ich war entsetzt.

Sie rührte sich nicht, sie zuckte nicht mit der Wimper. Seine Fäuste trafen auf eine Härte, die er nicht bewegen konnte. Nur ihr Haar, das er mit seinem Arm gestreift hatte, schwang leicht hin und her.

Ich lief zu ihm und versuchte ihn fortzuziehen.

»Hör auf, Marius, sie wird dich vernichten!« Ich wunderte mich, wie stark ich war. Sicherlich so stark wie er. Er ließ sich von mir fortziehen, sein Gesicht war tränenüberströmt.

»Ach, was habe ich getan!«, sagte er, während er sie anstarrte. »Oh, Pandora, Pandora! Was habe ich getan! Ich habe wieder einen Bluttrinker geschaffen. Und ich hatte doch geschworen, dass nie, niemals wieder einer gemacht werden sollte – nicht, solange ich existiere!«

»Komm nach oben!«, sagte ich ruhig. Ich warf einen Blick auf das königliche Paar. Kein Zeichen von Reaktion oder Erkennen. »Es ist nicht recht, dass wir hier in dem Heiligtum streiten. Lass uns nach oben gehen.«

Er nickte.

Mit gesenktem Kopf ließ er sich von mir langsam hinausführen.

»Diese langen barbarischen Haare sind sehr kleidsam«, sagte ich. »Und immerhin habe ich nun Augen, die dich sehen können wie nie zuvor. Wir haben unser Blut gemischt, wie es durch ein gemeinsames Kind hätte geschehen können.«

Er wischte sich die Nase und mied meinen Blick.

Wir gingen in die große Bibliothek.

»Marius, gibt es denn nichts an mir, dass dein Auge erfreuen könnte, nichts, das du schön findest?«

»O doch, meine Liebe, es ist alles vorhanden!«, sagte er. »Aber, um Himmels willen, benutze doch deinen Verstand, wenn es um diese Angelegenheit geht! Verstehst du denn nicht? Dein Leben ist dir geraubt worden, doch nicht um einer heiligen Wahrheit willen, sondern wegen eines schändlichen Geheimnisses! Dass ich Gedanken lesen kann, macht mich um nichts weiser als meine Mitmenschen! Ich töte, um selbst zu leben. So wie sie es einst auch getan hat, vor Tausenden und Abertausenden von Jahren. Oh, und sie wusste ganz genau, dass sie das hier tun musste. Sie wusste, dass die Zeit dafür gekommen war.«

»Welche Zeit? Und was wusste sie?«

Ich starrte ihn an. Langsam dämmerte mir, dass ich seine Gedanken nicht mehr lesen konnte, und sicher konnte er auch die meinen nicht mehr lesen. Aber die herumlungernden Knaben waren für mich in ihrer Angst wie ein offenes Buch: Sie hielten sich für die Diener zweier gutherziger, aber recht lautstarker Dämonen.

Marius seufzte. »Sie tat es, weil ich beinahe genug Mut gesammelt hatte, das Unvermeidliche zu tun! Nämlich sie beide und mich der Sonne auszusetzen und so das Werk zu vollenden, das der ägyptische Älteste schon angestrebt hatte – der Welt den König und die Königin vom Hals zu schaffen und auch alle mit Reißzähnen bewehrten Männer und Frauen, die sich an Tod und Blut gütlich tun. Oh, sie ist mehr als raffiniert!«

»Das hattest du wirklich vor?«, fragte ich. »Sie beide und dich in Flammen aufgehen zu lassen?«

Er stieß ein leises, sarkastisches Schnauben aus.

»Ja, sicher, das hatte ich vor. Nächste Woche, nächsten Monat, nächstes Jahr, in zehn Jahren, in hundert Jahren, vielleicht in zweihundert, vielleicht auch erst, nachdem ich alle Bücher der Welt gelesen und alle Orte gesehen hätte, vielleicht in fünfhundert Jahren, vielleicht … vielleicht auch schon bald, so einsam, wie ich war.«

Ich war zunächst zu verblüfft, um etwas zu sagen.

Er lächelte mich an, mit einem weisen, traurigen Lächeln. »Ach, ich weine ja wie ein Kind«, sagte er leise.

»Woher nimmst du das Selbstvertrauen, einem so kühnen und komplexen Beweis göttlicher Magie ein so rasches Ende setzen zu wollen?«, fragte ich.

»Magie!« Er spuckte das Wort aus wie einen Fluch.

»Mir wäre lieber, du ließest das sein«, sagte ich. »Ich meine nicht dein Weinen, ich meine, dass du die große Mutter und den Vater brennen lassen willst …«

»Das dachte ich mir!«, antwortete er. »Glaubst du denn, ich brächte es fertig, das gegen deinen Willen zu tun, dich dem Feuer auszuliefern? Du naive, hoffnungslose Närrin! Ihre Altäre wieder errichten! Ach! Ihren Kult wieder aufleben lassen! Ach! Du bist nicht bei Sinnen!«

»Närrin? Du wagst es, mich so zu beleidigen? Du denkst wohl, du hättest einen neuen Sklaven in deinen Haushalt gebracht! Du hast dir nicht mal eine Frau angeschafft!«

Ja, genau! Unsere Seelen waren nun voreinander verschlossen, und später würde ich entdecken, dass unser intensiver Blutaustausch der Grund dafür war. In diesem Augenblick jedoch wusste ich nur eins: dass wir uns, wie die Sterblichen, mit Worten zufrieden geben mussten.

»Ich wollte dich nicht beleidigen!«, sagte er. Er fühlte sich getroffen.

»Nun, dann schärfe deinen großartigen männlichen Verstand und deine stolze, aristokratische Ausdrucksweise!«, giftete ich.

Wir warfen uns gegenseitig finstere Blicke zu.

»Ja!«, sagte er. »Verstand!« Er hob den Finger. »Du bist die klügste Frau, die ich je getroffen habe. Und normalerweise hörst du auf Vernunftgründe. Ich werde es dir erklären, und du wirst es einsehen. Das ist jetzt notwendig.«

»Ja, und du bist hitzköpfig und sentimental und lässt deinen

Tränen immer wieder freien Lauf – und du schlägst sogar auf die Königin ein wie ein Kind in einem Wutanfall.«

Sein Gesicht rötete sich in neu aufflammendem Zorn. Der Zorn verschloss ihm die Lippen.

Er drehte sich auf dem Absatz um und ging.

»Wirfst du mich raus?«, rief ich hinter ihm her. »Willst du, dass ich verschwinde?«, schrie ich. »Dies ist dein Haus. Sag mir, wenn ich gehen soll, und ich gehe!«

Er blieb stehen und sagte: »Nein.«

Dann drehte er sich um und sah mich an, völlig überrascht und erschüttert. Seine Stimme war rau, als er sagte: »Geh nicht, Pandora.« Er blinzelte, als müsste er einen Schleier vor seinen Augen vertreiben. »Geh nicht, bitte, geh nicht.« Und dann ein abschließendes Flüstern: »Wir gehören einander.«

»Und wohin willst du jetzt, damit du von mir wegkommst?«

»Ich will ihr nur ein frisches Gewand anziehen«, sagte er mit einem traurig-bitteren Lächeln. »Ich will ›diesen kühnen Beweis komplexer göttlicher Magie‹ reinigen und neu einkleiden.«

Er verschwand.

Ich wandte mich in das violette Dunkel des Gartens. Zu den Wolken, die vom Mond umgetrieben wurden, als wollte er der Dunkelheit trotzen. Zu den hohen alten Bäumen, die mich einluden: »Steig in unser Geäst, wir wollen dich umarmen!« Zu den Blumen hier und da, die sagten: »Wir sind dein Bett. Leg dich zu uns.«

Und so begann der zweihundert Jahre währende Kampf.

Und er hat nie wirklich aufgehört.

10

Mit geschlossenen Augen lauschte ich den Geräuschen der Stadt, den Stimmen aus benachbarten Häusern; ich hörte die Unterhaltung von Männern, die draußen auf der Straße vorbeigingen. Von irgendwoher kam Musik und das Lachen von Frauen und Kindern. Wenn ich mich konzentrierte, konnte ich sogar verstehen, was sie sagten. Aber ich wollte nicht, und ihre Stimmen wehten mit der leichten Brise davon.

Plötzlich schien mir dieser Zustand unerträglich. Mir war, als könnte ich nur eines tun: schnellstens zurück in das Heiligtum eilen, niederknien und beten! Diese neuen Sinne, die mir geschenkt worden waren, schienen zu nichts anderem gut zu sein. Wenn das mein Los war, was sollte dann aus mir werden?

Durch all diese Gedanken drang das Weinen eines Menschen in tiefstem Schmerz an mein Ohr; es war das Echo meines eigenen Schmerzes; da konnte eine Seele, die von einer großen Hoffnung Abschied nehmen musste, kaum glauben, dass etwas, das so schön begonnen hatte, in Schrecken enden sollte.

Es war Flavius.

Ich sprang mit einem Satz in den alten, krummen Olivenbaum. Das war ebenso leicht, wie einen Schritt zu machen. Ich stand zwischen den Ästen, sprang von da aus zum nächsten Baum und dann auf die mit Kletterpflanzen bewachsene Mauerkrone. Ich lief auf der Mauer entlang bis zum Tor.

Da stand er, die Stirn gegen das Gitter gepresst, mit beiden

Händen die Eisenstäbe umklammernd. Er blutete aus einigen Schnittwunden an der Wange. Er knirschte mit den Zähnen.

»Flavius!«, rief ich.

Erschrocken blickte er herauf.

»Herrin Pandora!«

Im hellen Mondschein entdeckte er sicher das Wunder, das an mir geschehen war, wenn er auch die Ursache nicht kannte. Denn seine eigene Sterblichkeit fiel mir auf; ich sah die in seine Haut eingegrabenen Falten, sah das schmerzliche Zucken seiner Augenlider und eine dünne Schmutzschicht, die in der normalen Feuchtigkeit seiner menschlichen Haut überall an ihm haftete.

»Du musst nach Hause gehen«, drängte ich ihn und setzte mich schwungvoll auf die Mauer, mit den Beinen nach außen. Ich beugte mich zu ihm hinunter, damit er mich hören konnte. Er schreckte nicht zurück, aber seine Augen weiteten sich vor Staunen. »Geh und kümmere dich um die Mädchen, und dann schlaf; sieh zu, dass diese Wunden behandelt werden. Der Dämon ist tot, du brauchst dir deswegen keine Sorgen mehr zu machen. Komm morgen wieder hierher, bei Sonnenuntergang.«

Er schüttelte den Kopf. Er wollte sprechen, aber es gelang ihm nicht. Nicht einmal gestikulieren konnte er. Das Herz hämmerte in seiner Brust. Er blickte die Straße hinunter auf die weit entfernten Lichter von Antiochia. Dann schaute er mich an. Ich hörte, wie sein Herz raste. Ich spürte seinen Schock und seine Angst, und es war Angst um mich, nicht um sich selbst. Angst, dass irgendein schreckliches Schicksal mich ereilt haben könnte. Er griff wieder nach dem Tor und klammerte sich an die Stäbe, wobei sein rechter Arm darumgeschlungen war und von der linken Hand gehalten wurde, so als ließe er sich unter keinen Umständen fortbewegen.

Ich sah mich selbst, wie er mich innerlich wahrnahm: in einer gegürteten Männertunika, mit ungebändigtem, offenem Haar, oben auf der Mauerkrone sitzend, als wäre mein Körper jung und biegsam. Alle Linien, die die Zeit meinen Zügen aufgeprägt hatte, waren verschwunden. Er sah ein Gesicht an mir, wie es niemand je hätte malen können.

Aber jetzt war etwas anderes wichtig: Der Mann hatte seine Grenzen erreicht. Er konnte nicht mehr. Und in dem Moment war mir völlig klar, dass ich ihn liebte.

»Also gut«, sagte ich. Ich stand auf und beugte mich mit ausgestreckten Händen vornüber. »Los, komm, ich werde dich über die Mauer heben, wenn ich es schaffe.«

Er hob zweifelnd seine Arme, während seine Augen immer noch jede Einzelheit meiner Verwandlung in sich aufsogen.

Er hatte kein Gewicht. Ich zog ihn hoch und stellte ihn jenseits des Tores wieder auf die Füße. Dann sprang ich neben ihn ins Gras und legte den Arm um ihn. Wie heiß sein Erschrecken war. Wie stark sein Mut.

»Beruhige dich«, sagte ich zu ihm. Ich führte ihn zum Haus, und während er auf mich niedersah, hob und senkte sich seine Brust, als wäre er außer Atem, doch es war der Aufruhr in seinem Inneren, der das bewirkte. »Ich passe auf dich auf!«

»Ich hatte das Ungeheuer schon«, sagte er. »Ich hatte es am Arm gepackt!« Wie belegt seine Stimme klang, getrübt von den Anstrengungen. »Ich habe es immer wieder mit meinem Dolch durchbohrt, aber es schlitzte mir das Gesicht auf und verschwand über die Mauer wie ein Mückenschwarm, wie Dunkelheit, unstoffliche Dunkelheit!«

»Flavius, das Ungeheuer ist tot, zu Asche verbrannt!«

»Wenn ich nicht Eure Stimme gehört hätte, oh, ich wäre wahnsinnig geworden! Ich hörte die Jungen weinen. Aber mit diesem verfluchten Bein kam ich nicht über die Mauer. Dann hörte ich Eure Stimme, und ich wusste es, wusste, Ihr lebt.« Er war überglücklich. »Ihr wart bei Eurem Marius.« Das Selbstver-

ständliche seiner Liebe erfüllte mich mit Zärtlichkeit und Ehrfurcht.

Plötzlich überfiel mich die Erinnerung an das Heiligtum, an
den Nektar der Königin, an die niederschwebenden Blütenblätter. Doch ich durfte in diesem neuen Zustand nicht aus
dem Gleichgewicht kommen. Flavius stand auch vor einem
Rätsel.

Ich küsste ihn auf die Lippen, diese warmen, sterblichen Lippen, und dann leckte ich flink wie eine geschickte Katze das
Blut von den Wundmalen auf seinen Wangen, dabei durchlief
mich ein Schauer.

Ich nahm Flavius mit in die Bibliothek, die in diesem Haus der
zentrale Raum war. Die Knaben lungerten irgendwo herum.
Sie hatten alle Lampen im Haus angezündet und sich hinge-
kauert. Ich konnte das Aroma ihres Blutes und ihres jungen
menschlichen Fleisches riechen.

»Du bleibst hier bei mir, Flavius. Und ihr beiden, könnt ihr hier
unten für meinen Haushofmeister eine Kammer herrichten?
Brot und Früchte habt ihr im Haus, nicht wahr? Ich rieche es.
Habt ihr auch genügend Mobiliar, um es ihm dort auf der
rechten Seite, wo er nicht im Weg ist, bequem zu machen?«

Sie huschten aus ihren Verstecken; auch sie kamen mir auffallend menschlich vor. Ich war irritiert. Selbst die kleinsten natürlichen Merkmale an ihnen schienen mir kostbar: ihre dichten schwarzen Augenbrauen, die kleinen Schmollmünder, ihre
glatten Wangen.

»Ja, Herrin, sicher!«, riefen sie fast einstimmig und eilten herbei.

»Dies ist Flavius, mein Haushofmeister. Er wird hier bei uns
bleiben. Führt ihn erst ins Bad, macht Wasser heiß, und seid
ihm behilflich. Besorgt ihm auch Wein.«

Sie nahmen sich seiner sofort an. Doch er blieb stehen.

»Herrin, lasst mich nicht im Stich«, sagte er mit tiefernster, sor-
genvoller Miene. »Ich bin in jeder Hinsicht treu.«

»Ich weiß«, beruhigte ich ihn. »Und wie ich dich verstehe. Das kannst du dir gar nicht vorstellen.«

Dann verschwand er im Bad, zusammen mit den babylonischen Knaben, die entzückt zu sein schienen, dass sie endlich eine Aufgabe hatten.

Ich fand Marius' riesigen Ankleideraum. Er besaß genügend Kleidung, um damit die Könige von Parthien und Armenien auszustatten sowie die Mutter des Kaisers, die verblichene Kleopatra und einen Prunk liebenden Patrizier, der sich über Tiberius' törichte Gesetze gegen Luxus hinwegsetzte.

Ich zog mir eine viel elegantere, lange Tunika an, aus Seide und Leinen gewebt, dazu wählte ich einen goldenen Gürtel. Und mit Marius' Kämmen und Bürsten bearbeitete ich mein Haar, bis es wie ein reiner, loser Umhang war, frei von Verfilzungen, weich und wellig, wie ich es einst als kleines Mädchen getragen hatte.

Die vielen Spiegel, die Marius besaß, bestanden damals, wie du weißt, nur aus poliertem Metall. Und mein eigenes Spiegelbild schien mir nun melancholisch und geheimnisvoll durch die schlichte Tatsache, dass ich wieder jung war; meine Brustwarzen waren rosig; keine Altersfältchen unterbrachen mehr die Vorzüge meines Gesichts oder meiner Arme. »Zeitlos« wäre vielleicht der passende Ausdruck dafür. Zeitloser Status einer erwachsenen Frau. Und jeder feste Gegenstand schien dazu da zu sein, meine neu gewonnene Stärke zu bestätigen.

Ich sah auf die dicken Marmorplatten hinunter, aus denen der Fußboden bestand, und erkannte in ihnen die Tiefgründigkeit, den Beweis eines wundersamen und kaum zu begreifenden Prozesses.

Ich wollte wieder hinausgehen, zu den Blumen sprechen, sie pflücken, so viel die Hände tragen konnten. Ich hätte zu gern mit den Sternen geredet. Aus Angst vor Marius wagte ich

nicht, das Heiligtum aufzusuchen, aber wenn er nicht irgendwo in der Nähe gewesen wäre, hätte ich mich noch einmal zu
Füßen der Mutter niedergekniet, sie betrachtet in stummer Ver-
senkung, auf die leiseste Äußerung von ihr gewartet, obwohl
ich, nachdem ich Marius' Verhalten erlebt hatte, ganz genau
wusste, dass es dergleichen nicht geben würde.

Sie hatte ihren rechten Arm bewegt, als ob ihr übriger Körper
nichts davon wüsste. Sie hatte sich einmal bewegt, um zu töten, und dann später, um einladend zu winken.

Ich ging in die Bibliothek, setzte mich an das Schreibpult, wo
meine Blätter lagen, und wartete.

Als Marius schließlich kam, war er ebenfalls umgekleidet, sein
Haar war in der Mitte gescheitelt und fiel ihm auf die Schultern. Er setzte sich neben mich auf einen Stuhl, der aus Ebenholz war, geschwungen und mit Gold eingelegt. Und ich
schaute ihn an und stellte fest, wie sehr er diesem Stuhl
ähnelte – dieser schönen, konservierten Ausarbeitung aller
Rohmaterialien, die in ihn eingegangen waren. Die Natur hatte
das Schnitzwerk und die Einlegearbeit besorgt, und dann hatte
das Ganze einen Firnis bekommen.

Ich hätte gern in seinen Armen geweint, aber ich unterdrückte
das Gefühl der Einsamkeit. Die Nacht würde mich nie im Stich
lassen, sie erwies mir ihre Treue mit jeder geöffneten Tür,
durch die das Gras hereinsah und die verästelten Zweige der
Olivenbäume, die sich in den Himmel reckten, um das Licht
des Mondes einzufangen.

»Gesegnet ist«, sagte ich, »wer zum Bluttrinker wird, wenn Vollmond ist und die Wolken wie Berge in die durchsichtige Nacht
aufsteigen.«

»Mag sein«, sagte er.

Er drehte die Lampe, die zwischen uns auf dem Tisch stand, so,
dass sie mich nicht blendete.

»Ich habe meinem Haushofmeister hier eine Heimstatt bereitet«, sagte ich. »Ich habe ihm ein Bad, ein Bett und Kleidung angeboten. Ich hoffe, du vergibst mir. Ich liebe ihn, und ich will ihn nicht verlieren. Es ist für ihn zu spät, um in die normale Welt zurückzukehren.«

»Er ist ein außergewöhnlicher Mensch«, sagte Marius, »und sehr willkommen hier. Morgen kann er vielleicht auch deine Sklavinnen holen. Dann haben die beiden Knaben Gesellschaft, und es wird tagsüber etwas Disziplin herrschen. Außerdem kennt sich Flavius mit Büchern aus.«

»Du bist sehr gütig. Ich hatte befürchtet, du würdest erzürnt sein. Warum leidest du so? Ich kann nicht in deinen Gedanken lesen; diese Gabe habe ich nicht verliehen bekommen.« Nein, das stimmte nicht. Flavius' Gedanken konnte ich lesen. Und ich wusste zum Beispiel, dass die beiden Knaben, die ihm in diesem Augenblick bei seiner Nachttoilette halfen, sehr erleichtert über seine Gegenwart waren.

»Wir sind durch das Blut zu eng miteinander verbunden«, erklärte Marius. »Ich kann deine Gedanken auch nicht mehr lesen. Wir müssen auf Worte zurückgreifen wie die Sterblichen, nur sind unsere Sinne unendlich viel schärfer, und das Gefühl des Losgelöstseins, das uns zuweilen überkommt, wird von einer Kälte sein wie das Eis des Nordens; und dann wieder können uns unsere Gefühle entflammen und uns mit sich reißen wie Wellen glühender Lava.«

»Hm«, machte ich nur.

»Du verachtest mich«, sagte er leise, reumütig, »weil ich die Ekstase erstickt habe, ich nahm dir deine Freude, deine Überzeugung.« Er sah richtig elend aus. »Und das im glücklichsten Augenblick deiner Verwandlung.«

»Sei dir nicht so sicher, dass du sie erstickt hast! Ich könnte ihr immer noch Tempel errichten, ihre Verehrung predigen. Schließlich bin ich eine Eingeweihte. Ich bin erst am Anfang.«

»Du wirst ihren Kult nicht wieder aufleben lassen!«, sagte er. »Das versichere ich dir! Du wirst zu niemandem von ihr sprechen, nicht über das, was sie ist, noch über ihren Aufenthaltsort, und du wirst niemals einen neuen Bluttrinker machen.«

»Ach, wenn doch nur Tiberius eine solche Autorität ausstrahlte, wenn er zum Senat spricht!«, spottete ich.

»Alles, was Tiberius je wollte, war, auf Rhodos seine Studien zu treiben, tagtäglich in einem griechischen Gewand und Sandalen einherzugehen und zu philosophieren. Und auf diese Weise wird der Drang zum Handeln bei Männern gefördert, die weniger befähigt sind und ihn in seiner ungeliebten Einsamkeit nur benutzen.«

»Ist das hier eine Vorlesung zu meiner Weiterbildung? Du meinst wohl, ich wüsste das nicht! Du allerdings weißt nicht, dass der Senat Tiberius bei der Regierungsführung nicht unterstützen wird. Rom will einen Kaiser, den es verehren und lieben kann. Es war deine Generation unter Augustus, die uns vierzig Jahre lang an unumschränkte Herrschaft gewöhnt hat. Rede mit mir nicht über Politik, als wenn ich ein Dummchen wäre.«

»Ich hätte mir darüber im Klaren sein müssen, dass du das alles nur zu gut verstehst«, lenkte Marius ein. »Ich kann mich gut erinnern, wie du als Mädchen warst. Mit deinem sprühenden Geist konnte es keiner aufnehmen. Deine Treue zu Ovid und seinen erotischen Schriften zeugte von einer seltenen Intellektualität und großem Verständnis für Satire und Ironie. Eine Geisteshaltung, die das Produkt guter römischer Erziehung ist.«

Ich sah ihn an. Auch aus seinen Zügen waren die sichtbaren Spuren des Alters getilgt. Jetzt hatte ich die Zeit, seinen Anblick zu genießen: die breiten Schultern, der stolze, aufrechte Nacken, die ausdrucksvollen Augen mit den ebenmäßigen

Brauen. Wir waren von einem Meisterbildhauer zu Marmorbildern unserer selbst gemacht worden.

»Weißt du«, sagte ich, »selbst jetzt, da du diesen Hagel von Definitionen und Erklärungen auf mich niederprasseln lässt, als lechzte ich nach deiner Anerkennung, empfinde ich noch Liebe für dich, und ich weiß sehr wohl, dass wir ganz auf uns selbst gestellt und einander angetraut sind, und ich bin nicht unglücklich darüber.«

Er schien überrascht zu sein, sagte aber nichts.

»Ich fühle mich erhoben und tief innerlich verletzt«, sagte ich, »ein abgehärteter Pilger. Aber ich wünschte doch, du sprächest nicht mit mir, als hieltest du es für deine vorrangige Pflicht, mich zu unterweisen und zu erziehen!«

»Es geht nicht anders!«, sagte er sanft. Seine Stimme klang trotz der hitzigen Debatte freundlich. »Denn es ist tatsächlich meine vorrangige Pflicht. Wenn du verstehst, wie es zum Ende der Römischen Republik kam, wenn du Lukrez und die Stoiker verstehst, dann kannst du auch verstehen, was wir sind. Du musst einfach!«

»Ich lasse dir diese Beleidigung durchgehen«, antwortete ich. »Ich bin weder in der Stimmung, dir jeden Dichter und Philosophen, den ich je gelesen habe, aufzuzählen, noch habe ich Lust, dir das Niveau unserer Tischgespräche zu beschreiben.«

»Pandora, ich will dich nicht beleidigen! Aber Akasha ist keine Göttin! Erinnere dich doch an deine Träume. Sie ist ein Gefäß mit kostbarem Inhalt. Deine Träume haben dir gezeigt, dass sie missbraucht werden kann, dass jeder skrupellose Bluttrinker das Blut an einen anderen weitergeben kann, dass sie eine Art Dämon ist, Herberge der Macht, an der auch wir teilhaben.«

»Sie kann dich hören!«, flüsterte ich außer mir.

»Natürlich kann sie das. Seit fünfzehn Jahren bin ich ihr Hüter.

Und seitdem wehre ich diese Abtrünnigen aus dem Osten von ihr ab. Und andere aus den Tiefen Afrikas, die Übles planen. Sie weiß genau, was sie ist.«

Abgesehen von seinem ernsten Gesichtsausdruck, hätte man unmöglich sein Alter erraten können. Ein Mann in bester Kondition, so wirkte er. Ich versuchte, mich nicht blenden zu lassen, weder von ihm noch von der vibrierenden Nacht hinter ihm, und doch wünschte ich mir, mich einfach treiben zu lassen. »Ein feines Hochzeitsfest!«, spottete ich. »Ich muss den Bäumen etwas erzählen.«

»Die werden auch morgen Nacht noch da sein«, sagte Marius.

Das letzte Bild, das ich von ihr hatte und das von meiner Ekstase getönt war, zog an meinen Augen vorüber; sie hob den jungen Pharao von seinem Stuhl und zerbrach ihn wie Reisig. Ich sah sie vor dieser Offenbarung, im ersten Augenblick meiner Verzückung, als sie lachend den langen Gang hinunterlief.

Eine leise Angst beschlich mich.

»Was hast du?«, fragte Marius. »Vertraue es mir an.«

»Als ich von ihr trank, sah ich sie als junges Mädchen, sie lachte.« Ich erzählte ihm von der Hochzeit, von den auf uns herabregnenden Rosenblättern und dann von ihrem fremdartigen ägyptischen Tempel mit den rasenden Anbetern. Schließlich erzählte ich ihm auch noch, wie sie in das Gemach des kleinen Pharao eingedrungen war, dessen Ratgeber ihn vor ihren Göttern gewarnt hatten.

»Sie zerbrach ihn, als wäre er eine hölzerne Puppe. ›Kleiner König. Kleines Königreich‹, sagte sie dabei.«

Ich nahm meine Notizblätter vom Tisch und beschrieb ihm den letzten Traum, den ich gehabt hatte, in dem sie schreiend drohte, sich der Sonne auszusetzen und ihre ungehorsamen Kinder zu bestrafen. Ich schilderte ihm ausführlich alles, was ich im Traum erlebt hatte – auch die vielen Wanderungen meiner Seele.

Das Herz tat mir weh. Denn noch während ich sprach, erkannte ich, wie verletzbar sie war, und sah die Gefahr, die sie verkörperte. Ich fügte noch hinzu, dass ich all das in ägyptischen Schriftzeichen niedergeschrieben hätte.

Ich war erschöpft und wünschte aufrichtig, ich hätte nie die Augen für dieses Leben geöffnet! Ich fühlte wieder die totale Verzweiflung jener durchweinten Nächte in meinem kleinen Haus in Antiochia, als ich gegen die Wände geschlagen und meinen Dolch in die Erde gebohrt hatte. Wenn sie doch nur nicht lachend durch diesen Gang gelaufen wäre! Was hatte das Bild zu bedeuten? Und der kleine Kinderkönig, der in seiner Wehrlosigkeit zermalmt wurde?

Die Schlussfolgerung daraus zu ziehen fiel mir leicht genug. Ich wartete nur auf Marius' schmälernde Kommentare. Ich hatte nicht viel Geduld mit ihm.

»Wie interpretierst du denn das Ganze?«, fragte er sanft. Er wollte meine Hand nehmen, doch ich entzog sie ihm.

»Es sind winzige Bruchstücke aus ihrer Erinnerung«, sagte ich. Ich war verzweifelt. »Es ist das, was in ihrem Gedächtnis haften geblieben ist. Nur die Andeutung von einer Zukunft ist darin enthalten. Nur ein verständliches Bild ihrer Wünsche ist vorhanden: unsere Hochzeit, dass wir zusammen sein sollen.« Obwohl meine Stimme sehr traurig klang, fragte ich ihn.

»Warum weinst du schon wieder, Marius?«, fragte ich. »Sie muss ihre Erinnerungen zusammensuchen wie Blumen, die man aufs Geratewohl aus dem Garten der Welt pflückt, wie Blätter, die in ihre Hände fallen; und aus diesen Erinnerungen band sie mir einen Kranz! Einen Hochzeitskranz! Einen Fallstrick. Ich habe keine wandernde Seele. Ich glaube nicht daran. Wenn es so wäre, warum sollte ausgerechnet sie, die so archaisch, so hilflos, so unbedeutend für die Welt ist, so völlig unzeitgemäß und ohne Macht, warum sollte sie diejenige sein, die es weiß, die es mir kundtut? Die Einzige, die es weiß?«

Ich sah ihn an. Er war sehr aufmerksam, aber er weinte. Er zeigte keine Scham deswegen und wollte sich auch offenbar nicht dafür entschuldigen.

»Was hast du vorhin gesagt?«, fragte ich. »»Dass ich Gedanken lesen kann, macht mich um nichts weiser als meine Mitmenschen‹?« Ich lächelte. »Das ist der Schlüssel. Wie sie lachte, als sie mich zu dir führte. Wie sehr sie wollte, dass ich dich in deiner Einsamkeit sah.«

Er nickte nur.

»Ich wundere mich nur«, sagte ich, »wie sie ihr Netz so weit auswerfen konnte, dass sie mich über das wogende Meer hinweg finden konnte.«

»Lucius. Durch ihn hat sie das geschafft. Sie hört Stimmen aus vielen Ländern der Erde. Was sie sehen will, das sieht sie. Eines Nachts hatte ich hier in Antiochia einen Mann heftig erschreckt; er schien mich zu erkennen und stahl sich dann schleunigst fort, als könnte ich ihm gefährlich werden. Ich ging ihm nach, weil ich so eine Ahnung hatte, dass diese übermäßige Furcht etwas zu bedeuten hatte.

Dabei stellte ich bald fest, dass eine große Last sein Gewissen drückte und all seine Gedanken und Regungen verzerrte. Er lebte in Angst und Schrecken, von jemandem aus der Hauptstadt erkannt zu werden. Er wollte fort.

Er ging zu dem Haus eines griechischen Kaufmanns und hämmerte noch spät, bei Fackelschein, ans Tor. Er verlangte die Bezahlung von Außenständen, die man deinem Vater schuldete. Der Grieche sagte ihm, was er wohl schon zuvor einmal erklärt hatte, dass er das Geld nur direkt an deinen Vater zahlen werde.

In der folgenden Nacht folgte ich Lucius abermals. Dieses Mal hatte der Grieche eine Überraschung für ihn. Er hatte gerade durch ein Militärschiff einen Brief deines Vaters erhalten. Das muss ungefähr vier Tage vor deiner Ankunft gewesen sein. Der Brief besagte, dass dein Vater von dem Griechen eine Gefälligkeit erbat, er berief sich auf Gastfreundschaft und Ehre. Wenn er ihm diese Gefälligkeit erwiese, wären all seine Schulden getilgt. Alles Weitere werde ein Schreiben erläutern, das eine Fracht nach Antiochia begleite. Die Beförderung der Fracht werde einige Zeit in Anspruch nehmen, da das Schiff unterwegs viele Zwischenstationen machen müsse. Diese Gefälligkeit sei von höchster Wichtigkeit.

Als dein Bruder das Datum des Briefes sah, war er sehr bestürzt. Der Grieche, der von Lucius inzwischen genug hatte, knallte ihm die Tür vor der Nase zu.

Ich sprach Lucius an, kaum dass er sich ein paar Schritte entfernt hatte. Natürlich erinnerte er sich an mich, an den exzentrischen Marius von früher. Ich tat so, als wäre ich überrascht, ihn hier zu sehen, und erkundigte mich nach dir. Er geriet in Panik und flunkerte mir vor, dass du geheiratet hättest und in der Toskana lebtest, und sagte dann, er sei dabei, die Stadt zu verlassen. Dann verzog er sich schnell. Doch dieser kurze Kontakt hatte mir genügt, um zu erkennen, dass die Aussage, die er vor den Prätorianern gegen seine Familie gemacht hatte, falsch war – nichts als Lügen –, und ich konnte mir die Taten, die sich daraus ergeben hatten, lebhaft vorstellen.

Als ich das nächste Mal auf der Lauer lag, konnte ich ihn nicht ausmachen. Ich hatte ein Auge auf das Haus des Griechen, erwog sogar, den alten Mann, diesen griechischen Kaufmann, zu besuchen, überlegte mir eine Möglichkeit, mich mit ihm anzufreunden. Ich dachte an dich. Ich stellte dich mir vor. Ich schwelgte in Erinnerungen. Ich ersann sogar Gedichte auf dich. Von deinem Bruder sah und hörte ich nichts mehr. Deshalb nahm ich an, er hätte Antiochia verlassen.

Dann wachte ich eines Nachts auf, stieg die Treppe hinauf, sah hinaus und musste erleben, dass die Stadt an vielen Stellen in Flammen stand.

Germanicus war gestorben, ohne seine Anschuldigung, dass Piso ihn vergiftet habe, zurückzunehmen.

Als ich das Haus des Griechen erreichte, fand ich nur noch brennende Balken vor. Von deinem Bruder fehlte jede Spur. Nach allem, was ich wusste, waren sie tot, dein Bruder und auch die griechische Familie.

Die Nächte nach diesen Ereignissen verbrachte ich damit, nach Lucius Ausschau zu halten. Ich hatte keine Ahnung, dass du hier warst, nur eine Sehnsucht nach dir, die an Besessenheit grenzte. Ich versuchte mich zu ermahnen, dass ich, wenn ich um jeden Sterblichen, mit dem ich einst verbunden war, derart trauerte, verrückt würde, lange bevor ich genug über die Fähigkeiten erfahren hätte, die mir unser königliches Paar geschenkt hatte.

Dann schließlich, eines noch recht frühen Abends, als ich gerade bei dem Buchhändler war, huschte ein Priester an meine Seite und zeigte auf dich. Da standest du auf dem Forum, und der Philosoph und seine Schüler verabschiedeten sich gerade von dir. Ich war dir ganz nahe!

Ich war so von Liebe überwältigt, dass ich dem Priester nicht richtig zuhörte, bis mir aufging, dass er von merkwürdigen Träumen sprach, während er immer noch auf dich zeigte. Er sagte gerade, dass ich der Einzige sei, der das alles deuten könne. Es hatte etwas mit dem Bluttrinker zu tun, der in dieser Zeit Antiochia unsicher machte – etwas, das an sich nicht ungewöhnlich war. Ich hatte früher schon andere Bluttrinker erschlagen und geschworen, auch diesen zu erwischen.

Dann sah ich Lucius. Ich beobachtete, wie ihr auf dem Forum zusammentraft. Seine Wut und seine Schuldgefühle wirkten fast blendend auf mich, der ich die Hellsicht der Bluttrinker besitze. Ich verstand deine Worte ohne Mühe selbst aus großer

Entfernung. Aber ich wollte mich nicht von der Schwelle rühren, ehe du dich nicht in einem sicheren Abstand von ihm befandst.

Dann wollte ich ihn töten, doch ich hielt es für klüger, in deiner Nähe zu sein, mit in den Tempel zu gehen und an deiner Seite zu bleiben. Ich war mir nicht sicher, ob ich das Recht hatte, deinen Bruder für dich zu töten, und ob es das war, was du gewollt hättest. Ich wusste es nicht, bis ich dir von seiner Schuld erzählen würde. Dann erst würde ich erkennen, wie stark dein Wunsch war, dass es geschähe.

Natürlich hatte ich keine Ahnung, wie gewandt du inzwischen geworden warst, dass dein Scharfsinn und deine Sprachbegabung, die ich an dir so geliebt hatte, als du noch ein Mädchen warst, immer noch existierten. Plötzlich standest du in dem Tempel, dachtest drei Mal schneller als alle anderen anwesenden Sterblichen, wogst jeden Aspekt der Situation genau ab und warst allen eine Nasenlänge voraus. Und dann folgte diese sensationelle Konfrontation mit deinem Bruder. Du fingst ihn in deinem höchst raffiniert ausgelegten Netz von Wahrheiten und konntest ihn so ins Jenseits befördern, ohne ihn selbst auch nur zu berühren. Stattdessen machtest du drei Augenzeugen von der Armee zu Mittätern an seinem Tod.«

Er brach ab, sagte dann aber: »Vor vielen Jahren in Rom bin ich dir einmal gefolgt. Du warst sechzehn. Das war zum Zeitpunkt deiner ersten Heirat. Dein Vater nahm mich beiseite; er war sehr freundlich. ›Marius, du wirst nie etwas anderes als ein herumziehender Historiker sein‹, sagte er. Damals traute ich mich nicht, ihm ehrlich zu sagen, wie ich über deinen Ehemann dachte.

Und nun kommst du nach Antiochia, und ich denke – egozentrisch, wie ich bin, wirst du natürlich einfügen –, wenn je eine Frau speziell für mich geschaffen wurde, dann ist es diese

Frau. Und als ich dich heute Morgen verließ, wusste ich, ich musste die Mutter und den Vater irgendwie aus Antiochia herausschaffen, musste sie fortschaffen, doch andererseits musste auch dieser Bluttrinker vernichtet werden, und dann, erst dann wärst du in Sicherheit und ich könnte dich allein lassen.«

»Du meinst verlassen«, sagte ich.

»Hältst du mir das vor?«, fragte er.

Die Frage traf mich unvorbereitet. Ich schaute ihn einen scheinbar endlosen Moment an, ließ es geschehen, dass meine Augen seine Schönheit in sich aufsogen, und spürte mit unerträglicher Schärfe seine Traurigkeit und Verzweiflung. Ach, wie sehr er mich brauchte! Wie sehr er nicht einfach eine sterbliche Seele brauchte, der er sich anvertrauen konnte, sondern mich.

»Du wolltest mich wirklich beschützen, war es nicht so?«, fragte ich. »Und deine Erklärung ist in allen Punkten so rational; sie hat die Eleganz einer mathematischen Gleichung. Man braucht keine Reinkarnation, nicht das Schicksal und auch keine Wunder für das, was geschehen ist.«

»Das glaube ich«, sagte er scharf. Seine Züge wurden ausdruckslos, dann unnachgiebig. »Ich käme nie auf die Idee, dir etwas anderes als die Wahrheit anzubieten. Bist du eine Frau, der man nach dem Mund reden muss?«

»Nur solltest du dich nicht fanatisch der Vernunft verschreiben«, sagte ich.

Diese Worte erschreckten und beleidigten ihn.

»In einer Welt, die voll schrecklicher Widersprüche ist, solltest du dich nicht zu verzweifelt an die Vernunft klammern!«

Das ließ ihn verstummen.

»Wenn du der Vernunft zu sehr vertraust«, sagte ich, »dann könnte sie dich irgendwann im Stich lassen, und wenn es so weit kommt, müsstest du dein Heil vielleicht im Wahnsinn suchen.«

»Was, in aller Welt, meinst du?«

»Du bist doch geradezu aus Vernunft und Logik zusammenge-setzt. Es ist offensichtlich der einzige Weg für dich, zu ertragen, was dir widerfahren ist, nämlich dass du ein Bluttrinker gewor-den bist und noch dazu, wie man sieht, der Hüter dieser un-zeitgemäßen, vergessenen Götter.«

»Sie sind keine Götter!« Er wurde ärgerlich. »Vor Tausenden von Jahren sind sie so geworden durch eine unerklärliche Ver-schmelzung von Geist und Fleisch, die sie unsterblich machte. Sie finden ihre Zuflucht im totalen Vergessen. In deiner Lie-benswürdigkeit beschreibst du es als einen Garten, in dem die Mutter Blumen und Zweige sammelt, um dir einen Kranz zu flechten – einen Fallstrick, hast du gesagt. Doch das ist zarte Mädchenpoesie. Uns ist nicht bekannt, dass sie so viele Worte aneinander reihen.«

»Ich bin kein zartes Mädchen«, sagte ich. »Poesie ist für jeder-mann da. Rede mit mir!«, verlangte ich. »Und lass diese Worte ›Mädchen‹ und ›Frau‹ weg. Hab nicht solche Angst vor mir.«

»Ich habe keine Angst vor dir!«, sagte er wütend.

»Hast du doch! Selbst jetzt, während dieses neue Blut noch frisch durch meine Adern rast, mich verschlingt und mich um-wandelt, klammere ich mich nicht an Vernunft oder Aber-glauben um meiner Sicherheit willen. Ich kann mich in einen Mythos hineinsteigern und mich auch wieder davon verab-schieden! Du hast Angst vor mir, weil du nicht weißt, was ich bin. Ich sehe aus wie eine Frau, und ich rede wie ein Mann, und deine Vernunft sagt dir, dass die Summe daraus eine Un-möglichkeit ist.«

Er erhob sich vom Tisch. Sein Gesicht überzog sich mit einem Glanz wie Schweiß, aber strahlender.

»Soll ich dir erzählen, was mir widerfahren ist?«, fragte er ent-schlossen.

»Gut, erzähl«, sagte ich, »aber geradeheraus.«

Er ignorierte das. Was ich sagte, stand im Widerspruch zu meinen Gefühlen. Ich wollte ihn eigentlich nur lieben. Ich wusste, was es mit seiner Vorsicht auf sich hatte. Doch trotz all seiner Weisheit entfaltete er auch eine enorme Willenskraft, den Willen eines Mannes, und ich musste die Quelle finden. Ich verbarg meine Liebe.

»Womit haben sie dich verlockt?«

»Niemand hat mich verlockt«, sagte er ruhig. »In Gallien nahmen mich die Kelten gefangen, in der Stadt Massilia. Man brachte mich nach Norden, ich musste mein Haar wachsen lassen, dann schlossen sie mich mitten unter den Barbaren in einen riesigen hohlen Baum ein. Dort machte mich ein verbrannter Bluttrinker zu einem ›neuen Gott‹. Er sagte mir dann, ich solle den keltischen Priestern entkommen und nach Süden gehen, nach Ägypten, um herauszufinden, warum alle Bluttrinker verbrannt worden waren; die jungen waren gestorben, die alten litten. Ich ging, aber ich hatte meine eigenen Gründe dafür! Ich wollte einfach wissen, was ich war!«

»Das kann ich gut verstehen«, erklärte ich.

»Aber zunächst erlebte ich diesen Blutkult in seiner schlimmsten Form – ich war dieser Gott, denk dir nur, ich, Marius, der dir in Rom bewundernd überallhin gefolgt war –, ich war derjenige, dem die Verurteilten geopfert wurden.«

»Ich habe darüber in Caesars historischen Schriften gelesen.«

»Ja, gelesen hast du es, aber nicht erlebt! Wie kannst du mir mit einer so oberflächlichen Prahlerei kommen?«

»Entschuldige, ich vergaß dein kindliches Wesen.«

Er seufzte. »Entschuldige, ich vergaß deinen praktischen und naturgemäß ungeduldigen Geist.«

»Es tut mir Leid. Ich wollte das nicht sagen. In Rom war ich verpflichtet, den Hinrichtungen beizuwohnen. Und die fanden im Namen des Gesetzes statt. Wer leidet mehr, wer weniger? Die Opfer eines Opferkults oder die Opfer des Gesetzes?«

»Sehr gut. Ich entkam diesen Kelten und ging wirklich nach Ägypten, und dort begegnete ich dem Ältesten, dem Hüter von Mutter und Vater, dem königlichen Paar, den ersten Bluttrinkern der Welt, von denen unser machtvolles Blut stammt. Was mir dieser Älteste berichtete, war zwar sehr vage, aber doch überzeugend. Die Königin und der König waren einst ganz normale Menschen gewesen, nicht mehr. Einer oder beide waren von einem Geist oder Dämon besessen, der sie so beherrschte, dass kein Exorzismus ihn austreiben konnte. Das königliche Paar hatte die Fähigkeit, andere Menschen zu verwandeln, indem es ihnen von ihrem Blut zu trinken gab. Sie versuchten eine Religion zu gründen. Doch das scheiterte immer wieder. Denn jeder, der das Blut besaß, konnte einen neuen Bluttrinker machen! Der Älteste behauptete natürlich, er wisse nicht, warum so viele Bluttrinker verbrannt worden seien. Doch er war derjenige gewesen, der das ihm anvertraute heilige Königspaar ans Licht der Sonne zerrte, nachdem er sein Wächteramt jahrhundertelang sinnlos ausgeübt hatte! ›Ägypten war tot‹, sagte er zu mir. Er nannte es ›die Kornkammer Roms‹. Er sagte auch, dass das königliche Paar sich seit einem Jahrtausend nicht mehr gerührt habe.«

Das erzeugte in mir ein ganz ungewöhnliches, romantisches Gefühl des Entsetzens.

»Nun, das Sonnenlicht eines heißen Tages reichte zwar nicht aus, um unsere uralten Eltern zu vernichten, doch überall auf der Welt litten ihre Kinder. Und dieser feige Älteste, der nur mit Schmerzen und einer verbrannten Haut belohnt worden war, hatte nicht mehr den notwendigen Mut, das königliche Paar weiterhin der Sonne auszusetzen. Er hatte keinerlei Veranlassung mehr dazu.

Akasha sprach zu mir. Sie sprach, so gut sie irgend konnte. In Metaphern und Bildern von dem, was seit dem Anfangsgeschehen war, wie dieser ganze Stamm von Göttern und Göttinnen aus ihr entsprungen war, wie sich Widerstand erhoben hatte und wie viel Geschichte unterging und dass das Ziel in Vergessenheit geriet. Und als es schließlich darum ging, Worte zu formulieren, konnte Akasha ein paar stumme Sätze bilden: ›Marius, bringe uns fort aus Ägypten!‹« Er hielt inne. »Bring uns fort von hier, Marius. Der Älteste will uns vernichten. Beschütze uns, oder wir werden hier zu Grunde gehen.«

Er holte tief Luft; er war nun ruhiger, nicht mehr so zornig, aber sehr erschüttert, und mit meiner zunehmenden vampirischen Hellsicht wusste ich nun mehr über ihn, wie mutig er war, wie fest entschlossen, sich an die Prinzipien zu halten, an die er glaubte, trotz der Magie, die ihn mit Haut und Haaren verschlungen hatte, ehe ihm noch Zeit geblieben war, sie in Zweifel zu ziehen. Er versuchte einfach, trotz allem ein Leben nach edlen Grundsätzen zu führen.

»Mein Schicksal«, fuhr er fort, »war unmittelbar mit dem ihren verknüpft! Hätte ich sie im Stich gelassen, hätte der Älteste sie früher oder später erneut der Sonne ausgesetzt, und ich, der ich das jahrtausendealte Blut nicht besaß, wäre wie Wachs verbrannt! Ich hätte mein Leben, das sich schon verändert hatte, endgültig verloren. Aber der Älteste verlangte nicht von mir, neue Priester einzusetzen. Akasha verlangte nicht, dass ich eine neue Religion gründete! Sie sprach weder von Altären noch von Kult. Darum hatte mich nur dieser ausgebrannte Gott in dem nordischen Wald inmitten der Barbaren gebeten, als er mich nach Ägypten in das Mutterland aller Geheimnisse schickte.«

»Wie lange hütest du sie schon?«

»Über fünfzehn Jahre. Ich verliere langsam die Übersicht. Sie rühren sich nicht und sprechen nicht. Die Verletzten, die mit den schweren Verbrennungen, die erst in Jahrhunderten heilen, erfahren, dass ich hier bin. Sie kommen. Und ich versuche sie auszulöschen, ehe ihr Geist noch ein bestätigendes Signal an andere abgeben kann. Sie führt ihre verbrannten Abkömmlinge nicht hierher, so wie sie es mit mir gemacht hat! Nur wenn ich von einem überlistet oder überwältigt werde, bewegt sie sich, so wie du es erlebt hast, und zerschmettert den Bluttrinker! Doch dich, Pandora, hat sie gerufen, sie hat ihre Fühler nach dir ausgestreckt. Und nun wissen wir auch, zu welchem Zweck. Ich war grausam dir gegenüber. Taktlos.«

Er sah mich an. Seine Stimme wurde zärtlich. »Sag, Pandora«, bat er, »in deiner Vision, waren wir da jung oder alt, als wir heirateten? Warst du das fünfzehnjährige Mädchen, das ich vielleicht zu früh begehrte, oder warst du die reife, voll erblühte Frau, die du nun bist? Und waren unsere Familien glücklich? Sahen wir gut aus?«

Die Aufrichtigkeit seiner Worte hüllte mich warm ein. Ebenso die Unsicherheit und die Bitte, die sich darin verbargen.

»Wir waren, wie wir jetzt sind«, sagte ich und erwiderte sein Lächeln verhalten. »Du warst ein für immer in der Blüte seines Lebens stehender Mann. Und ich? Ich war wie jetzt.«

»Glaub mir«, sagte er zärtlich, »ich hätte heute Nacht nicht so schroff über all dies gesprochen, aber du hast jetzt noch so viele Nächte vor dir. Nichts kann dich mehr töten, außer Sonne oder Feuer. Kein Verfall kann dir mehr etwas anhaben. Du kannst noch unzählige neue Erfahrungen machen.«

»Und die Ekstase, die ich empfand, als ich von Akasha trank, was ist damit?«, fragte ich. »Wie verhält es sich mit ihren eigenen Ursprüngen, ihrem eigenen Leiden? Sieht sie sich nicht in gewisser Weise mit dem Heiligen verbunden?«

»Was ist heilig?«, fragte er und zuckte die Achseln. »Sag's mir. Was heißt heilig? Hast du in den Träumen, die von ihr kamen, Heiligkeit erlebt?«

Ich senkte den Kopf. Ich wusste keine Antwort.

»Das Römische Reich ist bestimmt nicht heilig«, sagte er. »Und auch nicht der Tempel des Kaisers Augustus. Und sicher nicht die Verehrung der Kybele oder der Kult jener Feueranbeter in Persien. Ist denn der Name Isis noch heilig, oder war er es je? Der Erste und Einzige, der mich in dieser Sache unterwiesen hat, nämlich jener ägyptische Älteste, behauptete, dass Akasha diese Sagen von Isis und Osiris selbst erfunden habe, weil es ihren Zielen diente und um ihrem Kult Poesie zu verleihen. Ich selbst glaube eher, dass sie sich bestehende alte Sagen zu Nutze machte. Der Dämon in den beiden wächst mit jedem neuen Bluttrinker, der geschaffen wird. Er muss es.«

»Aber ohne Zweck und Ziel?«

»Vielleicht, damit er sein Wissen vermehrt?«, sagte er. »Damit er durch jeden, der sein Blut in sich trägt, mehr fühlen, mehr sehen kann? Vielleicht ist dieses Geschöpf so beschaffen, und jeder Bluttrinker ist ein winziger Teil von ihm, der in sich all seine Sinne und Fähigkeiten trägt und die eigenen Erfahrungen an es zurückgibt. Durch uns streckt es seine Fühler aus, um die Welt kennen zu lernen.

Eins kann ich dir sagen!«, sagte er. Er hielt inne und legte die Hände auf das Schreibpult. »Das, was da in mir brennt, schert sich nicht darum, ob mein Opfer unschuldig ist oder ein Verbrecher. Es hat Durst. Nicht jede Nacht, aber häufig genug! Es sagt nichts! Es spricht in meinem Herzen nicht von Altären zu mir! Es treibt mich an, als wäre es ein Feldherr und ich das Schlachtross, das es lenkt. Ich selbst – Marius – bin es, der die Guten und die Bösen unterscheidet, dem alten Brauch gemäß und aus Gründen, die du sicher gut verstehst, aber dieser gierige Durst tut das nicht! Dieser Durst kennt die Natur, aber keine Moral.«

»Ich liebe dich, Marius«, sagte ich zu ihm. »Du und mein Vater, ihr seid die einzigen Männer, die ich je wirklich geliebt habe. Aber nun muss ich allein hinaus.«

»Was hast du gesagt?« Er war überrascht. »Es ist kurz nach Mitternacht.«

»Du warst sehr geduldig, aber ich muss jetzt allein gehen.«

»Ich komme mit dir!«

»Das wirst du nicht«, sagte ich.

»Aber du kannst nicht so einfach allein in Antiochia herumlaufen.«

»Warum nicht? Ich kann jetzt die Gedanken der Sterblichen auffangen, wenn ich will. Gerade ist eine Sänfte vorbeigezogen. Die Sklaven sind so betrunken, dass es an ein Wunder grenzt, dass sie das Ding nicht fallen lassen und ihren Herrn auf die Straße werfen, während der ganz fest schläft. Ich möchte allein umherziehen, draußen in der Stadt, in den dunklen Gassen und den gefährlichen und üblen Bezirken und in den Vierteln, wo selbst ... selbst ein Gott keinen Fuß hinsetzen würde.«

»Das ist deine Rache an mir«, sagte er. Ich ging zum Tor, und er folgte mir. »Pandora, nicht allein.«

»Marius, mein Liebster«, sagte ich, drehte mich zu ihm um und nahm seine Hand. »Das hat mit Rache nichts zu tun. Deine Worte von vorhin, ›Mädchen‹ und ›Frau‹, die haben immer mein Leben bestimmt. Jetzt möchte ich endlich ganz furchtlos mit nackten Armen und gelöstem Haar in jede gefährliche Höhle gehen, die mich reizt. Ich bin immer noch berauscht von ihrem Blut, von deinem! Dinge, die leuchten sollten, flackern und flimmern. Ich muss jetzt allein sein, um über alles, was du mir gesagt hast, gründlich nachzudenken.«

»Aber du musst noch vor der Morgendämmerung zurück sein, rechtzeitig vorher. Du musst dich mit mir nach unten in das Gewölbe zurückziehen. Du kannst dich nicht einfach irgendwo in einem Zimmer hinlegen. Das tödliche Licht könnte eindringen –«

Er war so fürsorglich, so strahlend, so in Rage.

»Ich werde rechtzeitig zurück sein«, sagte ich, »lange vor der Morgendämmerung, und einstweilen dies: Mir wird das Herz brechen, wenn wir nicht von diesem Augenblick an einander fest verbunden sind.«

»Wir sind verbunden«, sagte er. »Pandora, du könntest mich zum Wahnsinn treiben.«

Er blieb vor dem Gitter des Tores stehen.

»Geh nicht weiter mit«, sagte ich, während ich mich entfernte.

Ich wanderte nach Antiochia hinunter. Ich hatte eine Riesenkraft und Elastizität in den Beinen, und der Staub und die Steine auf der Straße machten meinen Füßen nicht das Mindeste aus, und meine Augen durchdrangen die Nacht, so dass ich das ganze Komplott der kleinen Nager und Eulen entdeckte, die in den Bäumen lauerten, mich anstarrten und flohen, als warnte ihr Instinkt sie vor mir.

Bald war ich mitten in der Stadt. Ich glaube, die Entschlossenheit, mit der ich von einer schmalen Gasse zur nächsten schritt, genügte schon, jeden abzuschrecken, der auch nur entfernt daran gedacht hatte, mich zu belästigen. Aus dem Dunkel vernahm ich höchstens feige, anzügliche Schimpfworte, die verworrenen, hässlichen Flüche, die Männer über unerreichbare Frauen ausschütten, die sie begehren – halb Drohung, halb Abweisung.

Ich konnte die Menschen spüren, wie sie in ihren Häusern in tiefem Schlaf lagen, selbst die Wachen, die sich in ihren Unterkünften hinter dem Forum unterhielten, hörte ich.

Ich tat all das, was neue Bluttrinker immer tun. Ich berührte die Oberflächen der Wände und versenkte mich in den Anblick einer ganz gewöhnlichen Fackel, der sich Nachtfalter hingaben. Ich hatte das Gefühl, an meine nackten Arme, an den leichten Stoff meiner Tunika grenzten die Träume von ganz Antiochia. Ratten flitzten die Straßen und Abflüsse hinauf und hinunter. Der Fluss sandte seinen eigenen Klang aus, und von den vor Anker liegenden Schiffen, vom kleinsten Kräuseln des Wassers hallte es hohl wider.

Das Forum, im Widerschein seiner ständig brennenden Lichter, fing den Mond in seiner Mitte, als wäre es eine große Fallgrube, von Menschen geschaffen, damit die unerbittlichen himmlischen Mächte es sehen und segnen konnten.

Als ich zu meinem eigenen Haus kam, entdeckte ich, dass ich ganz leicht auf seinen Giebel steigen konnte. Und so saß ich dann auf dem schindelgedeckten Dach ganz entspannt und sicher und frei. Ich schaute hinunter in den Hof und das Peristyl, wo ich – in jenen drei einsamen Nächten – eigentlich die Wahrheiten erfahren hatte, die mich auf Akashas Blut vorbereiteten.

In Ruhe und ohne Kummer dachte ich noch einmal darüber nach – als schuldete ich der Frau, die ich einst war, der Eingeweihten, der Frau, die Zuflucht im Tempel gesucht hatte, dieses abermalige Nachdenken. Marius hatte Recht. Die Königin und der König waren von einem Dämon besessen, der sich durch das Blut verbreitete und sich davon ernährte und wuchs, wie ich das jetzt auch in mir fühlen konnte.

Das königliche Paar hatte die Gerechtigkeit nicht erfunden! Diese Königin, die den kleinen Pharao zerbrochen hatte, konnte weder Recht noch Gerechtigkeit ersonnen haben!

Und die römischen Gerichte, die sich mit jeder Entscheidung so schwer taten, alle Seiten bedachten und magische oder religiöse Kunstgriffe ablehnten, sie bemühten sich selbst in diesen entsetzlichen Zeiten um Gerechtigkeit. Es war ein System, das nicht auf einer Offenbarung der Götter, sondern auf Vernunft beruhte.

Aber ich konnte dennoch den Augenblick der Trunkenheit nicht bedauern, als ich ihr Blut getrunken und an sie geglaubt hatte, während Blumen auf uns herabregneten. Ich konnte nicht bedauern, dass jeder menschliche Geist sich einer solchen totalen Transzendenz öffnen konnte.

Sie war meine Mutter, meine Königin, meine Göttin, mein Ein und Alles. Es war mir bewusst geworden, wie es von uns er-

wartet wurde, wenn wir im Tempel der Isis den Trank zu uns
nahmen, wenn wir sangen und uns zu ekstatischen Hymnen
wiegten. In ihren Armen war es mir bewusst geworden. Ich
hatte es auch in Marius' Armen erfahren, in einem weniger gefährlichen Ausmaß. Und plötzlich hatte ich nur noch den
Wunsch, bei ihm zu sein.

Wie grausam mir nun ihr Kult erschien. Unvollkommen und
unwissend, wie sie war, zu solcher Macht erhoben zu sein!
Und wie entlarvend plötzlich, dass im Kern des Geheimnisses
solche erniedrigenden Erklärungen lauerten. Vergossenes Blut
auf ihrem goldenen Gewand!

Wie schon zuvor, als ich mich in dem Tempel auf die Tröstungen einer Basaltstatue eingelassen hatte, dachte ich auch jetzt
wieder: Alle Bilder, alle bedeutsamen Einblicke tun nichts anderes, als dich die tieferen Dinge zu lehren.

Ich, und nur ich, muss aus meinem neuen Leben eine helden-
hafte Geschichte machen.

Ich freute mich für Marius, dass er einen solchen Trost in der
Vernunft fand. Doch die Vernunft war nur etwas Geschaffenes,
das der Welt in gutem Glauben aufgezwungen wurde, und die
Sterne versprechen niemandem etwas.

In jenen dunklen Nächten, in denen ich mich in dem Haus in
Antiochia verkrochen und um meinen Vater getrauert hatte,
hatte ich tiefer geblickt. Ich hatte gefunden, dass im innersten
Kern der Schöpfung durchaus etwas liegen konnte, das ebenso
unkontrollierbar und unverständlich ist wie ein brodelnder
Vulkan.

Seine Lava würde Bäume und Dichter gleichermaßen vernichten.

So nimm diese Gabe hin, Pandora, sagte ich zu mir. Geh nach
Hause, dankbar dafür, wieder jemandem angetraut zu sein.
Denn du hast nie zuvor eine bessere Partie gemacht und einer
aufregenderen Zukunft entgegengeblickt.

Als ich – sehr plötzlich – zurückkehrte, voll neuer Kenntnisse – zum Beispiel, wie man schnell über Dachfirste kommen konnte, fast ohne sie zu berühren, oder über Mauern –, als ich also zurückkehrte, fand ich Marius, wie ich ihn verlassen hatte, jedoch viel betrübter. Er saß im Garten, wie Akasha ihn mir in meiner Vision gezeigt hatte.

Es musste wohl ein Platz sein, den er sehr liebte, eine Bank auf der Rückseite des Hauses, mit Blick auf ein kleines Dickicht und einen natürlichen Bach, der sprudelnd über Felsbrocken stürzte und dann durch das hohe Gras dahineilte.

Marius stand sofort auf. Ich nahm ihn in die Arme.

»Marius, vergib mir«, sagte ich.

»Sag so etwas nicht. Ich bin schuld an allem, was passiert ist. Und ich habe dich nicht davor bewahrt.«

Wir lagen einander in den Armen. Mich verlangte danach, meine Zähne in seine Haut zu drücken, sein Blut zu trinken, und dann tat ich es und spürte, wie auch er von mir trank. Dies war eine so überwältigende Vereinigung, wie ich sie in einem Ehebett nie erfahren hatte, und ich gab mich ihr so ungehemmt hin, wie ich mich noch nie im Leben jemandem hingegeben hatte.

Plötzlich fühlte ich mich erschöpft. Ich entzog mich ihm.

»Komm mit«, sagte er. »Dein Sklave schläft. Aber im Laufe des Tages, wenn wir schlafen müssen, wird er all deine Besitztümer hierher bringen, samt den beiden Mädchen, wenn du sie behalten willst.«

Wir stiegen die Stufen hinunter und betraten einen anderen Raum. Marius benötigte all seine Kraft, um die Türflügel zu öffnen, was bedeutete, dass kein Sterblicher sie hätte öffnen können.

Da stand ein schlichter Sarkophag aus Granit. »Kannst du den Deckel heben?«, fragte Marius.

»Ich fühle mich schwach!«

»Das macht die aufgehende Sonne. Versuch es einfach. Schieb ihn zur Seite.«

Ich schaffte es, und darunter fand ich ein Bett aus zerdrückten Lilienblüten und Rosenblättern, seidenen Kissen und zerpflückten getrockneten Blüten, die einen süßen Duft verströmten.

Ich stieg hinein, setzte mich und streckte mich schließlich in der steinernen Zelle aus. Marius nahm seinen Platz neben mir ein und schob den Deckel zu. Das Licht der Welt war nun vollkommen ausgeschlossen, als wäre das der Wunsch der Toten.

»Ich bin ganz schläfrig, ich kann kaum noch Worte bilden.«

»Welch ein Segen«, spottete er sanft.

»Du könntest dir die Beleidigungen sparen«, murmelte ich, »aber ich vergebe dir.«

»Pandora, ich liebe dich«, sagte er hilflos.

»Komm«, bat ich und griff zwischen seine Beine. »Fülle mich aus, halt mich fest.«

»Das ist albern und abergläubisch!«

»Nein, weder noch«, beharrte ich, »es ist symbolhaft und tröstlich.«

Er gehorchte. Unsere Körper waren eins, verbunden durch sein steriles Organ, das für ihn jetzt nicht mehr Bedeutung hatte als sein Arm, aber wie sehr liebte ich auch den Arm, den er über mich legte, und die Lippen, die er gegen meine Stirn drückte.

»Ich liebe dich, Marius, mein fremder, großer und wunderschöner Marius.«

»Ich glaube dir nicht«, hauchte er kaum hörbar in mein Ohr.

»Was meinst du damit?«

»Du wirst mich eher, als mir lieb ist, verachten für das, was ich dir angetan habe.«

»Kaum, du mein Vernunftbesessener. Ich bin nicht so wild darauf, zu altern, zu welken und zu sterben, wie du vielleicht glaubst. Ich hätte schon gern die Gelegenheit, mehr zu erfahren, mehr zu sehen …«

Wieder fühlte ich seine Lippen auf meiner Stirn. »Wolltest du mich tatsächlich heiraten, als ich fünfzehn war?«

»Oh, was für quälende Erinnerungen! Die Beleidigungen deines Vaters klingen mir heute noch in den Ohren! Es fehlte nicht viel, und er hätte mich aus dem Haus geworfen!«

»Ich liebe dich von ganzem Herzen«, flüsterte ich. »Und du hast doch gesiegt. Du hast mich, ich bin deine Frau.«

»Ich habe dich irgendwie, aber ›Frau‹ ist, glaube ich, nicht das richtige Wort dafür. Ich bin verwundert, dass du deine vorherigen energischen Einwände gegen dieses Wort vergessen hast.«

»Wir beide zusammen«, sagte ich – wegen seiner Küsse kaum in der Lage zu sprechen; ich war schläfrig und entzückt, seine Lippen zu fühlen, ihre plötzliche Gier nach reiner Liebe –, »wir wollen uns ein anderes Wort überlegen, das erhebender ist als ›Frau‹.«

Plötzlich fuhr ich zurück. Ich konnte in dieser Dunkelheit nichts erkennen.

»Küsst du mich etwa, damit ich nicht rede?«

»Ja, ganz genauso ist es«, sagte er.

Ich wandte mich von ihm ab.

»Bitte komm wieder her«, sagte er.

»Nein.« Ich weigerte mich.

Ich lag still; irgendwie stellte ich fest, dass sein Körper sich für mich ganz normal anfühlte, denn mein eigener hatte nun die gleiche harte Konsistenz und vielleicht sogar die gleiche Kraft. Welch wunderbarer Vorzug! Ach, ich liebte Marius. Ich liebte ihn! Sollte er also meinen Nacken küssen! Dass ich mich ihm zuwandte, dazu konnte er mich nicht zwingen!

Die Sonne musste aufgegangen sein.

Denn ein Schweigen senkte sich über mich, das mir ein Gefühl gab, als wäre das ganze Universum mit all seinen Vulkanen und wilden Gezeiten – und all seinen Kaisern und Königen, seinen Richtern und Senatoren und seinen Philosophen und Priestern – ausgelöscht worden.

11

Nun, David, da hast du die Geschichte.
Ich könnte in diesem Plautus-Terentius-Komödienstil noch seitenweise fortfahren. Ich könnte mit Shakespeares *Viel Lärm um Nichts* wetteifern.

Aber hier hast du die wesentliche Geschichte. Es ist das, was hinter der schnoddrigen Kurzversion in *Der Fürst der Finsternis* steckt, die von Marius oder Lestat – wer weiß das schon – in ihre endgültige triviale Form gebracht wurde.

Ich möchte dir die Punkte näher erläutern, die mir heilig sind und immer noch in meinem Herzen brennen, gleichgültig, wie leicht sie von anderen beiseite geschoben wurden.

Und die Geschichte unserer Trennung handelt nicht nur von Unstimmigkeiten, es könnte durchaus eine Lehre darin enthalten sein.

Marius lehrte mich zu jagen und nur die Bösen zu fangen und schmerzlos zu töten, indem ich die Seele des Opfers in betörende Bilder einhüllte oder ihr half, dem eigenen Tod durch eine Flut von Traumgespinsten Glanz zu verleihen, Traumgespinsten, über die ich nicht urteilen, die ich mir nur einverleiben musste, wie ich mir das Blut des Opfers einverleibte. All das erfordert keine detaillierte Beschreibung.

Wir waren, gemessen an unserer Kraft, ebenbürtig. Wenn irgendein verbrannter und skrupellos ehrgeiziger Bluttrinker seinen Weg nach Antiochia fand – was nur ein paar Mal und dann gar nicht mehr passierte –, exekutierten wir den Bittsteller gemeinsam. Sie alle hatten eine monströse Mentalität, die uns kaum verständlich war, und sie spürten die Königin auf wie der Schakal das Aas.

Ihretwegen hatten wir jedenfalls nie eine Auseinandersetzung.

Wir lasen einander häufig laut vor und lachten zusammen über Petronius' *Satyricon*, und wir vergossen gemeinsame Tränen und vereinigten uns im Lachen, als wir die bitteren Satiren des Juvenal lasen. Der Strom neuer satirischer und geschichtlicher Schriften, die aus Rom und Alexandria den Weg hierher fanden, nahm kein Ende.

Aber es gab etwas, das auf ewig trennend zwischen Marius und mir stand.

Unsere Liebe wurde größer, doch in gleichem Maße nahm unser ständiger Streit zu, und Streit wurde bald zu einem gefährlichen Bindemittel unserer Beziehung.

Im Verlauf der Jahre hütete Marius seine zerbrechliche Rationalität wie eine Vestalin die heilige Flamme. Sobald überschwängliche Empfindungen in mir aufkeimten, war er zur Stelle, um mich an den Schultern zu packen und mir unmissverständlich klar zu machen, dass das irrational sei. Irrational, irrational, irrational!!

Als im zweiten Jahrhundert das schreckliche Erdbeben Antiochia heimsuchte, blieben wir unverletzt. Ich wagte es, das als göttliche Fügung zu bezeichnen. Das versetzte Marius in Wut, und er konnte gar nicht schnell genug darauf hinweisen, dass diese gleiche göttliche Einmischung auch den römischen Kaiser Trajan verschont hatte, der zu dem Zeitpunkt in der Stadt gewesen war. Wie ich denn das erklären wolle?

Nur zur Erinnerung: Antiochia wurde bald wieder aufgebaut. Die Märkte florierten, noch mehr Sklaven strömten in die Stadt, nichts konnte die Karawanen auf ihrem Weg zu den

Schiffen aufhalten und umgekehrt die Schiffe, die zu den Karawanen unterwegs waren.

Doch schon lange vor diesem Erdbeben waren wir so weit, dass wir uns nachts fast geschlagen hätten.

Wenn ich Stunden bei dem königlichen Paar zubrachte, kam Marius unausweichlich, um mich zu holen und mich wieder zur Vernunft zu bringen. Er erklärte, wenn ich in diesem Zustand sei, könne er nicht friedlich sitzen und lesen. Er könne nicht denken, wenn er wisse, dass ich dort unten dem Wahnsinn bereitwillig Tür und Tor öffnete.

Warum, wollte ich wissen, musste seine Dominanz sich bis in den letzten Winkel unseres Anwesens erstrecken? Und wieso war ich ihm kräftemäßig ebenbürtig, wenn ein alter, verbrannter Bluttrinker in der Stadt auftauchte und mordete, so dass wir ihn beseitigen mussten?

»Und geistig sind wir uns nicht ebenbürtig?«, fragte ich.

»Eine solche Frage kannst auch nur du stellen!«, sagte er dann sofort.

Die Mutter und der Vater rührten sich natürlich nie wieder und sprachen auch nicht. Keine Blutträume und keine göttliche Anweisung gelangten mehr zu mir. Daran erinnerte Marius mich nur hin und wieder. Und nach einer ganzen Zeit erlaubte er mir, ihm in dem Heiligtum zur Hand zu gehen, damit ich das volle Ausmaß ihrer sprachlosen, scheinbar unbeseelten Willfährigkeit erlebte. Sie erschienen vollkommen unzugänglich; ihre Mitwirkung war schwerfällig und erschreckend anzusehen.

In seinem vierzigsten Lebensjahr erkrankte Flavius; das löste zwischen Marius und mir den ersten unserer wirklich schrecklichen Kämpfe aus. Das war noch zu einem früheren Zeitpunkt, noch vor dem Erdbeben.

Es war übrigens eine wunderbare Epoche, denn der böse, alte Tiberius baute überall in Antiochia neue, herrliche Gebäude.

Antiochia sollte mit Rom konkurrieren können. Aber Flavius war krank.

Marius konnte es kaum ertragen. Flavius war ihm mit der Zeit mehr als lieb geworden – sie sprachen dauernd über Aristoteles, außerdem hatte Flavius sich als einer dieser Männer herausgestellt, die alles können, von der Haushaltsführung bis hin zur genauesten Abschrift schwierigster, unter den Händen zerfallender Texte.

Flavius hatte uns nie eine Frage zu unserer Existenz gestellt. In seiner Seele waren, wie ich fand, Zuneigung und Akzeptanz viel stärker als Neugier oder Angst.

Wir hofften beide, dass Flavius nur eine harmlose Krankheit hatte. Aber als sein Fieber stieg, wandte er den Kopf ab, wann immer Marius sich ihm näherte. Nur wenn ich ihm die Hand reichte, klammerte er sich daran. Häufig lag ich stundenlang neben ihm, so wie er einst neben mir gelegen hatte.

Dann nahm mich Marius eines Nachts mit zum Gartentor und sagte: »Er wird tot sein, wenn ich zurückkomme. Kannst du das ohne mich durchstehen?«

»Fliehst du davor?«, fragte ich.

»Nein«, antwortete er, »aber er will nicht, dass ich ihn sterben sehe, er will nicht, dass ich ihn vor Schmerzen stöhnen höre.«
Ich nickte.

Marius ging fort.

Lange vorher schon hatte er die Regel aufgestellt, dass nie wieder ein Bluttrinker gemacht werden sollte. Ich versuchte deshalb gar nicht erst, mit ihm darüber zu sprechen.

Sobald er fort war, machte ich Flavius zu einem Vampir. Ich ging zu Werke, wie es einst der Verbrannte, Marius und Akasha bei mir gemacht hatten, denn Marius und ich hatten lange über die Methoden diskutiert – nimm so viel Blut wie möglich, dann gib so viel zurück, bis du fast ohnmächtig wirst.

Ich wurde prompt ohnmächtig und erwachte, als sich ein hinreißender griechischer Mann zaghaft lächelnd, von allen Übeln befreit, über mich beugte. Er neigte sich zu mir und nahm meine Hand, um mir auf die Füße zu helfen.

In dem Augenblick betrat Marius das Zimmer, starrte den wieder geborenen Flavius verblüfft an und sagte dann: »Geh! Verschwinde aus diesem Haus, aus dieser Stadt, aus dieser Provinz, aus diesem Reich.«

Flavius' letzte Worte an mich waren: »Ich danke dir für diese Dunkle Gabe.« Diese spezielle Formulierung, die Lestat so häufig in seinen Büchern benutzt, hörte ich damals aus Flavius' Mund zum ersten Mal. Wie gut dieser gelehrte Athener sie doch verstanden hatte.

Für Stunden mied ich Marius. Er würde mir nie vergeben! Dann ging ich hinaus in den Garten und sah, dass er sich grämte. Als er aufblickte, erkannte ich, dass er überzeugt gewesen war, ich hätte zusammen mit Flavius fortgehen wollen. Ich nahm ihn in die Arme. Stumme Erleichterung und Liebe erfüllten ihn; er vergab mir sofort meine »totale Unbesonnenheit«.

»Siehst du denn nicht«, sagte ich, die Gelegenheit nutzend, »dass ich dich liebe? Aber du kannst nicht über mich herrschen! Kannst du dir in deiner vernünftigen Art nicht vorstellen, dass dir der beste Teil unserer Gabe entgeht? Nämlich die Freiheit von den durch ›weiblich‹ oder ›männlich‹ festgelegten Grenzen?«

Er antwortete: »Du kannst mich nicht eine Sekunde davon überzeugen, dass du nicht fühlst, denkst und handelst wie eine Frau. Wir beide liebten Flavius. Aber warum noch ein Bluttrinker?«

»Ich weiß nicht, vielleicht einfach, weil Flavius es wollte; er kannte all unsere Geheimnisse, es gab da … ein Verstehen zwischen uns beiden. Er hat in den dunkelsten Stunden meines sterblichen Lebens treu zu mir gestanden. Ach, ich kann es nicht erklären.«

»Weibliche Gefühlsduselei, wie ich gesagt habe! Und deshalb hast du dieses Wesen in die Ewigkeit entlassen.«

»Er ist genau wie wir auf der Suche«, antwortete ich.

Um die Mitte des Jahrhunderts, als der Reichtum der Stadt enorm gewachsen war und im Imperium Frieden herrschte, der die nächsten zwei Jahrhunderte anhalten sollte, kam der Christ Paulus nach Antiochia.

Ich machte mich eines Abends auf, um ihn reden zu hören, und bei meiner Rückkehr erwähnte ich ganz nebenbei, dass der Mann selbst einen Stein zu seinem Glauben bekehren könne, eine so mächtige Ausstrahlung habe er.

»Wie kannst du deine Zeit mit so etwas verplempern!«, rügte Marius. »Christen! Die bilden nicht einmal eine Kultgemeinschaft! Einige verehren Johannes, andere Jesus. Sie bekämpfen sich untereinander! Siehst du nicht, was dieser Paulus getan hat?«

»Nein, was denn?«, fragte ich. »Ich habe nicht gesagt, dass ich mich ihnen anschließen will. Ich habe nur gesagt, dass ich ihn mir angehört habe. Wem schadet das etwas?«

»Dir, deinem Geist, deinem seelischen Gleichgewicht, deinem gesunden Menschenverstand. Du gefährdest dich durch die albernen Dinge, für die du dich interessierst. Und um ehrlich zu sein, du verletzt auch das Prinzip der Wahrheit!« Aber das war erst der Anfang.

»Ich werde dir etwas über diesen Paulus erzählen«, fuhr er fort. »Er hat weder Johannes, den Täufer, gekannt noch den Galiläer Jesus. Die Juden haben ihn aus ihrem Kreis verstoßen. Beide, Jesus und Johannes, waren Juden! Und deshalb wendet sich Paulus nun an alle Gruppen, an Juden wie Christen, an Römer und Griechen, und sagt: ›Ihr braucht den jüdischen Vorschriften nicht mehr zu folgen. Vergesst die großen Feste in Jerusalem. Vergesst die Beschneidung. Werdet Christen.«

»Ja, das stimmt«, sagte ich aufseufzend.

»Diese Religion anzunehmen ist sehr einfach«, sprach Marius weiter. »Es ist ein Klacks. Du brauchst nur zu glauben, dass dieser Mann von den Toten auferstanden ist! Und ganz nebenbei, ich habe die zugänglichen Texte durchgekämmt, die zurzeit die Märkte überschwemmen. Hast du sie gelesen?«

»Nein, ich staune, dass dir deine Zeit nicht zu schade war für diese Untersuchung.«

»In den Schriften derer, die Johannes und Jesus gekannt haben, finde ich kein Zitat, in dem auch nur einer der beiden behauptet, von den Toten aufzuerstehen, oder dass jeder, der an sie glaube, ein Leben nach dem Tod erlange. Das hat erst Paulus hinzugefügt. Was für ein verlockendes Versprechen! Und du solltest deinen Freund Paulus über das Thema Hölle reden hören. Welch grausame Vorstellung – dass ein fehlbarer Mensch so schreckliche Sünden begehen kann, dass er in alle Ewigkeit brennen muss.«

»Er ist nicht mein Freund. Du deutest zu viel in meine beiläufigen Bemerkungen hinein. Warum erregst du dich so?«

»Ich sagte dir doch, mir ist wichtig, was wahr, was vernünftig ist!«

»Also, etwas haben diese Christen an sich, das du übersehen hast; ihre Zusammenkünfte sind von euphorischer Liebe beseelt, und sie glauben an Hochherzigkeit –«

»Oh, nicht schon wieder! Willst du mir sagen, das sei gut?«

Ich antwortete nicht.

Er wandte sich schon wieder seiner Arbeit zu, als ich anfing zu reden.

»Du hast Angst vor mir«, sagte ich zu ihm. »Du hast Angst, ich könnte mich von jemandem mit einem starken Glauben hinreißen lassen und dich verlassen. Nein. Nein, das ist nicht richtig. Du hast Angst, dass es dich selbst trifft. Dass die Welt dich irgendwie verlocken könnte, in sie zurückzukehren, so dass du nicht mehr hier mit mir lebst, du, der überlegene römische Einsiedler auf seinem Beobachtungsposten, sondern dass du in die Welt zurückkehrst auf der Suche nach dem irdischen Trost menschlicher Gemeinschaft und Nähe, vielleicht sogar der Freundschaft mit Sterblichen, dass sie dich als einen von ihnen anerkennen, wenn du auch nicht zu ihnen gehörst!«

»Pandora, du redest Blödsinn.«

»Behalte deine stolzen Geheimnisse für dich«, sagte ich, »aber ich habe trotzdem Angst um dich, das gebe ich ehrlich zu.«

»Angst um mich? Und warum?«, drängte er.

»Weil du nicht einsiehst, dass alles vergeht, dass alles nur künstlich ist! Dass selbst Mathematik und Logik und Gerechtigkeit keine ewige Bedeutung haben!«

»Das ist nicht wahr«, sagte er.

»Oh, doch! Auch für dich wird eine Nacht kommen, in der du die Erfahrung machst, die ich machen musste, als ich in Antiochia ankam – ehe du mich gefunden hast, vor dieser Wandlung, die alles auf ihrem Weg fortfegen sollte.

Du wirst eine Dunkelheit erleben«, fuhr ich fort, »eine so totale Dunkelheit, wie sie die Natur nirgends auf Erden und zu keinem Zeitpunkt kennt. Nur die menschliche Seele kennt sie. Und sie nimmt kein Ende. Und ich bete, dass deine Logik und deine Vernunft dir Kraft dafür geben, wenn du nicht länger vor ihr fliehen kannst, wenn du erkennst, dass sie dich ringsum einschließt.«

Er warf mir einen anerkennenden Blick zu. Doch er sagte nichts. Ich fuhr fort:

»Wenn dir das widerfährt, wird dir auch Resignation nichts nützen. Resignation erfordert Willenskraft, und Willenskraft erfordert eine Entscheidung, und die wiederum erfordert die Kraft zu glauben, und um zu glauben, braucht man etwas, an das man glauben kann! Und jedes Handeln oder Akzeptieren schließt die Vorstellung eines Zeugen ein. Aber da ist nichts, und es gibt keine Zeugen! Du weißt das jetzt noch nicht, aber ich weiß es. Wenn du es herausfindest, dann hoffe ich, dass du jemanden hast, der dir Trost spendet, während du diese monströsen Relikte dort unten schmückst und kleidest! Während du ihnen Blumen bringst!« Ich war wirklich zornig. Ich sprach weiter:

»Denk an mich, wenn dieser Augenblick kommt – wenn nicht, um zu vergeben, dann doch wenigstens, um mich als Beispiel zu nehmen. Denn ich habe diese Dinge erfahren, und ich habe sie überlebt. Und es spielt keine Rolle, dass ich Paulus lauschte, als er von Christus predigte, oder dass ich der Königin Blumenkronen flechte oder dass ich vor dem Morgengrauen im Garten wie eine Närrin bei Mondschein tanze oder dass ich ... dass ich dich liebe. Es spielt keine Rolle. Denn es existiert nichts. Und kein Zeuge dafür. Niemand!« Ich seufzte. Es war Zeit aufzuhören.

»Kehre zu deiner Geschichtsschreibung, diesen aufgehäuften Lügen, zurück, in denen versucht wird, ein Ereignis mit dem anderen durch Ursache und Wirkung zu verbinden, zu diesem absurden Glauben, der voraussetzt, dass eines aus dem anderen folgt. Ich sage dir, dass dem nicht so ist. Doch es ist das typisch Römische an dir, das zu glauben.«

Er saß schweigend da und schaute zu mir auf. Ich wusste nicht, was er dachte oder wie er im tiefsten Inneren fühlte. Schließlich fragte er:

»Was sollte ich denn deiner Ansicht nach tun?« Er hatte nie unschuldiger ausgesehen.

Ich lachte bitter. Sprachen wir nicht dieselbe Sprache? Er hatte nicht eines meiner Worte aufgenommen. Und dann stellte er mir statt aller Antwort nur diese simple Frage.

»Na gut«, sagte ich. »Ich werde dir sagen, was ich will. Liebe mich, Marius, liebe mich, aber lass mich in Ruhe!« Ich schrie es heraus. Ich hatte nicht nachgedacht. Die Worte kamen einfach. »Lass mich in Ruhe, damit ich mir meine eigenen Tröstungen suchen kann, meine eigenen Wege, am Leben zu bleiben, egal, wie albern oder sinnlos diese Tröstungen dir erscheinen mögen. Lass mich in Ruhe!«

Er war verletzt und völlig verständnislos und sah immer noch ganz unschuldig aus.

Im Laufe der Jahrzehnte hatten wir immer wieder ähnliche Auseinandersetzungen.

Manchmal kam er nachher zu mir; er verfiel dann in lange, grüblerische Reden über das, was seiner Meinung nach mit dem Kaiserreich geschah, dass die Kaiser verrückt würden und dass der Senat keine Macht habe, dass der Fortschritt des Menschen in der ganzen Natur einzigartig und deshalb der Beobachtung wert sei. Und er meinte, dass er selbst sich so lange nach dem Leben verzehren werde, bis es kein Leben mehr gebe.

»Selbst wenn da nichts mehr wäre als tote Wüste«, sagte er, »würde ich noch leben und sehen wollen, wie sich Düne an Düne schmiegt. Wenn nur noch ein Licht in der Welt übrig bliebe, würde ich seine Flamme beobachten wollen. Und dir ginge es sicher nicht anders.«

Doch die Bedingungen für unsere Kämpfe änderten sich nicht, genauso wenig wie ihre Heftigkeit.

Tief in seinem Herzen glaubte er, dass ich ihn hasste, weil er in der Nacht, als er mir die Dunkle Gabe verliehen hatte, so unfreundlich mit mir umgegangen war. Ich sagte ihm, dass das kindisch sei. Aber ich konnte ihn einfach nicht davon überzeugen, dass meine Seele und meine Intelligenz für einen so stupiden Groll zu groß waren und dass ich ihm keine Erklärung für meine Gedanken, Worte und Taten schuldig war.

Zwei Jahrhunderte lang teilten wir unser Leben und unsere Liebe. Er wurde immer schöner für mich.

Als dann immer mehr Barbaren aus dem Norden und Osten in die Stadt strömten, sah er keinen Sinn mehr darin, an den römischen Gewändern festzuhalten, und trug fast immer die juwelenbesetzten Kleider der östlichen Provinzen. Sein Haar schien feiner und heller zu werden. Er schnitt es nur selten; wenn er es hätte kurz tragen wollen, hätte er es jeden Abend aufs Neue abschneiden müssen. Es legte einen Glanz um seine Schultern.

Als sein Gesicht sich immer mehr glättete, schwanden auch die wenigen Linien, die so leicht seinen Ärger gezeigt hatten. Ich sagte dir ja schon, dass er Lestat sehr stark ähnelt. Nur hat er einen stärkeren Körperbau, und die Kinnpartie ist etwas kantiger, weil er älter war, als ihm die Dunkle Gabe verliehen wurde. Doch die unerwünschten Fältchen um seine Augen verschwanden langsam.

Manchmal sprachen wir aus Furcht vor neuen Streitereien ganze Nächte lang überhaupt nicht. Wir bezeugten uns jedoch ständig körperlich unsere Zuneigung – Umarmungen, Küsse, manchmal einfach nur ein schweigender Händedruck.

Aber wir wussten, dass wir schon weit über die übliche menschliche Lebensspanne hinaus zusammen waren.

Du brauchst von dieser bemerkenswerten Epoche keinen detaillierten Bericht. Dafür ist sie zu gut bekannt. Ich will nur der Erinnerung etwas nachhelfen und die Veränderungen, die das ganze Reich erfassten, aus meiner Perspektive schildern.

Antiochia erwies sich als eine aufstrebende Stadt, die unzerstörbar war. Die Kaiser begannen sie zu bevorzugen und besuchten sie häufig. Die orientalischen Religionen nahmen mit ihren Tempeln immer mehr Raum ein. Und Christen aller Art strömten nach Antiochia.

Tatsächlich setzten sich die Christen von Antiochia aus den faszinierendsten Menschen zusammen, die alle miteinander Streitgespräche führten.

Rom führte Krieg gegen die Juden und zerstörte Jerusalem vollständig und damit auch den heiligen jüdischen Tempel.

Viele brillante jüdische Denker kamen nach Antiochia und Alexandria.

Zwei oder drei Mal zogen römische Legionen an uns vorbei nordwärts, nach Parthien; einmal hatten wir sogar eine eigene kleine Rebellion, aber die Stadt Antiochia wurde immer wieder von den Römern gerettet. So schloss der Markt eben für einen Tag! Dann ging der Handel weiter, und Antiochia war das Bett, in dem sich die lastenschweren Karawanen mit den voll beladenen Schiffen vermählten.

Neue Gedichte gab es nur wenige. Satire! Satire schien die einzige ungefährliche und ehrliche Ausdrucksform des römischen Geistes zu sein, und so erhielten wir die urkomische Geschichte *Der Goldene Esel* von Apuleius, die sich über jede Religion lustig zu machen schien. Martial hingegen zeigte nur Bitternis. Und diese Briefe des Plinius, die ich erhielt, sprachen ein strenges Urteil über das moralische Chaos Roms.

Ich begann, mich als Vampir nur noch von Soldaten zu nähren. Ich mochte sie, ihr Aussehen, ihre Kraft. Ich tat das so lange und so gründlich, dass ich in meiner Unbekümmertheit bei ihnen zu einer Legende wurde. »Die griechische Dame Tod« nannten sie mich auf Grund meiner Gewänder, die ihnen archaisch vorkamen. Ich schlug wahllos zu in den dunklen Gassen. Sie hatten nie eine Chance, mich einzukreisen oder aufzuhalten, so groß waren meine Geschicklichkeit, meine Kraft und mein Durst.

Doch bei ihren Todeskämpfen erlebte ich manches: den Ausbruch einer offenen Feldschlacht unterwegs auf einem Marsch, einen Zweikampf an einem steilen Gebirgshang. Sanft zog ich sie hinab in ihren Tod, füllte mich bis zum Überfluss mit ihrem Blut, und manchmal sah ich wie durch einen Schleier die Seelen derer, die sie selbst getötet hatten.

Als ich Marius davon erzählte, sagte er, das sei genau der mystische Unsinn, den er von mir erwarte.

Ich vertiefte das Thema nicht weiter.

Er selbst beobachtete die Entwicklungen in Rom mit großem Interesse. Mir erschienen sie höchstens verwunderlich.

Er brütete über den Geschichtswerken von Cassius, Plutarch und Tacitus, und als er von den endlosen Scharmützeln am Rhein und von dem nördlichen Vorstoß in Britannien hörte, ballte er die Fäuste ebenso wie bei der Nachricht vom Bau des Hadrianwalls, der die Schotten, die sich genau wie die Germanen einfach nicht ergeben wollten, für immer fern halten sollte.

»Es geht nicht mehr darum, ein Reich zu befrieden und zu erhalten«, sagte er, »nicht mehr um Bewahrung eines Lebensstils! Es geht nur noch um Krieg und Handel!«

Dem konnte ich nicht widersprechen.

Es war in Wirklichkeit sogar noch schlimmer, als ihm bewusst war. Wenn er so oft wie ich hinausgegangen wäre, um den Philosophen zuzuhören, wäre er entsetzt gewesen.

Überall tauchten Magier auf, die behaupteten, sie könnten fliegen oder hätten Visionen oder vermöchten durch Handauflegen zu heilen! Sie lieferten sich Kämpfe mit den Christen und den Juden. Ich glaube aber nicht, dass die römische Armee ihnen irgendwelche Beachtung schenkte.

Die medizinische Wissenschaft, wie ich sie während meines Lebens als Sterbliche gekannt hatte, wurde nun von einer aus dem Orient stammenden Flut geheimnisumwitterter Beschwörungen, Amulette, Rituale und kleiner Figürchen, die der Kranke umklammert halten musste, überschwemmt.

Mehr als die Hälfte der Senatsmitglieder waren keine geborenen Römer. Das bedeutete für uns, dass dieses Rom nicht mehr unser Rom war. Und der Titel Kaiser war zu einem Witz geworden. Es gab so viele Morde, Verschwörungen, Streitereien, falsche Kaiser und Palastrevolutionen, dass bald klar war, dass eigentlich die Armee regierte. Die Armee wählte den Kaiser. Die Armee unterstützte ihn.

Die Christen hatten sich in verschiedene rivalisierende Gruppen aufgeteilt. Eigentlich war es erstaunlich, dass diese Religion nicht durch die internen Dispute ausbrannte. Sie gewann durch die Teilung an Stärke. Verschiedentliche grausame Verfolgungen – die Gläubigen wurden hingerichtet, weil sie nicht an römischen Götteraltären beteten – schienen die Sympathie für den neuen Kult auf Seiten der Bevölkerung nur zu erhöhen.

Und die neue Glaubensgemeinschaft war wild darauf, jedes Prinzip im Zusammenhang mit dem Judentum, Gott und Jesus zu diskutieren.

Mit dieser Religion war etwas Erstaunliches vor sich gegangen. Da sich ihre Botschaft durch schnelle Schiffe, bequeme Straßen und gut erhaltene Handelsrouten mit großer Geschwindigkeit in alle Himmelsrichtungen verbreitete, fand sie sich plötzlich in einer schwierigen Situation. Das Ende der Welt, wie Jesus und Paulus es vorausgesagt hatten, war nicht gekommen.

Und niemand, der Jesus je gesehen oder selbst gekannt hatte, lebte mehr. Selbst die, die Paulus gekannt hatten, waren alle schon tot.

Christliche Philosophen tauchten auf, machten Anleihen und trafen ihre Auswahl bei den Theorien der alten Griechen und alten jüdischen Traditionen. Justinius von Athen schrieb, dass Christus der Logos sei; man konnte Atheist sein und trotzdem durch Christus gerettet werden, wenn man die Vernunft hochhielt.

Das musste ich unbedingt Marius erzählen!

Ich war mir sicher, das würde ihn in Schwung bringen, und die Nacht war langweilig genug; aber seine ganze Antwort bestand nur in weiteren seltsamen Auslassungen über die Gnostiker.

»Da trat heute auf dem Forum ein Mann namens Saturnius in Erscheinung«, sagte er. »Vielleicht hast du ja von ihm gehört. Er predigt eine verrückte Variante dieses Christenglaubens, den du so amüsant findest. Darin ist der Gott der Juden eigentlich der Teufel und Jesus der neue Gott. Das war übrigens nicht sein erster Auftritt. Er und seine Anhänger sind dank des hiesigen Bischofs Ignatius auf dem Weg nach Alexandria.«

»Es gibt hier schon Bücher über diese Ideen«, antwortete ich. »Sie sind aus Alexandria gekommen. Ich kann sie nicht durchschauen. Aber du vielleicht. Es geht um ein weibliches Prinzip der Weisheit – Sophia –, das noch vor der Schöpfung war. Juden und Christen möchten diesen Weisheitsbegriff gleichermaßen in ihren Glauben integrieren. Das erinnert mich sehr an unsere geliebte Isis.«

»Deine geliebte Isis!«, sagte er.

»Mir scheint, es gibt Geister, die alles miteinander verflechten wollen, jeden Mythos oder doch dessen Quintessenz, um daraus einen herrlichen Gobelin zu weben.«

»Pandora, du machst mich mal wieder krank«, warnte er mich.

»Ich werde dir sagen, was deine Christen tun. Sie sind dabei, eine straffe Organisation zu bilden. Der Bischof Ignatius wird Nachfolger haben, und im Moment möchten sie verfügen, dass das Zeitalter der individuellen Offenbarungen beendet ist. Sie wollen alle auf dem Markt befindlichen unsinnigen Schriften aussortieren und einen Kanon aufstellen, an den alle Christen glauben sollen.«

»Ich hätte nie gedacht, dass es so kommen könnte«, sagte ich. »Ich habe damals, als du sie verurteilt hast, viel stärker mit dir übereingestimmt, als dir bewusst war.«

»Sie sind so erfolgreich, weil sie sich von der gefühlsmäßigen Moral entfernen«, erklärte er. »Sie organisieren sich wie Römer. Dieser Bischof Ignatius greift streng durch. Er delegiert Macht! Er besteht auf dem genauen Wortlaut der Manuskripte! Achte mal darauf, wie man die Propheten aus Antiochia vertreibt!«

»Ja, du hast Recht«, stimmte ich zu. »Was meinst du, ist das gut oder schlecht?«

»Ich möchte, dass die Welt besser wird«, sagte er. »Besser für Männer und Frauen. Besser. Nur eins ist klar: Die alten Bluttrinker sind inzwischen ausgestorben, und es gibt nichts, was du oder ich oder die Königin und der König tun können, um sich in den Gang der menschlichen Ereignisse einzuschalten. Ich glaube, dass die Menschen sich mehr Mühe geben müssen. Ich versuche mit jedem Opfer, das ich aussauge, tiefere Einsicht in das Böse zu gewinnen.

Jede Religion, die fanatische Ansprüche und Forderungen auf der Grundlage eines göttlichen Willens erhebt, erschreckt mich.«

»Du bist ein wahrer Schüler des Augustus«, sagte ich. »Ich bin deiner Meinung, aber es ist doch komisch, diese verrückten Gnostiker zu lesen. Diesen Marcion und Valentinus.«

»Für dich vielleicht. Ich sehe überall Gefahren. Diese neue Christensekte, sie verbreitet sich nicht nur, sie verändert sich mit jedem Ort, an dem sie sich einnistet; sie ist wie ein Tier, das die örtliche Flora und Fauna in sich hineinschlingt und durch diese Nahrung eine besondere Macht erlangt.«

Ich stritt mich nicht mit ihm.

Am Ende des zweiten Jahrhunderts war Antiochia eine vom Christentum beherrschte Stadt. Und wenn ich die Werke neuerer Bischöfe und Philosophen las, hatte ich den Eindruck, als ob Schlimmeres als das Christentum über uns kommen könnte.

Aber du musst dir vor Augen halten, David, dass Antiochia keineswegs unter einer Wolke des Verfalls dahinsiechte; es lag nichts in der Luft, was auf das Ende des Kaiserreichs hindeutete. Wenn etwas in der Luft lag, dann war es geschäftige Energie. Der Handel gibt einem dieses Gefühl, diesen falschen Eindruck von Wachstum und Kreativität, wo vielleicht nichts dergleichen ist. Es findet ein Austausch, aber nicht unbedingt eine Verbesserung statt.

Dann brach eine dunkle Zeit für uns an. Zwei schwer wiegende Ereignisse kamen zusammen, die Marius niederdrückten und seinen Mut auf eine harte Probe stellten. Antiochia war interessanter denn je. Von der Mutter und dem Vater ging keine Beeinträchtigung aus; sie hatten sich seit der Nacht meiner Ankunft nie wieder gerührt.

Ich will dir das erste Unglück schildern, denn für mich war es nicht so schwer zu ertragen, und ich hatte nur Mitleid mit Marius.

Ich sagte dir ja schon, dass die Frage, wer Kaiser war, nur noch ein Witz war. Aber zu einer Lachnummer wurde sie erst richtig mit den Ereignissen des frühen dritten Jahrhunderts.

Kaiser war zu diesem Zeitpunkt Caracalla, ein regelrechter Mörder. Auf einer Pilgerreise nach Alexandria zu den Überresten Alexanders des Großen hatte er – aus unerklärlichen Gründen – Tausende junger alexandrinischer Männer zusammengetrieben und niedergemetzelt. Nie hatte diese Stadt ein solches Massaker erlebt.

Marius war außer sich. Die ganze Welt war außer sich.

Marius sprach davon, Antiochia zu verlassen, dem Ruin des Kaiserreichs weit aus dem Weg zu gehen. Ich stimmte ihm fast schon zu.

Dann marschierte dieser widerliche Caracalla in unsere Richtung, in der Absicht, die Parther im Norden und Osten zu bekriegen. Nichts Ungewöhnliches für Antiochia!

Caracallas Mutter – du brauchst dir den Namen nicht zu merken – Julia Dómna verlegte ihren Wohnsitz nach Antiochia. Sie starb an Brustkrebs. Übrigens hatte diese Frau mit Caracalla zusammen für die Ermordung ihres zweiten Sohnes, Geta, gesorgt, denn die Brüder hatten sich die Regentschaft geteilt und standen kurz vor einem Bürgerkrieg.

Ich will fortfahren, und auch die folgenden Namen musst du dir nicht merken. Truppen wurden zusammengezogen, um diesen Krieg im Osten gegen die beiden Könige Vologases V. und Artabanus V. zu führen. Caracalla griff an, erzielte einen Sieg und kehrte im Triumph zurück. Dann, nur wenige Meilen vor Antiochia, wurde er von seinen eigenen Soldaten ermordet, als er sich gerade erleichtern wollte!

All dies versetzte Marius in einen Zustand der Hoffnungslosigkeit. Stundenlang saß er im Heiligtum und starrte die Mutter und den Vater an. Ich hatte das Gefühl, dass ich seine Gedanken kannte, nämlich, dass wir uns und sie opfern sollten; doch diese Vorstellung konnte ich nicht ertragen. Ich wollte mein Leben nicht verlieren. Ich wollte Marius nicht verlieren.

Ich machte mir nicht allzu viel aus dem Schicksal Roms. Das Leben breitete sich immer noch vor mir aus und versprach unzählige Wunder.

Zurück zu der Komödie: Die Armee wählte prompt einen neuen Kaiser, einen Mann aus den Provinzen namens Macrinus; er war Maure und trug einen Ring im Ohr.

Er geriet sofort mit der Mutter des toten Kaisers, Julia Dómna, aneinander, weil er ihr nicht erlauben wollte, Antiochia zu verlassen. Bald darauf starb sie an Krebs.

Das alles ging uns zu sehr unter die Haut! Diese Wahnsinnigen hausten in unserer Stadt, nicht weit von uns entfernt, in einer Hauptstadt, um die wir trauerten.

Dann brach ein neuer Krieg aus, weil die Könige des Ostens, die zuvor von Caracalla unvorbereitet überfallen worden waren, nun aufgerüstet hatten; also musste Macrinus die Legionen in die Schlacht führen.

Wie ich schon sagte, kontrollierte die Armee alles. Das hätte man Macrinus klarmachen sollen, als er, anstatt zu kämpfen, den Feind kaufte. Die Truppen waren nicht gerade stolz darauf. Und dann griff er auch noch streng gegen sie durch, indem er ihnen einige ihrer Privilegien nahm.

Er schien nicht begriffen zu haben, dass er ihre Zustimmung

brauchte, um zu überleben. Aber was hatte das schließlich Caracalla gebracht, den sie geliebt hatten?

Wie dem auch sei, Julia Dómnas Schwester, Julia Maesa, die aus Syrien stammte, aus einer Familie, die den syrischen Sonnengott anbetete, ergriff die Gelegenheit beim Schopf und setzte mit Hilfe der Legionen ihren Enkel, geboren von Julia Soemis, als Kaiser ein! Eigentlich war das aus vielerlei Gründen ein verbrecherischer Plan. Erst einmal waren alle Julias Syrerinnen. Der Jüngling selbst war erst vierzehn und noch dazu Erbpriester des syrischen Sonnengottes.

Aber auf irgendeine Art und Weise gelang es Julia Maesa und dem Liebhaber ihrer Tochter, Gannys, eine Bande von Soldaten zu überzeugen, dass dieser vierzehnjährige syrische Knabe der richtige Anwärter für den römischen Kaiserthron war.

Die Armee ließ Macrinus fallen, er und sein Sohn wurden gejagt und ermordet.

Und so ritt auf den Schultern stolzer Soldaten dieser Vierzehnjährige! Aber er wollte nicht bei seinem römischen Namen genannt werden. Er wollte den Namen seines syrischen Gottes, Elagabalus, tragen. Seine bloße Anwesenheit in Antiochia erschütterte die Bürgerschaft. Endlich verließen er und die beiden verbliebenen Julias – seine Mutter und Großmutter, alles Priesterinnen – die Stadt Antiochia.

In Nicodemia, ganz in der Nähe, ermordete Elagabalus den Liebhaber seiner Mutter. Wer blieb noch übrig? Außerdem brachte er einen gewaltigen heiligen schwarzen Stein nach Rom zurück und verkündete, dieser Stein sei dem syrischen Sonnengott heilig und alle müssten ihn von nun an verehren.

Der Jüngling war nun zwar übers Meer verschwunden, doch manchmal brauchte ein Brief nicht mehr als elf Tage von Rom nach Antiochia, und schon bald gingen wilde Gerüchte um. Wer wird wohl je die Wahrheit über ihn erfahren?

Elagabalus. Er baute auf dem Palatin einen Tempel für den

Stein. Er zwang die römischen Bürger, in phönizische Gewänder gekleidet, zuzuschauen, während er Vieh schlachtete und als Opfer darbrachte.

Er bat die Ärzte, ihn in eine Frau zu verwandeln und zu diesem Zweck eine Öffnung zwischen seinen Beinen anzubringen. Die Römer waren entsetzt. Nachts zog er in Frauenkleidern und mit Perücke durch die Tavernen.

Die Soldaten im ganzen Reich begannen sich aufzulehnen.

Nach vier Herrschaftsjahren – stell dir vor, vier! – brachten die Soldaten ihn um und warfen seinen Leichnam in den Tiber.

Für Marius sah es so aus, als wäre von der römischen Welt, die wir einst gekannt hatten, nichts übrig geblieben. Und all die Christen in Antiochia mit ihren Streitereien um die richtige Lehre hatte er gründlich satt. Er hielt inzwischen alle Religionen mit Mysterien für gefährlich. Dieser wahnsinnige Kaiser bot sich ihm als perfektes Beispiel dafür, dass der Fanatismus immer mehr an Boden gewann.

Und er hatte Recht. Er hatte so Recht.

Alles, was ich tun konnte, war, ihn vor der Verzweiflung zu bewahren. Er war zwar noch nicht mit dieser schrecklichen Dunkelheit konfrontiert worden, wie ich sie geschildert hatte; er war viel zu aufgewühlt, zu irritiert und zu streitsüchtig. Doch ich hatte wirklich Angst um ihn, und sein Zustand schmerzte mich, ich wollte nicht, dass er die Zukunft genauso düster sah wie ich, über den Dingen stand wie ich, nichts erwartete und für den Zusammenbruch unseres Imperiums höchstens ein Lächeln hatte.

Dann ereignete sich wirklich das Schlimmste; etwas, das wir beide in der einen oder anderen Form stets befürchtet hatten. Doch es kam in der denkbar schrecklichsten Form über uns.

Eines Nachts erschienen an unseren immer offenen Türen sechs Bluttrinker.

Weder Marius noch ich hatten sie kommen hören. Wir saßen

gemütlich über unseren Büchern, und als wir aufblickten, standen die sechs dort, drei Frauen, zwei Männer und ein Knabe, alle in schwarze Gewänder gehüllt. Sie waren wie christliche Einsiedler oder Asketen gekleidet, die alles Fleischliche verleugnen und dauernd fasten. Von denen gab es viele in der Wüste rings um Antiochia.

Aber diese hier waren Bluttrinker.

Dunkelhäutig, mit dunklen Haaren und Augen, so standen sie vor uns, die Arme über der Brust verschränkt.

Dunkelhäutig, dachte ich blitzartig. Sie sind jung! Sie waren erst nach dem großen Brand gemacht worden. Was bedeutete es dann schon, dass sie zu sechst waren?

Insgesamt waren ihre Gesichter recht ansprechend, gut geschnitten und mit sehr dunklen Augen unter fein gezogenen Brauen, und überall erkannte man die Zeichen ihrer lebendigen Körperlichkeit – winzige Augenfältchen, Linien an den Fingergelenken.

Sie schienen von unserem Anblick ebenso schockiert wie wir von ihrem. Verwundert betrachteten sie die hell erleuchtete Bibliothek, starrten unsere kostbare Kleidung an, die in großem Kontrast zu ihren asketischen Gewändern stand.

»Nun«, sagte Marius, »wer seid ihr?«

Während ich meine eigenen Gedanken verbarg, versuchte ich in die ihren einzudringen. Ihr Geist war mir verschlossen. Sie hatten sich einer Sache fest verschrieben. Das roch gewaltig nach Fanatismus. Eine grässliche Vorahnung überkam mich.

Zaghaft machten sie Anstalten, durch die offene Tür hereinzukommen.

»Nein, bitte nicht«, sagte Marius auf Griechisch. »Dies ist mein Haus. Sagt mir zuerst, wer ihr seid, dann werde ich euch vielleicht einladen, über meine Schwelle zu treten.«

»Ihr seid Christen, nicht wahr?«, fragte ich. »Ihr habt einen heiligen Auftrag.«

»Ja«, antwortete der eine Mann, ebenfalls auf Griechisch. »Wir sind die Geißel der Menschheit im Namen Gottes und seines Sohnes Christus. Wir sind die Kinder der Finsternis.«

»Wer hat euch gemacht?«, fragte Marius.

»Es geschah in einer heiligen Höhle oder in unserem Tempel«, sagte eine der Frauen, auch auf Griechisch. »Wir kennen die wahre Natur der Schlange, und ihre Fangzähne sind unsere Fangzähne.«

Ich erhob mich aus meinem Stuhl und begab mich zu Marius.

»Wir hätten euch in Rom vermutet«, sagte der Mann. Er trug die schwarzen Haare kurz und schaute uns aus runden, unschuldigen Augen an. »Weil der Bischof von Rom nun der Höchste unter den Christen ist und die Theologie von Antiochia nicht mehr so wichtig ist.«

»Warum sollten wir in Rom sein?«, fragte Marius. »Was bedeutet uns der römische Bischof?«

Eine Frau trat vor. Ihr Haar war streng in der Mitte gescheitelt, doch ihr gleichmäßig geschnittenes Gesicht trug einen hoheitsvollen Ausdruck. Besonders ihre Lippen waren wunderschön geformt.

»Warum verbergt ihr euch vor uns? Wir haben schon über lange Jahre von euch gehört! Wir wissen, dass ihr Kenntnisse habt – über uns und darüber, woher die Dunkle Gabe kommt. Ihr wisst angeblich, wie Gott sie in die Welt brachte, und ihr sollt unsere Art vor der Vernichtung bewahrt haben.«

Marius war ganz einfach entsetzt, doch er zeigte es kaum.

»Ich habe euch nichts zu sagen«, antwortete er, vielleicht ein wenig zu überstürzt. »Außer dass ich nicht an euren Gott oder euren Christus glaube, und ich glaube auch nicht, dass Gott die Dunkle Gabe, wie ihr das nennt, in die Welt gebracht hat. Ihr irrt euch da ganz gewaltig.«

Sie zeigten sich sehr skeptisch und äußerst engagiert.

»Ihr seid der Erlösung schon so nahe«, schaltete sich nun der

Jüngling ein, der als Letzter in der Reihe stand. Ihm fiel das Haar lang und ungeschnitten auf die Schultern. Er hatte eine männliche Stimme, doch sein Körper wirkte noch unfertig. »Ihr habt schon fast den Punkt erreicht, wo ihr so stark und weiß und rein seid, dass ihr nicht mehr trinken müsst!«

»Wäre das nur wahr; aber es ist nicht so«, sagte Marius.

»Warum heißt ihr uns nicht willkommen?«, fragte der Jüngling. »Warum wollt ihr uns nicht leiten und lehren, damit wir das Dunkle Blut besser verbreiten und die Sterblichen für ihre Sünden bestrafen können? Wir sind reinen Herzens. Wir sind auserwählt. Jeder von uns ging mutig in die Höhle, und der sterbende Teufel dort, eine zerschmetterte Kreatur aus Blut und Knochen, in einem Feuerblitz aus dem Himmel geschleudert, gab seine Lehren an uns weiter.«

»Und wie lauteten die?«, fragte Marius.

»Lass sie leiden«, sagte die Frau. »Bring ihnen den Tod. Meide alles Weltliche wie die Stoiker und die ägyptischen Eremiten, doch bringe den Tod. Bestrafe sie.«

Sie nahm eine feindselige Haltung ein. »Dieser Mann will uns nicht helfen«, murmelte sie vor sich hin. »Der Mann ist weltlich gesinnt. Dieser Mann ist ein Ketzer.«

»Aber ihr müsst uns empfangen«, drängte der Mann, der als Erster das Wort ergriffen hatte. »Wir haben so lange gesucht und kommen von so weit her, und wir nähern uns euch in Demut. Es ist vielleicht euer gutes Recht, in einem Palast zu leben; ihr habt es euch verdient, wir jedoch nicht. Wir leben in Dunkelheit, wir genießen keine Freuden außer denen des Bluttrinkens, wir nähren uns von den Schwachen und Kranken und Unschuldigen gleichermaßen. Wir handeln nach dem Willen Christi, wie die Schlange im Paradies nach dem Willen Gottes handelte, als sie Eva verführte.«

»Kommt zu unserem Tempel«, sagte einer der anderen, »und seht den Baum des Lebens, um den sich die heilige Schlange windet. Wir haben ihre Fangzähne! Wir haben ihre Macht! Gott erschuf sie, wie er Judas Ischariot erschuf oder Kain oder die sündigen römischen Kaiser.«

»Ach, ich verstehe«, sagte ich. »Ehe ihr auf den Gott in der Höhle stießt, wart ihr Schlangenanbeter. Ihr seid Ophiten, Sethianer, Naassener.«

»Das war unsere erste Berufung«, antwortete der Jüngling. »Aber nun gehören wir zu den Kindern der Finsternis, berufen, zu opfern, zu töten und Leiden zuzufügen.«

»Ach, Marcion und Valentinus!«, flüsterte Marius. »Diese Namen kennt ihr nicht, oder? Das sind die poetischen Gnostiker, die vor hundert Jahren den Morast eurer Philosophie erdacht haben. Dualismus – das bedeutet, dass in einer christlichen Welt das Böse ebenso mächtig sein kann wie das Gute.«

»Ja, das ist uns bekannt.« Es sprachen einige gleichzeitig. »Wir kennen diese weltlichen Namen nicht. Aber wir kennen die Schlange, und wir wissen, was Gott von uns verlangt.«

»Moses in der Wüste hob die Schlange hoch über sein Haupt«, sagte der Junge. »Selbst die Königin von Ägypten wusste von der Schlange, sie trug sie in ihrer Krone.«

»Die Geschichte von dem großen Leviathan wurde in Rom ausgemerzt. Man hat sie aus den heiligen Schriften entfernt. Aber wir kennen sie!«, sagte eine der Frauen.

»Also habt ihr all dies von armenischen Christen gehört? Oder von Syrern?«, fragte Marius.

Ein Mann von kleiner Gestalt, mit grauen Augen, hatte die ganze Zeit über nichts gesagt, doch nun trat er vor und wandte sich mit beachtlicher Autorität an Marius.

»Ihr besitzt uralte Wahrheiten«, sagte er, »und ihr benutzt sie für weltliche Zwecke. Alle wissen von euch. Die blonden Kinder der Finsternis, die in den nördlichen Wäldern leben, wissen von euch und dass ihr wichtige Geheimnisse aus Ägypten gestohlen habt, noch ehe Christus geboren wurde. Viele sind schon hier gewesen, haben dich und die Frau gesehen und sind voller Angst geflohen.«

»Sehr klug!«, sagte Marius.

»Was habt ihr in Ägypten gefunden?«, fragte die Frau. »In jenen Gewölben, die einst der Rasse der Bluttrinker gehörten, leben heute christliche Mönche. Die Mönche wissen nichts von uns, doch wir wissen alles von ihnen und euch. Es gab Schriften dort, Geheimnisse, es gab etwas, das nach göttlichem Willen nun in unsere Hände gehört.«

»Nein, da war nichts«, sagte Marius.

Wieder ergriff die Frau das Wort. »Als die Juden Ägypten verließen, als Moses das Rote Meer teilte, ließen sie da nicht etwas zurück? Warum hob Moses in der Wüste die Schlange hoch? Wisst ihr, wie viele wir sind? Fast hundert. Wir machen Reisen in den fernen Norden, in den Süden und selbst in den Osten, ihr würdet nicht glauben, in welchen Ländern wir schon waren.«

Ich konnte sehen, dass Marius besorgt war.

»Also gut«, sagte ich. »Wir wissen, was ihr wollt und warum ihr in dem Glauben seid, wir könnten euch zufrieden stellen. Ich bitte euch nun, in den Garten zu gehen, damit wir beide miteinander reden können. Respektiert unser Heim. Und tut unseren Sklaven nichts zu Leide.«

»Daran würden wir nicht im Traum denken.«

»Wir werden bald zurückkommen.«

Ich griff nach Marius' Hand und zog ihn die Stufen hinunter.

»Wohin willst du?«, flüsterte er. »Du musst alle Vorstellungen in deinem Bewusstsein abblocken! Sie dürfen nichts zu sehen bekommen!«

»Das werden sie auch nicht«, sagte ich, »und von dort, wo wir gleich stehen, werden sie auch von unserem Gespräch nichts hören können.«

Er schien zu begreifen, was ich meinte. Ich führte ihn in das

Heiligtum, wo die Mutter und der Vater unverändert saßen, und schloss die steinernen Türen hinter mir.

Ich zog Marius hinter den Thron des königlichen Paares.

»Sie können vermutlich den Herzschlag der beiden hören«, flüsterte ich gerade noch vernehmbar. »Aber über das Geräusch hinweg werden sie uns wahrscheinlich nicht sprechen hören. Also, wir werden sie töten müssen, sofort, wir werden sie vollständig vernichten müssen.«

Marius war verblüfft.

»Hör mir zu, du weißt, dass es nicht anders geht!«, sagte ich. »Du musst sie töten und jeden, der so ist wie sie und uns nahe kommt. Warum bist du so entsetzt? Raff dich auf. Am einfachsten ist es, wenn wir sie erst in Stücke schneiden und dann verbrennen.«

»Ach, Pandora«, seufzte er.

»Marius, warum windest du dich so?«

»Ich winde mich nicht«, entgegnete er. »Ich weiß aber, dass mich eine solche Tat unwiderruflich verändern wird. Zu töten, wenn ich dürste, zu töten, um mein Leben, um das der beiden hier zu bewahren, die irgendjemand bewahren muss, das habe ich schon so lange gemacht. Doch nun soll ich zum Scharfrichter werden? Soll wie die Kaiser handeln, die die Christen verbrennen? Einen Krieg gegen diese Rasse führen, gegen diesen Orden, diesen Kult, wie man es auch nennen mag? Auf diese Stufe soll ich mich begeben?«

»Wir haben keine Wahl, komm schon. In dem Gewölbe, in dem wir schlafen, hängen einige Schwerter als Dekoration. Wir sollten die gewaltigen Krummschwerter nehmen. Und die Fackel. Wir gehen zu ihnen und sagen ihnen, wie Leid es uns tut, was geschehen muss, und dann tun wir es!«

Er antwortete nicht.

»Marius, willst du sie etwa ziehen lassen, damit dann andere hinter uns her sind? Sicherheit liegt einzig und allein darin, dass wir jeden Bluttrinker vernichten, der uns und das königliche Paar aufspürt.«

Er entfernte sich ein paar Schritte von mir und stellte sich vor die Mutter. Er blickte ihr in die Augen. Ich wusste, dass er stumm zu ihr sprach. Und ich wusste, dass sie ihm nicht antwortete.

»Es gibt noch eine Möglichkeit«, sagte ich, »und die ist sehr real.« Ich winkte ihm, wieder zurückzukommen hinter das Paar, wo ich mich bei dieser Verschwörung am sichersten fühlte.

»Was meinst du?«, fragte er.

»Gib den König und die Königin in ihre Hände. Und du und ich, wir sind frei. Sie werden für die beiden mit religiösem Eifer sorgen! Vielleicht erlauben der König und die Königin ihnen sogar, von ihnen zu trinken –«

»Das kommt nicht in Frage!«, sagte er.

»Genauso empfinde ich auch. Wir würden niemals sicher sein. Und sie würden sich ungehemmt über die Erde ausbreiten wie übernatürliche Schädlinge. Hast du einen dritten Plan?«

»Nein, aber ich bin bereit. Wir benutzen beides, Feuer und Schwert. Kannst du ihnen ein paar verlockende Lügen auftischen, wenn wir uns ihnen mit Waffen und Fackeln nähern?«

»O ja, sicher«, sagte ich.

Wir gingen in das Gewölbe und nahmen die großen, ungemein scharfen Schwerter an uns, die aus der arabischen Wüste ihren Weg hierher gefunden hatten. An der Fackel am Fuß der Treppe entzündeten wir eine zweite und nahmen sie mit nach oben.

»Kommt her, Kinder«, rief ich laut, als ich den Raum betrat. »Kommt, denn was ich euch zu enthüllen habe, muss beim Licht der Fackeln geschehen, und welchem heiligen Zweck diese Schwerter dienen, werdet ihr auch bald erkennen. Wie fromm ihr seid!«

Wir standen vor ihnen.

»Und wie jung ihr noch seid!«, sagte ich.

Plötzlich drängten sie sich in Panik zusammen. Dadurch machten sie es uns leichter. Unsere Aufgabe war in wenigen Augenblicken erfüllt; wir setzten ihre Gewänder in Flammen, hackten ihnen die Glieder ab, ohne ihre Mitleid erregenden Schreie zu beachten.

Nie zuvor hatte ich meinen ganzen Willen, meine ganze Kraft und Schnelligkeit derart eingesetzt wie jetzt gegen diese Bluttrinker. Es war berauschend, sie aufzuschlitzen, die Fackel an sie zu halten, sie aufzuschlitzen, bis sie niedersanken und ihr Leben aushauchten. Allerdings wollte ich auch nicht, dass sie leiden mussten.

Weil sie jung waren, so besonders jung als Bluttrinker, dauerte es sehr lange, ihre Knochen zu verbrennen, zuzusehen, bis nur noch Asche übrig war.

Doch endlich war es getan, und wir standen mit rußbefleckten Kleidern im Garten beisammen, Marius und ich, und starrten auf das rauchende Gras, um uns mit eigenen Augen zu versichern, dass der Wind die Asche in alle Himmelsrichtungen verwehte.

Plötzlich wandte sich Marius von mir ab und ging schnellen Schrittes fort, die Treppe hinunter in das Heiligtum.

Von Panik erfasst, rannte ich hinter ihm her. Da stand er, die Fackel und das blutige Schwert in den Händen – sie hatten so schrecklich geblutet –, und sah in Akashas Augen.

»Oh, lieblose Mutter!«, flüsterte er. Sein Gesicht war von Asche und Schmutz besudelt. Er schaute zuerst auf die flackernde Fackel, dann zu der Königin.

Akasha und Enkil zeigten mit keiner Miene, dass sie von dem Massaker dort oben wussten. Sie zeigten weder Zustimmung noch Dankbarkeit, noch irgendeine Form von Bewusstsein. Sie zeigten nicht, ob sie die Fackel in seiner Hand wahrnahmen oder seine Gedankengänge, wie sie auch sein mochten.

Dies war ein Schlusspunkt für Marius, für *den* Marius, den ich zu der Zeit gekannt und geliebt hatte.

Er entschied sich, in Antiochia zu bleiben. Ich selbst war dafür, fortzugehen und sie wegzubringen, für wilde Abenteuer, dafür, die Wunder der Welt zu sehen.

Aber er sagte Nein. Er hatte nur eine Verpflichtung. Und die war, auf der Lauer zu liegen und auf weitere Bluttrinker zu warten, so lange, bis er auch den Letzten getötet hatte.

Wochenlang sprach und rührte er sich nicht, es sei denn, ich rüttelte ihn, und dann bat er mich, ihn allein zu lassen. Aus seinem Sarkophag erhob er sich nur, um sich, mit Schwert und Fackel bewaffnet, hinzusetzen und zu warten.

Es wurde unerträglich für mich. Monate vergingen. Ich sagte zu ihm: »Du bist kurz davor, dem Wahnsinn zu verfallen. Lass uns die beiden fortbringen von hier!«

Dann, eines Nachts, als ich sehr zornig und sehr einsam war, schrie ich ihn törichterweise an: »Ich wünschte, ich wäre von ihnen und von dir befreit!« Ich verließ das Haus und kam drei Nächte lang nicht zurück.

Ich schlief an dunklen, ungefährlichen Plätzen, die ich mir ohne große Mühe herrichtete. Jedes Mal, wenn ich an Marius dachte, sah ich ihn vor mir, wie er bewegungslos dasaß, ganz ähnlich wie sie, und ich hatte Angst.

Wenn er doch nur echte Verzweiflung kennen gelernt hätte, wenn er nur ein Mal mit dem konfrontiert gewesen wäre, was wir heute das »Absurde« nennen. Wenn er nur schon ein Mal dem Nichts begegnet wäre! Dann hätte ihn dieses Massaker nicht so demoralisiert.

Schließlich legte sich eines Morgens, kurz vor Sonnenaufgang, als ich mich in meinem sicheren Versteck befand, eine merkwürdige Stille über Antiochia. Der Rhythmus, den ich dort bisher alle Tage vernommen hatte, fehlte. Ich versuchte zu überlegen, was das bedeuten konnte. Aber es würde später noch Zeit sein, das herauszufinden.

Ich hatte einen fatalen Fehler begangen. Die Villa war leer. Marius hatte alle Vorkehrungen für einen Transport bei Tage getroffen. Ich hatte keinen Anhaltspunkt, wohin er gegangen sein konnte! Alles, was ihm gehörte, war fort, alles, was ich besaß, hatte er gewissenhaft zurückgelassen.

Als er mich am nötigsten brauchte, hatte ich ihn im Stich gelassen! Immer und immer wieder umkreiste ich den leeren Schrein. Ich schrie, dass das Echo von den Wänden widerhallte.

Er kehrte nie wieder nach Antiochia zurück. Es kam auch kein Brief.

Nach etwa sechs Monaten gab ich auf und ging ebenfalls fort.

Du weißt natürlich, dass die frommen Vampire, die sich dem Christentum geweiht hatten, nie mehr ausstarben, zumindest nicht, bevor Lestat in rotem Samt und Pelz auftauchte, um sie zu blenden und ihren Glauben zu verspotten. Das war im Zeitalter der Aufklärung, damals, als Marius Lestat bei sich aufnahm. Wer weiß, was für Vampirkulte noch existieren?

Ich für meine Person hatte zu jener Zeit Marius ein zweites Mal verloren.

Hundert Jahre vorher und natürlich Tausende von Jahren nach dem Zusammenbruch der so genannten »Welt der Antike« hatte ich ihn ein einziges Mal für eine einzige kostbare Nacht wieder gesehen.

Ich sah ihn! Es war in jener überspannten, dekadenten Zeit Ludwigs XIV., des Sonnenkönigs. Auf einem Ball bei Hofe in Dresden. Musik erklang – die fesselnde Verschmelzung von Klavichord, Laute und Geige –, zu der kunstvolle Tänze aufgeführt wurden, die aus nichts anderem als Verbeugungen und Kreisen bestanden.

Auf der gegenüberliegenden Seite des Saales erblickte ich plötzlich Marius!

Er hatte mich schon eine ganze Weile beobachtet und schenkte mir nun ein höchst trauriges, liebevolles Lächeln. Er trug eine aufgetürmte Lockenperücke, die genau in der Farbe seines eigenen Haares gefärbt war, und einen Samtrock mit weiten Schößen, dazu Unmengen von Spitze, wie es die Franzosen bevorzugten. Seine Haut war goldbraun. Das bedeutete Feuer. Ich wusste plötzlich, dass er Schreckliches durchgemacht hatte. Aus seinen blauen Augen sprach jubelnde Liebe, und ohne seine lässige Haltung zu verändern – er lehnte mit den Ellbogen auf der Kante des Klavichords –, warf er mir mit den Fingerspitzen einen Kuss zu.

Ich traute meinen Augen nicht. War er wirklich da? Saß ich selbst in eigener Person hier in diesem Saal, angetan mit dem tief ausgeschnittenen, fischbeinverstärkten Mieder und den weiten Reifröcken, bei denen abwechselnd einer kunstvoll hochdrapiert war, um den unteren zu zeigen? Meine Haut wirkte damals wie ein Kunstprodukt. Ein Coiffeur hatte mein Haar gerafft und zu einer komplizierten Frisur hochgesteckt.

Ich hatte die sterblichen Hände, die mich so zurechtgemacht hatten, keines Gedankens gewürdigt. In jener Zeit ließ ich mich von einem wilden Gesellen, einem aus Asien stammenden Vampir, durch die Welt führen, der mir nichts bedeutete. Ich war in die ewig lauernde Falle der Frauen gefallen: Ich war das unverbindliche, zur Schau gestellte Schmuckstück eines Mannes, der trotz seiner nervtötenden verbalen Grausamkeit genügend Kraft besaß, uns beide durch die Zeit zu bringen.

Der Asiate war gerade dabei, in einem der oberen Schlafzimmer sein sorgsam gewähltes Opfer auszusaugen.

Marius kam auf mich zu, küsste mich und nahm mich in die Arme. Ich schloss die Augen. »Ja, es ist Marius«, flüsterte ich, »wahrhaftig Marius.«

»Pandora!«, sagte er nur, dabei trat er einen Schritt zurück, um mich anzusehen. »Meine Pandora!«

Seine Haut war verbrannt worden. Blasse Narben. Aber es war alles fast verheilt.

Er führte mich auf die Tanzfläche! Er war wirklich die perfekte Verkörperung eines Menschen. Er dirigierte mich in die Runde der Tänzer. Ich konnte kaum atmen. Seiner Führung folgend und bei jeder neuen kunstvollen Wendung erschreckt von dem verzückten Ausdruck seines Gesichts, konnte ich weder Jahrhunderte noch Jahrtausende ermessen. Ich wollte plötzlich alles wissen – wo er sich aufgehalten hatte, was ihm widerfahren war. Stolz und Scham kämpften in mir. Konnte er sehen, dass ich nur noch ein Schatten jener Frau war, die er einst gekannt hatte? »Du bist die Hoffnung meiner Seele!«, flüsterte ich.

Er brachte mich schnell fort. In einer Kutsche fuhren wir zu seinem Stadtpalais. Er überschüttete mich mit Küssen. Ich klammerte mich an ihn.

»Du«, sagte er, »mein Traum, ein Schatz, den ich in meiner Dummheit fortgeworfen habe, du bist hier, du hast ausgeharrt.«

»Ich bin hier, weil deine Augen auf mir ruhen«, sagte ich bitter. »Weil du die Kerze hochhältst, kann ich im Spiegel fast meine alte Kraft erkennen.«

Plötzlich drang ein Geräusch an meine Ohren, ein aus Urzeiten stammendes, schreckliches Geräusch. Es war der Herzschlag von Akasha, der Herzschlag von Enkil.

Die Kutsche hatte angehalten. Eiserne Tore. Diener.

Das Palais war geräumig, modisch, die prächtige Residenz eines reichen Edelmanns.

»Sie sind da drin, die Mutter und der Vater?«, fragte ich.

»O ja, unverändert. Absolut verlässlich in ihrem ewigen Schweigen.« Seine Stimme schien dem Entsetzlichen zu trotzen.

Ich konnte es nicht ertragen. Ich musste dem Geräusch dieser Herzen entkommen. Ein Bild des versteinerten Königspaares erstand vor meinen Augen.

»Nein! Bring mich fort von hier. Ich kann nicht hineingehen. Marius, ich kann sie nicht sehen!«

»Pandora, sie sind tief unter dem Palais verborgen. Du brauchst sie nicht zu sehen. Sie werden es nicht wissen. Pandora, sie sind unverändert.«

Ach! Unverändert! Mein Geist flog zurück über gefährlichen Grund, zurück zu meinen ersten Nächten in Antiochia, allein, sterblich in Antiochia, zurück zu den Siegen und Niederlagen jener Zeit. Ach! Akasha war unverändert! Ich befürchtete, ich würde anfangen zu schreien und mich nicht beherrschen können.

»Also gut«, sagte Marius, »wir gehen, wohin du willst.«

Ich beschrieb dem Kutscher die Lage meines Verstecks.

Ich konnte Marius nicht ansehen. Tapfer wahrte er den Schein der glücklichen Wiedervereinigung, sprach über Wissenschaft und Literatur, Shakespeare, Dryden, über die Neue Welt mit ihren Urwäldern und Flüssen. Doch unterschwellig hörte ich aus seiner Stimme, dass ihm jede Freude vergangen war.

Ich vergrub mein Gesicht an seiner Brust. Als die Kutsche hielt, sprang ich hinaus und floh förmlich zur Tür meines kleinen Hauses. Dann schaute ich zurück. Er stand auf der Straße.

Er wirkte traurig und müde, nickte gemessen und bedeutete mir mit einer Geste seine Zustimmung. »Darf ich auf dich warten?«, fragte er. »Kann ich hoffen, dass du deine Meinung änderst? Ich werde auf ewig hier warten.«

»Es geht nicht um meine Meinung!«, sagte ich. »Ich verlasse diese Stadt heute Nacht. Vergiss mich. Vergiss, dass du mich je gesehen hast.«

»Du, meine Liebe«, sagte er leise und sanft. »Meine einzige Liebe.«

Ich rannte ins Haus und schloss die Tür hinter mir. Ich hörte die Kutsche davonfahren. Dann begann ich zu rasen, wie ich es seit meinem sterblichen Leben nie mehr getan hatte, ich schlug mit den Fäusten gegen die Wände und versuchte, meine ungeheure Kraft zu bändigen, das Heulen und Schreien, das sich Bahn brechen wollte, in mir zu ersticken.

Endlich fiel mein Blick auf die Uhr. Drei Stunden noch bis zum Morgengrauen. Ich setzte mich nieder und schrieb:

Marius,

man wird uns bei Sonnenaufgang nach Moskau bringen. Der Sarg, in dem ich ruhe, soll schon am ersten Reisetag viele Meilen zurücklegen. Marius, ich bin wie betäubt. Ich kann in Deinem Haus nicht Zuflucht suchen, unter demselben Dach wie die Uralten. Bitte, Marius, komm nach Moskau. Hilf mir, mich aus meiner Zwangslage zu befreien. Später kannst Du Dein Urteil fällen und mich verdammen. Ich brauche Dich. Marius, wie ein Geist werde ich durch den Palast des Zaren, durch die Kathedrale streifen, bis Du kommst. Marius, ich weiß, damit verlange ich, dass *Du* eine lange Reise antrittst, aber, bitte, komm. Ich bin dem Willen meines Begleiters sklavisch unterworfen.

Ich liebe Dich,

Pandora

Ich rannte wieder auf die Straße, eilte in Richtung seines Hauses und versuchte, den Weg wieder zu finden, den ich mir dummerweise nicht gemerkt hatte.

Aber was war mit dem Herzschlag? Ich würde es wieder vernehmen, dieses geisterhafte Geräusch! Ich musste einfach dran vorbeieilen, es ertragen, so lange, bis ich Marius den Brief gegeben hatte, bis er mich vielleicht am Handgelenk packte, um mich an irgendeinen sicheren Ort zu bringen und jenen asiatischen Vampir, der mich unterhielt, noch vor Morgengrauen zu vertreiben.

Dann tauchte dieselbe Kutsche auf und brachte meinen Blut trinkenden Gefährten von dem Ball nach Hause.

Er ließ sofort neben mir anhalten.

Ich nahm den Kutscher beiseite. »Der Mann, der mich nach Hause brachte«, sagte ich zu ihm, »wir fuhren doch zu seinem Haus, einem großen Palais.«

»Ja«, sagte der Fahrer, »Graf Marius, ich habe ihn soeben zu seinem Haus zurückgefahren.«

»Du musst ihm diesen Brief bringen. Beeil dich! Du musst zu seinem Haus fahren und ihm den Brief in die Hand geben. Sag ihm, dass ich dir kein Geld geben konnte, dass er dich bezahlen soll, ich will, dass du ihm das sagst. Er wird zahlen. Sag ihm, der Brief ist von Pandora. Du musst ihn persönlich aufsuchen.«

»Von wem sprichst du?«, wollte mein asiatischer Begleiter wissen.

Ich bedeutete dem Kutscher, sich auf den Weg zu machen. »Los!« Natürlich war mein Gefährte außer sich. Doch der Wagen rollte schon davon.

Zweihundert Jahre vergingen, ehe ich die schlichte Wahrheit erfuhr: Marius hat diesen Brief nie bekommen! Wieder in seinem Palais, hatte er seine Sachen gepackt und voller Kummer in der folgenden Nacht Dresden verlassen. Den Brief fand er erst viel später, wie er Lestat erzählte, »ein zerfleddertes Schriftstück«, wie er es nannte, »das auf den Boden eines unordentlich gepackten Koffers gesunken war«.

Wann ich ihn wieder sah?

In der heutigen Welt. Als die alte Königin sich von ihrem Thron erhob und uns die Grenzen ihrer Weisheit, ihres Willens und ihrer Macht vor Augen führte.

Nach zweitausend Jahren, in unserem zwanzigsten Jahrhundert, das immer noch voll römischer Säulen, Statuen, Pedimente und Peristylen ist, in dem die Computer summen und

die Fernsehgeräte heißlaufen, wo in jeder öffentlichen Bibliothek immer noch Ovid und Cicero stehen, wurde unsere
Königin, Akasha, in dem modernsten und sichersten aller heiligen Schreine von dem Bild Lestats auf einem Fernsehschirm
erweckt, und sie kämpfte darum, als Göttin zu herrschen, nicht
nur über uns, sondern über die ganze Menschheit.

In der gefährlichsten Stunde, als sie drohte, uns alle zu vernichten, wenn wir ihrer Führung nicht folgten – viele hatte sie
schon niedergemetzelt –, war es Marius mit seinen Appellen an
die Vernunft, mit seinem Optimismus, seiner Philosophie, der
auf sie einsprach, sie zu beruhigen und abzulenken versuchte,
und der sie in ihrem zerstörerischen Vorhaben hinhielt, bis ein
alter Feind kam, um einen urzeitlichen Fluch zu erfüllen, indem
er sie mit urzeitlicher Einfachheit erschlug.

David, was hast du mit mir angestellt, als du mich drängtest,
diesen Bericht zu schreiben?

Du hast bewirkt, dass ich mich der vergeudeten Jahre schäme.

Du hast mich zu der Erkenntnis gebracht, dass kein Dunkel je
so tief sein kann, dass es mein persönliches Wissen um die
Liebe auslöschen könnte, die Liebe der Sterblichen, die mich
zeugten, die Liebe zu den Göttinnen aus Stein, die Liebe zu
Marius.

Vor allem kann ich das Wiederaufleben meiner Liebe zu Marius nicht leugnen.

Und überall in der Welt um mich sehe ich Beweise für die
Liebe. Hinter dem Bild der heiligen Jungfrau und dem Jesus-
kind, hinter dem Bild des gekreuzigten Christus und dem Ba-
saltbildnis der Isis in meiner Erinnerung. Ich sehe die Liebe. Ich
sehe sie in dem Bemühen der Menschen. Ich sehe, wie sie un-
leugbar alles durchdringt, was Menschen geschaffen haben in
der Dichtkunst, Malerei und Musik, in ihrer Liebe zueinander
und in ihrer Weigerung, Leiden als ihr Los zu akzeptieren.

Vor allem aber sehe ich sie in der Gestaltung unserer Welt, die jede Kunst übertrifft und nicht durch reinen Zufall solche Schönheit in diesem Ausmaß hätte hervorbringen können.

Liebe. Doch woher kommt diese Liebe? Warum hält sie ihren Ursprung geheim, diese Liebe, die den Regen und die Bäume macht und die Sterne über uns ausgestreut hat, wie es einst die Götter und Göttinnen von sich behaupteten?

Also erweckte Lestat, dieser Flegel von einem Prinzen, die Königin; und wir überlebten ihre Vernichtung. Also war Lestat, dieser flegelhafte Prinz, durch Himmel und Hölle gegangen und hatte bei seiner Rückkehr Unglauben und Entsetzen und das Schweißtuch der Veronika mitgebracht! Veronika, ein erfundener christlicher Name, der einfach nur *vera ikon* oder »wahres Abbild« bedeutet. Lestat fand sich in Palästina wieder in den Jahren, in denen ich lebte, und sah dort etwas, das die Fähigkeiten der Menschen, die wir so besonders hegen, nämlich Glaube und Vernunft, erschütterte.

Ich muss zu Lestat, ich muss in seine Augen sehen. Ich muss sehen, was er gesehen hat!

Mögen doch die Jungen Lieder vom Tod anstimmen. Sie sind dumm.

Das Edelste unter der Sonne und unter dem Mond ist die menschliche Seele. Ich staune über die kleinen Wunder, welche die Güte bei den Menschen bewirkt, ich staune über ihr stetig wachsendes Gewissen, über ihr beharrliches Festhalten an der Vernunft angesichts von Aberglauben und Verzweiflung. Ich staune über die menschliche Fähigkeit durchzuhalten.

Ich muss dir noch eine Geschichte erzählen. Ich weiß nicht, warum ich sie hier festhalten will. Aber ich tue es. Vielleicht, weil ich das Gefühl habe, dass du – ein Vampir, der Geister sehen kann – sie verstehen wirst und vielleicht auch verstehst, warum ich so ungerührt dabei blieb.

Im sechsten Jahrhundert – also fünfhundert Jahre nach Christi Geburt und dreihundert Jahre nachdem ich Marius verlassen hatte – zog ich durch das von Barbaren heimgesuchte Italien. Die Ostgoten hatten die Halbinsel schon vor langer Zeit überrannt.

Andere Stämme folgten mit Beutezügen und Brandstiftung und dem Abtragen alter Tempel.

Für mich war es dort, als ginge ich über glühende Kohlen.

Doch Rom bemühte sich darum, ein neues Bild von sich und seinen Prinzipien zu schaffen, indem es versuchte, das Heidnische mit dem Christlichen zu verschmelzen, um auf diese Weise die barbarischen Übergriffe zu unterbinden.

Den römischen Senat gab es noch. Er hatte als einzige Institution überlebt.

Und ein Gelehrter, der den gleichen geistigen Hintergrund hatte wie ich, Boethius, ein sehr belesener Mann, der die alten Klassiker ebenso studiert hatte wie die Schriften der Heiligen, war gerade hingerichtet worden, aber nicht bevor er uns ein großartiges Buch geschenkt hatte. Noch heute kannst du es in jeder Bibliothek finden. Es ist natürlich *Trost der Philosophie*.

Ich hatte das Bedürfnis, die Ruinen des Forums mit eigenen Augen zu sehen, die verbrannten, unfruchtbaren Hügel Roms, die Ziegen und Schweine, die herumstreunten, wo einst Cicero seine Reden an das Volk hielt. Ich musste das gottverlassene Bettelvolk sehen, das verzweifelt am Ufer des Tiber dahinvegetierte.

Ich musste die versunkene antike Welt selbst erleben. Ich musste die christlichen Kirchen und Schreine sehen.

Einen Gelehrten wollte ich vor allem treffen. Wie Boethius stammte er aus alter römischer Familie, und wie er hatte er die Klassiker und die Heiligen studiert. Er war ein Mann, der Briefe schrieb, die um die Welt gingen, sogar zu dem Gelehrten Beda in England.

Und er hatte ein Kloster gebaut, ein Zeichen von Schöpferkraft und Optimismus trotz Krieg und Zerstörung.

Dieser Mann war, wie sollte es anders sein, der Gelehrte Cassiodor; sein Kloster lag genau an der Spitze des italienischen Stiefels, in dem paradiesisch grünen Kalabrien.

Am frühen Abend, als ich es, wie geplant, erreichte, bot es den Anblick einer fantastisch erleuchteten kleinen Stadt.

Im Skriptorium saßen eifrige Mönche über ihren Abschriften.

Und dort, in seiner weit offenen Zelle, welche die Nacht einließ, saß über seinen Schriften Cassiodor, ein Mann jenseits der neunzig.

Er war der barbarischen Politik, die seinen Freund Boethius vernichtet hatte, entkommen, da er dem Ostgotenkaiser Theoderich gedient hatte und dann aus dem Staatsdienst ausgeschieden war – er hatte überlebt, um dieses Kloster, seinen Traum, zu errichten und um mit Mönchen in der ganzen Welt zu korrespondieren und das Wissen über die Antike mit ihnen zu teilen, damit die Weisheit der Griechen und Römer bewahrt wurde.

War er wahrhaftig der letzte Mensch der Antike, wie einige sagten? Der Letzte, der Latein und Griechisch lesen konnte? Der Letzte, der beides zu schätzen wusste, Aristoteles und die Dogmen des römischen Papstes? Plato und den heiligen Paulus?

Ich wusste damals nicht, dass man sich so genau an ihn erinnern würde. Und ich wusste nicht, wie bald er vergessen sein würde!

Das an den Hängen gelegene Kloster Vivarium war ein Triumph der Baukunst. Es gab hier glitzernde Fischteiche, denen es seinen Namen verdankte, die christliche, mit dem Kreuz geschmückte Kapelle, die Schlafsäle der Mönche und Räume für den müden Reisenden. Die Bibliothek war reich ausgestattet mit den Klassikern meiner Zeit, ebenso mit Evangelien, die heute verloren sind. Das Kloster war reich gesegnet mit Feldfrüchten, allen Getreidearten, die man zur Nahrung brauchte, Weizenfeldern, gut tragenden Obstbäumen.

Die Mönche kümmerten sich um das alles und widmeten sich außerdem Tag und Nacht in ihrem großen Skriptorium der Abschrift von Büchern.

Sie hielten auch Bienen. Hunderte von Bienenkörben standen an der sanften, von Mondlicht übergossenen Küste und bedeckten einen Hang, nicht kleiner als der Obsthof oder die Felder. Die Mönche ernteten den Honig, benutzten das Bienenwachs für ihre Altarkerzen und das Gelee Royal als Salbe.

Ich schlich mich an Cassiodor heran und schaute ihm heimlich zu. Dann wanderte ich zwischen den Bienenkörben umher. Wie immer staunte ich über die komplizierte Organisation der Bienenvölker, denn ihr rätselhafter Tanz, ihr Pollensammeln und ihre Fortpflanzung waren meinem Auge schon vertraut, ehe die Sterblichen sie erkannten.

Als ich die Bienenkörbe hinter mir ließ und auf das ferne Signalfeuer von Cassiodors Lampe zusteuerte, blickte ich noch einmal zurück. Da fiel mir etwas auf.

An den Bienenkörben sammelte sich etwas, etwas sehr Großes, Unsichtbares, Kraftvolles, das ich sowohl hören als auch spüren konnte. Nicht dass mich Furcht erfasst hätte, aber in mir blitzte die Hoffnung auf, dass etwas ganz Neues in die Welt gekommen war. Denn ich bin keine Geisterseherin und war es nie.

Diese Kraft erhob sich aus den Bienen selbst, aus ihrem komplexen Wissen und ihren zahllosen sublimen Strukturen, als hätten sie sie irgendwie zufällig entwickelt oder sie mittels ihrer unendlichen schöpferischen Kraft, Sorgfalt und Ausdauer mit einem Bewusstsein versehen.

Sie wirkte wie einer der alten römischen Waldgeister.

Ich sah diese Kraft frei über die Felder fliegen. Ich sah, wie sie in die Gestalt eines Strohmannes einzog, einer Vogelscheuche, die die Mönche gemacht hatten: mit rundem, hölzernem Kopf, gemalten Augen, einer groben Nase und lächelndem Mund – ein vollständiges Geschöpf in Mönchskutte samt Kapuze, das hin und wieder bewegt wurde.

Diese Vogelscheuche, diesen Mann aus Stroh und Holz, sah ich nun in wirbelndem Tanz durch die Felder und Weingärten eilen, bis sie Cassiodors Zelle erreicht hatte.

Ich folgte ihr!

Dann hörte ich, wie aus dem Wesen eine stille Klage aufstieg. Ich hörte es, und ich sah, wie sich die Vogelscheuche in einem Tanz der Trauer krümmte und bog und die Hände aus Strohbündel an die nicht vorhandenen Ohren presste. Sie wand sich vor Schmerz.

Cassiodor war tot! Er war ganz still in seiner erleuchteten Zelle, bei offener Tür, an seinem Schreibpult gestorben. Nun lag er dort, der Uralte, grauhaarig, stumm, über seinem Manuskript. Mehr als neunzig Jahre hatte er gelebt. Nun war er tot.

Diese Kreatur, die Vogelscheuche, war außer sich vor Schmerz und Trauer, sie schwankte hin und her und klagte, obwohl kein menschliches Ohr diesen Klang vernehmen konnte.

Ich, die ich nie Geister gesehen habe, starrte das Wesen verwundert an. Da bemerkte es meine Anwesenheit und wandte sich um. Er – denn so wirkte das zerlumpte Mönchsgewand und der Strohkörper – streckte die Stroharme nach mir aus. Das Stroh fiel aus den Ärmeln. Sein hölzerner Kopf wackelte auf der Stange, die ihn aufrecht hielt. Er – es – flehte mich an: Er bettelte um eine Antwort auf die wichtigsten Fragen, die Sterbliche und Unsterbliche je gestellt haben. Sein Blick war erwartungsvoll auf mich gerichtet!

Dann sah er noch einmal auf den toten Cassiodor und lief mir entgegen, quer über den abschüssigen Grasboden, und das Verlangen ging von ihm aus, strömte aus ihm hervor. Hatte ich denn keine Erklärung? Besaß ich nicht in einem verborgenen göttlichen Plan das Geheimnis um den Verlust des Cassiodor? Cassiodor, dessen Vivarium es mit der Schönheit und Herrlichkeit des Bienenvolkes aufnehmen konnte. Das Vivarium hatte ja dieses Bewusstsein aus den Bienenvölkern gesammelt! Konnte ich denn die Pein dieser Kreatur nicht lindern?

»Es gibt Schreckliches in dieser Welt«, flüsterte ich. »Sie besteht aus Rätseln und ist abhängig von Rätseln. Wenn du Frieden suchst, geh wieder zurück zu den Bienenvölkern; trenne dich von deiner menschlichen Gestalt, und steige wieder in das bewusstlose Leben der zufriedenen Bienen hinab, von denen du abstammst.«

Er stand wie angewurzelt und hörte mir zu.

»Wenn du nach Fleisch und Blut strebst, nach einem menschlichen Leben, einem harten Leben, das sich in Raum und Zeit vollzieht, dann kämpfe darum. Wenn du nach menschlicher Philosophie verlangst, dann bemühe dich und werde weise, damit dich nichts verletzen kann. Weisheit ist Kraft. Bringe dich, was immer du bist, in etwas ein, das ein Ziel hat.

Aber eines sollst du wissen: Alles unter dem Himmel ist nur Theorie. Alle Mythen, jede Religion, jede Philosophie und die ganze Geschichtsschreibung – nichts als Lügen.«

Das Wesen, ob männlich oder weiblich, hob die Strohhände, als wollte es seinen Mund bedecken. Ich wandte mich von ihm ab.

Still ging ich durch die Weingärten davon. Bald würden die Mönche entdecken, dass ihr Superior, ihr Genius, ihr Heiliger, über seiner Arbeit gestorben war.

Als ich mich umsah, bemerkte ich erstaunt, dass das Geschöpf aus Stroh die Haltung eines aufrechten Wesens beibehalten hatte und mich beobachtete.

»Ich will nicht an dich glauben!«, rief ich dem Mann aus Stroh zu. »Ich will nicht zusammen mit dir nach Antworten suchen!

Aber wisse: Wenn du ein Organismus meiner Art werden willst, dann liebe die Menschen, Männer und Frauen und ihre Kinder. Nicht Blut sei die Quelle deiner Kraft, nicht das Leid anderer! Erhebe dich nicht göttergleich über die Menge, die dir laut huldigt. Und lüge nicht.«

Er lauschte. Er hörte mich. Er verhielt sich still.

Ich aber rannte. Ich rannte den steinigen Hang hinauf und durch die kalabrischen Wälder, bis ich dieses Wesen weit, weit hinter mir gelassen hatte. Unter mir sah ich im Mondlicht majestätisch hingebreitet Cassiodors Vivarium liegen, das mit seinen Klostergebäuden und schrägen Dächern die Ufer der schimmernden Meeresbucht einfasste.

Die Kreatur aus Stroh sah ich nie wieder. Ich weiß nicht, was es war. Ich will auch nicht, dass du mir Fragen darüber stellst.

Du erzählst mir, dass Geister und Gespenster umgehen. Dass solche Wesen existieren, ist bekannt. Doch dieses war das Letzte, das ich von ihnen gesehen habe.

Und als ich mich das nächste Mal in Italien herumtrieb, war Vivarium schon längst zerstört. Erdbeben hatten die letzten Überreste seiner Mauern zerbröckelt. War es zuvor von einer weiteren Welle ungebildeter Horden aus dem Norden Europas geplündert worden, von den Vandalen? Oder hatte doch nur ein Erdbeben seinen Niedergang bewirkt?

Niemand weiß es. Was geblieben ist, sind die Briefe, die Cassiodor an andere geschickt hat.

Bald wurden die Klassiker als zu weltlich erklärt. Papst Gregor veröffentlichte Erzählungen über Wundertaten, weil er darin das einzige Mittel sah, Tausende von abergläubischen, unge-tauften nordischen Stämmen zum Christentum zu bekehren und in Massen zu taufen. So besiegte er die Krieger, die Rom nie hatte besiegen können.

Die Geschichte ließ Italien nach Cassiodor für hundert lange Jahre in absolute Dunkelheit sinken. Wie wird das in den Bü-

chern ausgedrückt? Ein Jahrhundert lang hört man nichts von
Italien.
Oh, welche Stille!

Nun, David, da du die letzten Seiten vor dir hast, muss ich dir
ein Geständnis machen. Ich bin schon nicht mehr hier. Das
Lächeln, mit dem ich dir diese Notizbücher überreichte, war
trügerisch. Weibliche Hinterlist würde Marius das nennen.
Mein Versprechen, dich morgen Nacht wieder hier zu treffen,
war eine Lüge. Ich werde nicht mehr in Paris sein, wenn du
diese Zeilen liest. Ich gehe nach New Orleans.
Das ist dein Werk, David. Du hast mich verändert. Du hast mir
das tiefe Vertrauen gegeben, dass im Erzählen ein Hauch von
Sinn liegt. Ich habe neue Energie in mir entdeckt. Durch die
Forderungen, die du an meine Sprache, an meine Erinnerungs-
fähigkeit gestellt hast, hast du mich gelehrt, wieder zu leben,
wieder zu glauben, dass auch Gutes in der Welt existiert.
Ich möchte Marius finden. Die Gedanken anderer Unsterb-
licher füllen die Atmosphäre. Schreie, Bitten, merkwürdige
Botschaften …
Einer, von dem wir glaubten, dass er von uns gegangen sei, hat
offensichtlich überlebt …
Ich habe gute Gründe zu glauben, dass Marius nach New Orleans gegangen ist, und ich muss wieder mit ihm vereint sein.
Ich muss Lestat aufsuchen, um diesen Flegel von einem Prinzen
mit eigenen Augen zu sehen, wie er bewegungsunfähig und
sprachlos auf dem Boden einer Kapelle liegt.
Komm mit, David, schließ dich mir an. Fürchte dich nicht
vor Marius, ich weiß, er wird kommen, um Lestat zu helfen. So
wie ich.
Geh zurück nach New Orleans.
Selbst wenn Marius nicht dort ist, möchte ich doch Lestat
sehen. Ich möchte auch die anderen wieder sehen. Was hast du

nur gemacht, David? Diese wiedergewonnene Neugier, diese neu entflammte Fähigkeit, Anteil zu nehmen, meine Stimme zu erheben, hat mir auch die erschreckende Fähigkeit geschenkt, zu verlangen und zu lieben.

Dafür, wenn schon für sonst nichts – und es gäbe tatsächlich mehr –, werde ich dir immer dankbar sein. Gleichgültig, welche Leiden folgen werden, du hast mich wieder belebt! Und nichts, das du tust oder sagst, wird meine Liebe zu dir je töten können.

ENDE

fertig gestellt: Juli 1997

Anne Rice

Vittorio

„Romeo und Julia" unter den Vampiren: Der junge adlige Vittorio de Riniari genießt sein höfisches Leben in vollen Zügen – bis eines Nachts ein schrecklicher Albtraum über ihn und seine Familie hereinbricht. Nur Vittorio wird verschont, da er das Interesse der Vampirin Ursula geweckt hat. Aber seine Entschlossenheit, den Tod seiner Familie zu rächen, gerät bald ins Wanken. Seine leidenschaftliche Liebe zu Ursula führt ihn unweigerlich ins Schattenreich der Vampire.

336 Seiten, gebunden

HOFFMANN UND CAMPE
www.hoffmann-und-campe.de